O Furgão

Roddy Doyle

O Furgão

Tradução de Lidia Luther

Estação Liberdade

© *Copyright* Roddy Doyle, 1991
Publicado originalmente com o título *The Van*
por Martin Secker & Warburg Limited
Londres, 1991

Tradução	Lidia Luther
Preparação e revisão	Fred Navarro e Cláudia Cavalcante
Composição	Antonio Kehl e Anita Cortizas
Layout da capa	segundo Chris Shamwana, na edição pocket book Minerva, (Mandarin Paperbacks, 1992)
Ilustração da capa	Alan Baker

Dados Internacionais de Catalogação na Publicação
(Câmara Brasileira do Livro, SP, Brasil)

Doyle, Roddy, 1958 -
 O furgão / Roddy Doyle ; tradução Lidia Luther.
– São Paulo : Estação Liberdade, 1998.

Título original: The Van.
1. Romance irlandês I. Título

98-2608   CDD-828.99

Índices para catálogo sistemático:
1. Romances : Século 20 : Literatura irlandesa
 828.99
2. Século 20 : Romances : Literatura irlandesa
 828.99

ISBN: 85-85865-84-9

SÃO PAULO – 1998

Todos os direitos desta edição reservados para
Editora Estação Liberdade Ltda.
Rua Dona Elisa, 116
01155-030 São Paulo – SP Brasil
Tel.: (011) 3824 0020 / 826 6843
Fax: (011) 825 4239
e-mail: estliber@alpha.hydra.com.br

Este livro é dedicado a
John Sutton

Agradeço a
Brian McGinn e Will Moore por sua
ajuda, conselhos e receita da massa

Jimmy Rabbitte tinha a cozinha toda para ele. Sentiu uma brisa, levantou os olhos e avistou Darren, um dos seus filhos, parado na porta, procurando um lugar para fazer seu dever de casa.

– Ah – disse Darren, e voltou para o corredor.
– Precisa da mesa, Darren? – perguntou Jimmy.
– Eh.
– Não. Tudo bem. Venha logo.
Jimmy levantou-se. Sua bunda estava adormecida.
– Jesus!
Ele se recompôs e sorriu para Darren.
– Vou procurar outro canto – disse ele.
– Obrigado – disse Darren.
– De nada – respondeu Jimmy.
Jimmy deixou Darren na cozinha e foi sentar no batente da porta da frente. Cristo, o batente estava gelado; ia acabar com hemorróidas ou pegando uma gripe ou qualquer coisa assim. Mas não tinha outro lugar para ficar até a hora do jantar. Todos os cômodos da casa estavam ocupados. Esfregou as mãos; não tinha importância. Queria terminar o artigo no jornal sobre como sofrem as pessoas depois que saem da prisão, com fotos dos quatro de Guildford.

Um carro passou. Jimmy não conhecia o motorista. O sol tinha baixado e a luz estava no fim da rua e logo ia se esconder atrás do ginásio da escola. Pôs o jornal no batente ao seu lado e recolheu as mãos para dentro da manga de seu pulôver.

Estava com vontade de passar o cortador de grama no jardim, mas não havia mais o que cortar de tanto que fazia aquilo. Ia parecer um bestalhão

11

de merda trazendo o cortador de grama para um passeio pelo jardim careca no meio do inverno. Havia ervas daninhas embaixo das cercas vivas, mas estas, ele ia deixar lá. Gostava delas; faziam o jardim parecer mais natural. Tinha pintado o portão e a cerca uns meses atrás; vermelho, com algumas partes brancas, as cores do Liverpool, mas Darren não parecia mais se importar com este tipo de coisa.
– Olhe, Darren. As suas cores.
– Ah, é.
Jimmy notou uns cantos onde a poeira tinha grudado na tinta quando estava ainda molhada. Ia pintar esses pedaços de novo, mas hoje não. Já estava um pouco tarde.
O carro passou de novo, agora na direção oposta. Dessa vez viu melhor o motorista, mesmo assim ainda não sabia quem era. Parecia que o cara estava procurando uma casa que nunca tinha visto antes. Estava olhando apenas para os números pares da rua. Podia ser um policial. Seria legal ver os tiras prendendo o Frano Traynor de novo. Tinha sido demais da última vez que aconteceu, principalmente quando Chrissie, a mulher do Frano, começou a atirar os brinquedos da janela de cima do quarto e acertou Frano em cheio com uma Ferrari da Barbie.
– Jesus; desculpa, amor!
– Não foi nada – disse Frano, passando a mão na cabeça à procura do sangue.
Isso teria matado o tempo até o jantar.
Mas o carro se foi.
Nada estava acontecendo, nem mesmo moleques na rua. Mas ele podia ouvir alguns deles, na esquina, e o carrinho de sorvete Mr. Whippy, mas este parecia um tanto longe, talvez até fora de Barrytown. Tirou as moedas do bolso e contou-as: uma libra e sete pence. Olhou para o relógio: estava quase na hora do jantar.

❖

Darren leu a pergunta que tinha acabado de escrever no topo da página.
– A complexidade de pensamento e novidade no uso da linguagem às vezes cria uma obscuridade aparente nos poemas de Gerard Manley Hopkins. Discuta este ponto de vista, justificando suas opiniões através de citações ou referências aos poemas de Hopkins estudados no seu curso.

Então rasgou a folha e escreveu a pergunta de novo, com tinta vermelha. Leu-a outra vez.
Começar, isso é que era o difícil. Puxou o livro de poemas para perto dele. Escreveu Complexidade, Linguagem e Obscuridade na margem.
Nunca conseguia começar as respostas, até mesmo em provas; ficava ali quieto até o professor dizer Faltam dez minutos e então voava. E sempre se dava bem. Mas mesmo assim ainda era uma merda começar. Leu a questão de novo.
Sua mãe ia entrar na cozinha para fazer o jantar a qualquer minuto e então teria de achar outro lugar.
Leu um dos poemas, A Natureza é um Fogo Heracliteano.
Darren não sabia quando o corretor de texto havia sido inventado, mas *Gerrah* Manley Hopkins com certeza estava cheirando alguma coisa. Mas isso ele não podia escrever na sua resposta.
Ao trabalho.
— Certo — respirou. — Vamos ver. Complexidade.
Começou.
— Na minha opinião a obra do poeta e padre —
Riscou E padre.
— Gerard Manley Hopkins é...
Parou.
— Puta merda.
Tinha acabado de se lembrar; nunca devia começar com Na Minha Opinião. Era proibido. Crosbie, seu professor de inglês, não deixava usar isso.
Rasgou a folha.

❖

Lá em cima no quarto, Veronica, a mãe de Darren, também estava fazendo seu dever de casa.
A porta estava trancada.

❖

— Você nem está tragando de verdade — disse Linda.
— Claro que estou; vá à merda.
Tracy deu mais uma tragada, segurou a fumaça na boca um pouquinho, e então soprou-a para fora, atrás do sofá. Não podia soprá-la pela janela porque seu pai estava sentado no batente da porta da frente. Linda pegou o Major dos

dedos dela e tragou um trago de verdade, e segurou a fumaça por muito mais tempo do que Tracy — e botou-a para fora quando ouviram a escada ranger. Jogou a bituca na latinha de Zubes e fechou-a, quase arrancando a pele dos dedos. Abanaram o ar com os cadernos.

— Esperaram. Olharam para a porta.

Mas a porta não foi aberta.

— Pegue de volta antes que se apague — cochichou Tracy.

Linda riu e Tracy também. Ficaram quietas e Linda abriu a lata.

— Jesus! — disse ela. — Está todo amassado.

— Deixe ver.

Era o último.

— Porra — disse Linda. — Estou morrendo de vontade de fumar outro!

— Eu também — disse Tracy.

— Você, não. Não sabe nem tragar.

— Eu sei, Linda.

— Não sabe. Sua fumaça sai muito certinha.

— Isso é por causa do jeito que eu trago. É isso mesmo, Linda. Meu Deus, estou desesperada.

— É — disse Linda. — Olhe aqui, não acha que parece com a letra da mamãe?

Tracy olhou para o que estava escrito na capa interna de um dos cadernos de Linda.

— É — disse ela. — Mais ou menos...

— Olhe bem — disse Linda.

Pegou o caderno das mãos de Tracy e mostrou a outra capa.

— Era assim quando comecei — ela contou a Tracy. Voltou para a primeira capa.

— É muito melhor, não é?

— É, sim — disse Tracy, e estava sendo sincera.

Leu o que estava escrito. Licença por favor, umas dez vezes na página, diminuindo e se apertando no fim, não era como a de mamãe, mas também não era como a letra normal de Linda, era muito menor, sem muitas bolinhas nas letras.

— Ela te mata — Disse Tracy a Linda.

— Por quê? — disse Linda. — Não fiz nada. Só estou experimentando.

Escreveu Licença.

— E agora, é igual?

— É — disse Tracy.

Esqueceram que estavam doidas por um cigarro. Tracy riscou História no caderno de exercícios. Tinha acabado de terminá-lo, cinco perguntas sobre as pirâmides.

— Jesus! — exclamou, lendo o que vinha depois na lista. — Que texto irlandês você está estudando, Linda?
— Nenhum — disse Linda.
Mostrou um outro Licença e um novo Por favor.
— E agora, parece?

❖

— Não.
— Ah, mas, Mamãe...
— Não, já disse.
— Papai?
— Ouviu sua mãe — disse Jimmy.
— Mas...
— Não tem nada de Mas.
As irmãs gêmeas, Linda era quem falava, queriam ganhar um vídeo de Natal. Não tinham nenhum em casa desde que Jimmy Jr., o filho mais velho, tinha levado o dele, quando se mudou uns meses atrás.
— Não tem Mas — disse Jimmy. — Não temos dinheiro para comprar um e é isso e pronto. E, além disso, não temos lugar para pôr...
— Com a tevê.
— Não me interrompa, certo?!
Ele estava com uma raiva absurda, sem perceber; quase se levantou da cadeira. Estava acontecendo um bocado esses dias. Tinha de ter mais cuidado. Parou de apontar para Linda.
— Não vamos comprar um; fim da história. Agora quero comer em paz. Pelo menos uma vez.
Linda levantou os olhos para o céu e remexeu-se um pouco na cadeira e pensou em sair da cozinha em protesto, mas ficou. Estava com fome.
E Gina também, a menina de Sharon.
— Cale a boca — Sharon disse a ela. — Espere.
Ela pôs as batatas fritas na frente de Gina, depois tirou-as.
— Agora, se você espalhar — Sharon avisou — tomo de você, está ouvindo?
Gina gritou.
— E o vovô vai comê-las em seu lugar Não é, vovô?

15

– O quê? – disse Jimmy – Batata frita, é? Dá aqui que eu como agorinha. Ele se debruçou sobre a cadeira de Gina.

– Passe-as para cá. Gostoso.

Gina gritou, e agarrou o prato. Sharon conseguiu manter as batatas fritas no prato, mas o ketchup se espalhou pela sua mão.

– Ah, maldito...

– Maldito! – gritou Gina.

Sharon limpou a mão no babador de Gina.

Os Rabbitte se puseram a comer.

– Gostoso – disse Jimmy.

Tracy queria dar um aviso.

– Tem um pedaço de papel pendurado no banheiro e a gente tem de fazer uma marca cada vez que puxar a descarga.

– O quê? – perguntou Jimmy.

Darren entrou.

– Hei, Darren, meu rapaz, – disse Jimmy. – Você estava assistindo ao programa sobre o muro de Berlim?

– Estava – respondeu Darren, e sentou-se.

– Incrível, não é? – disse Jimmy.

– É – disse Darren.

Jimmy se perguntava por que Darren não falava mais com ele como antes.

– Darren – disse Tracy. – Cada vez que der a descarga no banheiro, você tem de fazer uma marca na folha que está pendurada na parede.

– E para que isso? – Jimmy ainda quis saber.

– Tem uma caneta no copo onde estão as escovas de dentes – acrescentou Tracy.

– OK – disse Darren.

– Espera aí – disse Jimmy – O que é que temos de fazer? Exatamente.

Tracy levantou os olhos.

– Jesus! – disse ela a Linda.

– Não me venha com Jesus, não – disse Jimmy. – E isso é um palavrão. A caixinha de palavrões.

– Não é um palavrão, não. É um nome.

– Não do jeito que você disse – retrucou Jimmy.

Pegou o vidro de marmelada com uma fenda no meio da tampa e sacudiu-a na frente dela. A caixinha de palavrões tinha sido idéia dele, para forçá-lo a controlar a língua na frente da neném.

– Vamos – disse ele.

– Mas não tenho um tostão – disse Tracy.
– Tem sim – disse Linda.
–É foda.
– Está vendo? – disse Jimmy. – Paga dobrado.
Veronica tomou a frente.
– Esta é a última vez que você usa esse tipo de linguagem nesta casa – avisou a Tracy. – Está ouvindo? E você também – disse a Linda.
– Mas eu não falei nada! – retrucou Linda.
– Você sabe o que quero dizer – disse Veronica. – É um desrespeito; não vou permitir isso na frente de Gina.
Gina estava ocupada com suas batatas fritas.
– Certíssimo – disse Jimmy. – Vocês sabem com que rapidez ela pega as coisas.
– Mas eu só disse Jesus – disse Tracy, baixinho, levantando-se em sua própria defesa.
– E eu não disse nada – disse Linda.
– Vocês estão se tornando um par de...
Veronica não acabou a frase. Olhou para as meninas e depois para longe.
– Vagabundas – disse Sharon. – Se Gina começar a ficar com a boca suja, mato vocês.
– Não falei nada – disse Linda a seu prato.
Jimmy examinou o pedaço de hamburger no seu garfo.
– Eh – disse ele. – É dessa cor mesmo?
– É! – disse Veronica.
– Tudo bem – disse Jimmy. – Só estava perguntando.
Mastigou e engoliu.
– Já é a segunda vez nesta semana que a gente está comendo essa bóia – disse ele, um pouco para si mesmo.
Veronica deixou a faca e o garfo fazerem barulho no prato. Jimmy não olhou para ela.
– E aí – perguntou ele para Tracy. – Por que tenho de pôr uma marca num pedaço de papel quando vou ao banheiro?
– É para a escola – disse Tracy, como se ele fosse um débil mental. – Geografia.
– E o que é que ir ao banheiro tem a ver com Geografia?
– Não sei – disse Tracy. – Qualquer coisa a ver com água. Miss Eliot diz que a gente tem de fazer.
– Por que a Miss Eliot quer saber quantas vezes faço...

17

– Caixinha de palavrão! – disse Linda.
– Cainhapavrom! – disse Gina.
– Não cheguei a falar – disse Jimmy.
Voltou-se para Tracy.
– Por que ela quer saber quantas vezes eu uso o banheiro?
– Não é só você – disse Tracy. – Todos nós temos de fazer o mesmo.
– Por quê?
– Geografia.
– É para ver quanta água a classe toda usa – explicou Linda.
– Por quê? – perguntou Darren.
– E eu sei lá?! – exclamou Linda. – É besteira. Coisa inútil. Tracy ficou com o banheiro e eu tenho de fazer a pia e a máquina de lavar roupa, mas não vou fazer nada. É besteira.
– É seu dever de casa? – perguntou Veronica.
– É – disse Linda.
– Então vai ter de fazer.
Linda não disse nada.
– Ainda queria saber o que a Miss Eliot vai fazer com toda essa informação – disse Jimmy – Ela pode nos chantagear; que acha, Darren?
– É. É isso.
– Os Rabbitte vão ao sanitário duas vezes mais do que todo mundo, não é? Da próxima vez, vai querer saber quantas vezes a gente troca de cuecas; espere só para ver.
– Pare com isso – disse Veronica. – É o dever de casa delas.
Darren estava começando a rir, por isso Jimmy continuou.
– E depois disso, a gente vai achar pedaços de papel pregados ao lado das nossas camas, não é?
– Chega!
Darren riu. E Jimmy também. Ele falou para Gina.
– A gente ia acabar sem papel se tivesse de marcar cada vez que você faz a coisa, não é, amor?
Gina jogou uma batata frita nele, e acertou. Ele fingiu que estava morrendo. Sharon apanhou a batatinha antes que o cachorro, Larrygogan, chegasse lá, e fez Gina comê-la.
– Aqui, pronto – disse ela.
Mas Gina não se importou.
– Vocês não fazem mapas e coisas assim? – Perguntou Veronica a Linda e Tracy.

— Não — disse Linda. — Só às vezes.
— Quase nunca — acrescentou Tracy.
Veronica deu de ombros.
Jimmy arrotou.
— Jantar delicioso, Veronica — disse ele.
— Gostou do rango, então? — perguntou Veronica.
— Estava demais — disse Jimmy. — Muito melhor do que aqueles que a gente come nos pubs e nas lanchonetes.
— Ótimo, então — disse Veronica. — Mas quando eu começar a ver de novo algum dinheiro de verdade, você não vai comer tanto disso em casa.
— Não, não — disse Jimmy. — Estava muito bom.
Eles se olharam.
Então Gina derrubou o prato em cima de Larrygogan.
— Ah, Jesus! — disse Sharon.
— Cainhapavrom! — disse Gina.
Jimmy pisou nas batatas fritas, enquanto tentava limpar o ketchup em Larrygogan.
— Puta merda.
— Cainhapavrom!
E Sharon deu um tapa nela.
— Ah, deixe a menina, não faça isso — disse Jimmy. — É só batata frita.
— Ela faz de propósito.
Gina começou a berrar. Sharon queria matá-la, mas só por um instante. Levantou-a da cadeira e balançou-a nos braços. Mas Gina não ficou satisfeita.
— Jive Bunny, Gina — disse Jimmy. — Olhe.
— OH!
Ele começou a requebrar.
— Olhe para o vovô, Gina — disse Sharon.
— LET'S TWIST AGAIN...
— LIKE WE DID LAST puta merda!
Ele escorregou numa batata e quase caiu de bunda, foi salvo pela mesa. Gina parou de berrar, para assistir à cena. Jimmy, tentando se firmar e tirando o sapato, olhou para Gina e sentiu a vitória. Mas Gina ficou pronta para começar de novo; sabia pelo jeito que suas bochechas começavam a tremer.
— Bom — disse ao resto. — *Havaí 5-0*.
Formou uma trombeta com as mãos e começou.

– DEH DEH DEH DEH
DEHHH DEH...
Linda, Tracy, Darren, até mesmo Veronica formaram trombetas com as mãos e juntaram-se a ele. Gina dançou nos braços de Sharon e se esqueceu de chorar. Larrygogan limpou as batatas do chão e o prato também.

❖

Jimmy sentou-se para assistir à televisão. Não havia som nenhum. Os outros três caras estavam usando fones de ouvido, mas Jimmy não achava um outro par em lugar nenhum. Ele poderia perguntar à mocinha no balcão o que precisava fazer para obter os fones de ouvido, mas não queria. Ela parecia muito ocupada. E de qualquer forma, talvez não tivesse mais outros. E o programa não parecia tão legal; uns caras vestidos de toga conversando; uma peça ou algo assim.
Jimmy estava na biblioteca do ILAC, na cidade.
É um barato aqui, muito legal.
Nunca esteve aqui antes. Era demais. Não tinha apenas livros, tinha muito mais. Você podia retirar cassetes ou discos ou até mesmo CDs, ou se quiser, pode ouvi-los aqui mesmo. Passaria no setor de música, depois. Tinha um centro de recursos de linguagem, uma sala onde se pode aprender mais de sessenta línguas numa dessas cabines. Ou você pode usar o computador – olhou para o folheto de novo – para melhorar suas habilidades no uso do computador. Tinha até mesmo uma máquina de ler, no caso de alguém ter problemas de vista. Uma dessas ao lado da cama não seria mal, para quando a gente chega em casa depois de tomar umas à noite.
Não tem bebido muito esses dias; apenas uma cerveja ou outra com os caras duas vezes por semana.
Ia lá ver a máquina num minuto.
Ia com certeza se associar à biblioteca. Estava com a ficha para preencher. É legal aqui. Você pode ficar um tempão e nunca ficar de saco cheio. Você pode até emprestar quadros e levar para casa.
Mas isso era de uma idiotice sem tamanho, quando se pensa na coisa; pendurar um quadro na parede de casa por duas semanas e depois ter de trazê-lo de volta; no ônibus ou no trem, sentado ali como um débil mental com um quadro enorme no colo, quadro de uma mulher de calcinhas ou algo parecido.

Tem gosto para tudo.

Era demais olhar os caras assistindo à tevê e não poder ouvir. Um deles tinha dado uma risada um minuto atrás, como se estivesse tentando não rir, mas os caras da tevê estavam muito sérios. Ela quis saber — a moça do balcão — se ele tinha residência comprovada na região quando perguntou como é que se fazia para ser sócio da biblioteca.

Não sabia.

Respondeu que não era para ele mesmo que estava perguntando e ela lhe deu as fichas e disse para ele pegar alguém com casa própria para assinar no verso da ficha.

Achava que sabia. Mas o problema era, não sabia — não de todo — se a pessoa tinha de ser dona da casa ou se moradia alugada era suficiente. E a dele era alugada, por isso se ele tivesse dito Sim, eu sou residente, e se de repente não era mais quando estivesse preenchendo a ficha no balcão, teria se sentido um bestalhão completo. Na frente da mocinha. Ela parecia mais nova do que Sharon.

Bimbo, um de seus amigos, tinha casa própria. Jimmy pediria a ele para assinar, por via das dúvidas.

Tinha uma coisa que ele viu no andar de baixo, na loja do ILAC, no caminho para este andar; um estúdio, um daqueles pequenos que você vai dentro e canta uma música — por seis libras. As gêmeas iam adorar.

Ou melhor, talvez não. Ficariam muito envergonhadas. Tinha uma lista de músicas para se cantar. *New York, New York* era uma delas. Esta era a sua canção; sempre cantava *New York, New York* em festa de casamento ou dia de feriado no Hikers.

Seis libras. Veronica ficaria doida se ele chegasse em casa com uma fita gravada com sua voz cantando e descobrisse quanto tinha custado.

Levantou-se. Ia dar uma olhada nos livros. Quando se associasse, poderia levar três ao mesmo tempo e ficar com eles por três semanas, mas ele só emprestaria um ou talvez dois de cada vez. Não era muito rápido com a leitura. E de qualquer maneira, queria vir aqui mais vezes e não apenas uma vez a cada três semanas, por isso se pegasse um livro de cada vez poderia vir com mais freqüência.

Tinha um aviso — escrito a mão — na mesa que dizia que você podia pegar um *Action Pack* para desempregados, mas não tinha nenhum na mesa. Era preciso pedir um no balcão.

Ficou curioso para saber o que era. *Action Pack*. Provavelmente só folhetos.

E uma bússola e uma granada de mão e um desses comprimidos de cianeto para quando for pego depois de atravessar a linha inimiga.
Ia pedir um da próxima vez. A mocinha estava ocupada com algumas pessoas na mesa e um homem parecia que ia começar a ficar bravo com ela.
Era uma moça bonita, linda; não era o que se podia esperar. Com alguns botões abertos na blusa. Boa sorte para ela.
Foi até os livros. Queria achar a prateleira de esportes. Estava pensando em retirar uns dois livros sobre cães.

❖

Veronica e Jimmy estavam sozinhos, sentados na cama, Jimmy olhando Veronica botar as meias e depois as botas.
– Acho que a gente pode pedir emprestado uns trocados de algum agiota – sugeriu Jimmy.
– Não – disse Veronica.
– Uns trocados só...
– Não – disse Veronica.
– Você tem razão; tem razão, claro, Veronica – disse Jimmy. – A gente só se enterraria ainda mais...
– Prefiro morrer antes de pedir ajuda a esses cafajestes – disse Veronica.
– Você tem mais do que razão. Foi só uma idéia. Será que Leslie virá para casa. O que você acha?
Veronica não queria responder a esta questão. Mas respondeu.
– Duvido muito – disse ela.
– É – disse Jimmy.
Les estava na Inglaterra, em algum lugar. Era o que achavam.
– E Jimmy Jr.? – perguntou Jimmy.
– Ah, sim – disse Veronica.
Ela olhou para as solas das botas.
– E para onde mais ele iria? – disse Veronica. – Se enfiar com força, meus dedos vão sair do outro lado, olhe.
Então não enfie, quase disse Jimmy, mas se controlou.
– Será que ele não iria para – eh – os pais de Aoife? – arriscou.
Aoife e Jimmy Jr. estavam morando numa quitinete em Clontarf.
– Acho bom ele pensar melhor – disse Veronica. – Se for, então não precisa mais vir aqui para o almoço de domingo.

Ela se levantou.
— Com a roupa suja para lavar.
— É — disse Jimmy. — Pelo menos, a gente não vai ter de comprar nada para ele.
— Uma coisinha pequena, sim — disse Veronica.
— Bem pequena — disse Jimmy. — E aí tem apenas as gêmeas e Gina para a gente comprar presentes. E Darren. E alguma coisinha para Sharon também. Não é mau.
Veronica não estava convencida.
— Bem — disse ela.
Agora estava se olhando no espelho da penteadeira.
— E quanto à comida e à bebida? Tem muito mais do que só os presentes. E tem também outros presentes, você sabe. As crianças de Gerry e...
— Digo ao Gerry e a Thelma e a Pat para não nos mandar presentes e não mandamos para eles.
— Meu Deus — disse Veronica. — Nunca vou...
— Pois é, eles também não têm condições — disse Jimmy.
Não queria que Veronica terminasse o que ia dizer. Não tinha necessidade. Já ouvira tudo antes. E só ia fazê-lo ficar com raiva e ia acabar gritando. Não era justo.
— Ninguém tem — disse Jimmy.
Veronica não disse nada.
— Sempre estamos quebrados no Natal.
— Mas depois do Natal... — disse Veronica.
— Ah! — disse Jimmy.
Porra, não era justo mesmo.
— Ah, desculpe — disse Veronica.
Virou-se para olhar para ele direito.
— Não quis ofender.
— Ah, eu sei. Não estou culpando você. É que...
Olhou para ela olhando para ele.
— A gente dá um jeito — disse ele.
— É — disse ela.
— O peru eu vou ganhar no golfe mesmo — disse Jimmy.
— Você sempre ganha — disse ela.
— E talvez uma cesta de Natal também, quem sabe?
— Seria demais.

Nenhum dos dois queria falar mais sobre o Natal. Veronica tinha de ir. Ela checou sua pasta.

– Eh... Como estão indo as aulas, hein, Veronica? – Jimmy qius saber.
– São legais – respondeu Veronica.

Veronica estava estudando à noite, fazendo duas matérias no curso supletivo.

– Você é a mais velha, não é? – brincou Jimmy.
– Não!
– Diria que Matemática é muito difícil, não acha?
– Não é tão ruim – disse Veronica.

Era mentira, mas uma pequena mentira apenas, pois estava ficando mais fácil. Estava se acostumando com a coisa, ficar na sala de aula e ter um professor, um rapaz jovem da idade do Jimmy Jr., olhando por cima dos seus ombros o tempo todo. E Darren ia lhe dar uma mão.

– Estava pensando talvez em pegar umas aulas também – disse Jimmy.

– Está muito atrasado – disse Veronica. – Vai ter de esperar até o ano que vem.

Não tinha certeza se era verdade – achou que era, realmente – mas queria fazer tudo sozinha, até mesmo ir para a escola sozinha e caminhar de volta para casa. Tudo.

Era hora de ir.

– Tchau – disse ela. – Vai ficar por aqui?
– Vou sim – disse Jimmy. – Vou ler um dos meus livros.

As gêmeas estavam na sala da frente – dava para ouvi-las – e Darren estava na cozinha, mas ele não se incomodava de ficar onde estava. Gostava de ficar na cama – não estava tão frio; era gostoso – e ler.

– Peguei três livros – ele disse a Veronica. – Olhe! Mas ela já tinha ido embora.

– Até mais tarde – gritou ela, do corredor.
– OK, amor – disse Jimmy. – Boa sorte. Preparou todo o dever de casa? Mas ela não respondeu. Tinha ido embora. Ele ouviu a porta bater. Boa sorte para ela.

Pegou um dos seus livros. *O Homem da Máscara de Ferro*. De Alexandre Dumas. Uma capa horrível. Ele poderia ter desenhado muito melhor.

Lembrou-se de uma coisa. Pôs a unha do dedão na capa e arranhou o plástico que a cobria. Funcionou, deixou uma linha de marcas pequenas

ao longo do plástico. Fez de novo. O som era o mesmo também, de quando era um menino.
Isso era o máximo!
Levantou-se.
Fez uma xícara de chá – está meio friozinho aqui – e então ia ler para valer. Cinqüenta páginas antes de Veronica voltar.

❖

– Cuidado com a casa!
Aquele filho da puta ali estava berrando isto desde o começo da partida. Talvez até nem soubesse o que queria dizer com isso, o desmiolado. A bola estava perto do gol do Barrytown, a primeira vez que tinha ido naquela direção no segundo tempo.
Era sábado à tarde. Jimmy estava no Parque de St. Anne assistindo ao time juvenil do Barrytown United; vendo o Darren jogar.
O Barrytown ganhava de cinco a zero. O outro time era um bando de inúteis. Jimmy não conseguia se lembrar como se chamavam. Darren não se deu ao trabalho de voltar para a defesa e estava muito certo. A última vez que esse bando viu a rede balançar foi quando o goleiro deles peidou.
– Muito bem, Darren! Vamos lá!
Darren parou a bola. Normalmente a essas alturas teria dois ou três homens na sua cola ou, com o campo enlameado desse jeito, alguém deslizando para acertar seu calcanhar. Mas agora, dois caras da defesa do outro time corriam ao redor dele, como se não quisessem atrapalhar, porque não seria educado, por isso Darren segurou a bola por um tempo, virou e passou por onde deveria ser a linha do meio campo.
– Mostre seu imbatível talento, Darren – gritou o goleiro do Barrytown, Nappies Harrison.
O líbero estava esperando por Darren. Era assim que se chamava: o líbero.
– Vamos jogar com três no centro da defesa – contou ele para Darren no primeiro tempo. Como o Arsenal. Estava esperando por Darren do outro lado de uma poça, curvado como se fosse mergulhar nela. Kenny Smith estava do lado esquerdo de Darren, pedindo a bola. Darren passou pelo líbero, deu a volta (– Isso aí, Darren!), desenterrou a bola da lama com seu dedão e passou para Kenny, com toda a força para ela não atolar de novo.

25

— Bem jogado — disse o líbero deles; Jimmy ouviu.

Darren sabia que seria elogiado depois por seu jogo solidário (— É assim que se joga, rapazes, como o Liverpool), mas tinha passado a bola para o Kenny porque não tinha saco de continuar para a frente. Ouviu a gritaria irônica. Fizeram mais um gol; uma cabeçada de peixinho de Anto Brennan que ele na verdade não precisava ter feito.

Darren atravessou a linha do meio-do-campo. Detestava esse tipo de jogo, quando se ganhava sem suar. No próximo jogo perderiam; era sempre assim.

— Vamos lá, rapazes — gritou o velhote do lado do campo. — Mostrem um resultado mais respeitável, vamos lá.

— Escutem só o que ele está dizendo — disse Kenny.

— É — disse Darren. — Uns fodidos sem jeito.

A maioria não ia aparecer para o treino na terça à noite por causa dessa vitória; uma vitória enfática do time.

A bola estava na linha do meio. O árbitro pegou-a e soprou no apito; final da partida, dez minutos mais cedo.

— Ainda bem — disse Pat Conlon. — Estava congelando as bolas.

— Logo quando eu ia fazer meus três golzinhos — Kenny reclamou.

— Ah, deixa de reclamar — disse Pat. — Mesmo porque você nunca ia conseguir fazer mais dois gols.

— Contra esses punheteiros de merda, não seria problema.

O líbero esperava por Darren na saída do campo, com a mão estendida.

— Bom jogo — ele cumprimentou Darren.

— É — disse Darren. — Obrigado.

— Ganhou o melhor time.

— O campo não estava bom para se jogar — disse Darren.

Seu pai o esperava também.

— Jogou bem, Darren.

— Obrigado, pai.

Darren correu pela beirada do caminho de pedrinhas até o portão do parque.

— Da próxima vez, traga sua mãe — ouviu Kenny dizendo para o líbero, e viu seu pai rindo.

Entrou no banco traseiro de um dos três carros do Barrytown United.

— Aperta um pouco aí — disse ele.

— Ahh! Espera aí, minha perna!

— Bom jogo, Darren — disse o senhor Reeves, amigo de seu pai, o Bimbo.

— Está todo mundo aqui?

– Não, falta Kenny.
– Kenny! – Darren gritou. – Vem!
– São um bando de inúteis, não são? – disse o senhor Reeves.
– De dar dó – disse Darren.
Depressa, ele quis dizer. Depressa!
Kenny entrou na traseira em cima dos três que já estavam lá. Eram mais dois no banco dianteiro, e Bimbo.
Darren trancou a porta.
– Porra – disse Bimbo. – Estamos quase arrastando no chão. Vocês jantaram no intervalo, rapazes?
Eles riram. O carro se moveu. Gritaram.
Mas Bimbo brecou.
O pai de Darren apareceu na frente da janela do carro.
– Dá para vocês irem com o Billy, rapazes? – pediu ele a Muggah McCarthy e Pat Conlon.
– Tá legal – disse Muggah, e o pai de Darren entrou no carro quando os dois saíram.
– Agora vamos embora – disse ele a Bimbo.
Kenny se agachou (– Ah, Kenny! Cuidado!) e desceu o vidro da janela do lado de Darren. Gritou para o outro time, quando já entravam no microônibus.
– Hei! Time de putinhas preguiçosas!
– Aqui não; nada disso! – disse Bimbo.
Brecou de novo.
– Pode descer agora mesmo se for começar com isso.
– Que falta de educação – disse o pai de Darren, e piscou para eles.
– Desculpe – disse Kenny.
Eles se cutucaram. Bimbo acelerou o carro de novo.
– Onde foi arranjar esses molengas, senhor Reeves? Do Vincent de Paul*? – perguntou Nappies.
Todos riram.
– É – disse Kenny. – De dar dó, não é, Darrah?
– Vá se foder – disse Darren.
Seu pai riu.
– Vão secar o barril hoje à noite, rapazes? – perguntou Anto.
– Tá na cara, porra – disse Kenny.

---

* Organização de caridade irlandesa. (N.T.)

E começou a cantar.
– HERE WE GO
HERE WE...
– Cala a boca aí atrás – disse Bimbo.
Os vidros das janelas estavam embaçados. Darren limpou o seu e ficou olhando as pessoas passeando na frente da praia, admirando as garotas.
– Viu aquela? – exclamou Kenny. – Porra.
Virou-se para olhar pelo vidro de trás e atingiu Anto bem na boca.
– Você está morto, cara – disse Anto.
Procurou para ver se achava o sangue. Não tinha.
– Que falta de educação – disse Nappies. – Não é, Darren?
Darren deu o dedo para Nappies.
– Seu macaco – disse ele.
Nappies estava sentado no colo de Anto. Sua orelha direita quase tocando o teto.
– Mais depressa, Sr. Reeves, pelo amor de Deus. Meu pescoço está se quebrando.
– Bom, rapaziada – disse Anto. – Onde vamos hoje à noite?
– O Nep – disse Nappies.
– Ah, não. Seu hippie fodido.
– Não tem nada de errado com o Nep – disse Anto. – É melhor do que a porcaria de lugar onde vocês vão beber.
– Isso mesmo, cara.
– Certo, Anto.
– Vai vestir sua calça boca-de-sino, Nappies?
– Ele dá pena.
– Vocês não sabem de nada – disse Nappies.
– Onde fica o Nep? – perguntou Bimbo.
– Na cidade – disse Nappies.
– Minha nossa – exclamou Bimbo. – Vocês vão tão longe só para tomar uma cerveja?
– São uns puta idiotas – disse Jimmy.
– É porque estão com medo de serem pegos pelas mães deles bebendo no Hikers – contou Anto para Bimbo e Jimmy.
– Não comece, estou avisando – disse Nappies. – Minha mãe sabe que eu bebo.
– É. Leite.
– Vá se foder.

— Será que também sabe que você fuma um baseado, Nappies?
Kenny ganhou uns puxões de Darren para ficar calado.
— Onde é que o resto vai? — perguntou Bimbo.
Não estava sendo bisbilhoteiro.
— O Beachcomber — disse Anto.
— Não vão lá não — disse Nappies. — Não minta. Não deixariam vocês entrar.
— Não deixariam, é? — disse Anto. — Estão ouvindo, caras?
— Então conte como é lá dentro — disse Nappies — se já esteve lá dentro. Diga, vamos.
— Pelo menos é melhor do que a porra do Nep.
— Você nunca entrou lá; eu sabia.
— Vá se foder, você.
— Você que vá se foder. Toda a cambada. Ficariam bêbados com o peido de um garçom.
— Vá se foder, cara.
— Olhe a língua, rapazes. — Então nenhum de vocês vai ao Hikers?
— Eu vou — disse Kenny.
— Vai nos seus sonhos, cara — disse Anto. — Ele perguntou se você bebe lá, e não se você senta no muro de fora.
— Não comece — disse Kenny. — Bebo lá, sim.
— Quando?
— É. Quando? Vamos, diga.
— Com meu pai.
— É. No dia da sua crisma.
— Vá se foder.
— É, Kenny, seu pai bebeu o seu dinheiro por você.

Darren gostava disso, mesmo com seu pai ali; os caras tirando sarro um do outro. Esfregou a janela de novo. Não podia abri-la porque os pés de Kenny estavam atrapalhando. Estavam deixando a orla marítima agora. Mas era meio idiota, isso; não o sarro, mas o assunto. O tema.

— Beber no boteco — disse Kenny, — é melhor do que beber num pub. Especialmente quando é na zona.
— Mas isso não é beber no boteco! — exclamou Anto.

Nem se barbeavam ainda, a maioria deles ali no carro. Darren se barbeava e era mais novo do que alguns deles. E já tinha ido ao Beachcomber. E ao Hikers. Não era grande coisa. Hoje à noite ia trabalhar no Hikers — mas também tinha bebido lá, quando não estava trabalhando — e depois ia

para o Grove. O Grove era uma merda. Não era tão ruim assim antes, mas agora só tinha moleques lá e a música era de doer; antes, era demais. Mas estava indo se encontrar com Miranda depois do trabalho, por isso não era tão mal.
— Ei, Darren. Onde vai hoje à noite?
— Estou trabalhando — disse Darren.
Ela tinha quinze anos, mas parecia muito mais velha; não era esquelética. Já tinha passado no seu ginásio; seis matérias; duas a menos do que Darren. Tinha cabelos bonitos, pretos, amarrados para cima e soltos dos lados. Olhos enormes e não tinha espinhas, pelo menos à luz do Grove. Até agora só a tinha visto no Grove. Não estava ainda saindo com ela.
— Chegamos, rapazes.
Estavam em frente ao centro comunitário.
— Obrigado, senhor Reeves. O senhor é um motorista de primeira.
Darren abriu a porta e Kenny caiu na rua, de propósito; sempre fazia isso. Darren saiu do carro.
— Porra, minhas pernas.
— É. Devíamos ter um ônibus.
— Vai nos dar um de Natal? — perguntou o senhor Reeves.
— Aqui, Sr. Reeves — disse Pat. — Vamos roubar o 17A para vocês.
Os outros dois carros chegaram. O gerente do time, Billy O'Leary, desceu de seu carro.
— Aqui, rapazes — disse ele. — Estão me ouvindo?
Fechou o zíper de sua jaqueta e esfregou as mãos. Bimbo e Jimmy se aproximaram e ficaram ao seu lado.
— Estão ouvindo? OK, uma vitória hoje, mas vamos ser honestos, rapazes. Os caras eram uns bunda-moles.
Fez o pessoal rir. Depois franziu o rosto.
— Semana que vem o negócio vai ser diferente. Cromcastle é um time de garra e não podemos esmorecer.
— O quê? — perguntou Kenny.
— Não é para bancar o molenga — Muggah respondeu para ele. Miranda é ligada no The Cure...
— Darren — disse Billy. — Você jogou muito, meu filho.
— Achei que ele só se arrastou — murmurou Pat.
Eles riram.
— Vão se foder, vocês todos — disse Darren.

30

— Chega, rapazes — disse Bimbo. Vamos ouvir.
— Demais — disse Billy. — Um toque de cada vez — ele disse ao time. — Pegue a bola e passe para alguém que esteja melhor colocado.
— Do jeito que faz o Liverpool — sussurrou Muggah.
— Ouvi isso — disse Billy. — E você está certo. É assim mesmo.
— E que tal eu, Billy? — disse Nappies. — Não acha que joguei demais também?
— É — disse Kenny. — Puxando o saco.
— Vocês estão ouvindo? — disse Billy. — Agora, quero vocês todos aqui no treino na terça, certo? Sem desculpas. Quem não vem?
Ninguém levantou a mão.
— Muito bem — disse Billy. — E na hora marcada, também. Quero trabalhar algumas jogadas ensaiadas para sábado.
— Viva Billy!
— Fiquem calados um minuto. Mesmo que chova, ainda assim vamos ter treino, entendido?
— Certo.
— OK.
— Falou, chefe.
— Certo; agora podem ir para casa e divirtam-se. Foram demais hoje. Estou orgulhoso de vocês.
— Estamos orgulhosos de você também, Billy — disse Pat.
— Venha aqui, seu merdinha — disse Billy.
Eles riram.
— O que aconteceu com seu arremesso longo, cara? — Billy quis saber. — O gato da minha mãe pode atirar a bola mais longe do que você fez hoje.
Eles caíram na gargalhada.
— Batendo muita punheta, meu filho — disse Billy. — Esse é o seu problema.
Ele se aproximou de Pat.
— Vamos, mostre as palmas. Venha, mãos para fora.
Darren viu Pat pulando por cima da mureta na direção do estacionamento do shopping. Billy não conseguiu segui-lo.
— Até mais — disse Darren, baixinho.
Caminhou para casa, ainda de chuteiras e de uniforme. Desejou ter água quente em casa. Esses dias era raro ter.
Ela era ligada no The Cure, mas não era loucamente: sabia o que queria. Era apenas a aparência, a imagem que ela seguia, o cabelo e os Doc

Marteens que calçava. Era ligada no The Cure, mas não apenas neles.
Estava atravessando no gramado, para não pisar no concreto com suas chuteiras.
Ela também era ligada...
— Lá vai o Darren Rabbitte e suas pernas.
Era Anita Healy, da classe de Darren, e sua amiga, Mandy Lawless.
— Oi — disse Darren.
Sorriu e fingiu cobrir as pernas com a camisa.
— São mais bonitas do que as suas, Mandy — disse Anita.
— É verdade — disse Darren. — Mas as suas são mais cabeludas, Mandy.
Anita caiu na gargalhada.
— Vá se foder, Rabbitte — disse Mandy.
Ela fingiu que o chutava e Darren a agarrou. Ela gritou Larga sem muita convicção, e ele a largou. Eles ficaram ali um pouco.
Seu pai se aproximava.
— Tchau — disse ele.
— Tchau, Darren.
Anita gritou depois que ele começou a andar.
— Mandy disse que você é um tesão, Darren!
— Eu não disse nada, Anita. Vá à merda.
Darren continuou.
Porra. Mandy não era de se jogar fora — uma mulherona. Tinha um estilo kyliesco*, mas tinha pernas bem feitas, pernas de mulher de verdade. E seios também. Muitas vezes tirava a blusa de frio na escola e a amarrava na cintura, até mesmo quando não estava tão quente. Darren gostava disso, mas também tinha vezes que se irritava.
Começou a correr.

❖

Era segunda-feira. Jimmy estava lendo para Gina. Estava tomando conta dela, porque Sharon tinha ido à cidade. Ele ia jogar uma partida de golfe.
— Você não pode levá-la no carrinho? — perguntou Sharon. — De um buraco para o outro.

---

* Referência a Kylie Minogue, cantora pop australiana. (N.T.)

– Está brincando, Sharon?– disse ele. – Não vão me deixar levá-la. Causaria muito transtorno. Pode ser atingida por uma bola. Alguns dos idiotas que vão lá são zarolhos.
– Então não pode ir jogar amanhã? – pediu.
– Mas vou jogar amanhã também, Sharon – disse ele. – Tenho de ganhar um peru antes do Natal e não tem tantos fins-de-semana mais. Preciso praticar o mais que puder. OK, OK. Dá ela para mim.
Veronica não podia ficar com ela. Tinha de ler e fazer o resumo de seis capítulos do *O Senhor das Moscas*. Essa era a sua desculpa.
– Ela não vai atrapalhar sua leitura, Veronica.
– Ou você leva a Gina ou fica em casa – disse ela. –Tenho outras coisas para fazer.
Por isso estava ocupado com Gina. Mas não se importava. Nem tanto. Uma tarde livre seria bom para Sharon. Ela não estava com boa aparência ultimamente, pálida e com uma expressão irritada. Umas poucas horas nas lojas, e ela se sentiria outra.
Gina estava no seu colo, tentando agarrar o livro.
– O rei é um belo cavalheiro, meu bom amigo – ele leu. – E você também... Ah, ah; ouça: o que for que disser sobre isso. Porthos sorriu triunfante. Vamos ao alfaiate do rei – disse ele. –Vou lhe dar umas palmadas se fizer isso de novo, Gina.
– Paf!
– É isso mesmo. Agora. E como ele mede o rei, acredito eu, pela minha fé! Posso permitir que também me meça.
Fechou o livro.
– Acho eu, pela minha fé, que é um punhado de merda. Aqui.
Deixou Gina no chão e se levantou – Caramba! – e levantou Gina nos braços.
– Aqui. Você é um peso, hein, menina?
– Vovô.
– Sim. Vamos passear, vamos? E achar alguém para chatear.
Pegou o livro. Só trinta e nove páginas lidas e mais de quatrocentas ainda para ler e o livro era uma merda. Tinha certeza que era bom, brilhante – um clássico –, mas ele o detestava. Não era difícil; esse não era o problema. Era apenas uma merda; chato, talvez, mas merda era definitivamente a palavra que ele queria usar. E tinha de terminar de lê-lo, porque dissera a Veronica que o estava lendo, contou sobre o livro, mostrou-o a ela; o idiota aqui.

– Melhor pegar o casaco – disse ele a Gina.
Ela empurrou seu peito e ele a colocou no chão. Correu – estavam na sala da frente –, alcançou a porta e a abriu.
Jimmy passou os olhos pela pilha de fitas de vídeo de Gina na estante; Postman Pat, The Magic Roundabout – essa era demais –, cinco deles, presentes do pessoal. E sem vídeo para assisti-los. Deus a abençoe.
Ele bateu na perna com o livro.
– O homem na porra da máscara de ferro.
Talvez irá dizer a Veronica que tinha acabado de ler (– Ele escapou, Veronica) e começar um dos outros que retirou na biblioteca. Era um inútil; não conseguia nem ler um livro de verdade.
Foi até a cozinha e a campainha tocou.
– Que é agora?
Voltou para o corredor. Veronica não tinha problema nenhum em ler e acabar os livros dela. Distinguiu Jimmy Jr. através do vidro da porta.
– O que está fazendo aqui?
Só vinha nos domingos, desde que tinha saído de casa e se amancebado com a mocinha Aoife, menina bonita, boa demais para esse moleque.
Abriu a porta.
– Como vão as coisas? – disse Jimmy Jr.
Passou por Jimmy.
– Esqueci as roupas aqui ontem – disse ele – Não tenho nem as cuecas para vestir.
Jimmy seguiu-o pelo corredor até a cozinha. Não tinha ninguém lá. Estava vazia; Veronica estava queimando as pestanas com seus livros no quarto de Sharon e o resto estava na escola. Jimmy Jr. pegou a sacola com sua roupa. Ela tinha o nome Ibiza e um mapinha pintado num dos lados.
– Aqui – disse ele.
– A Aoife não lava suas roupas? – perguntou Jimmy.
– De jeito nenhum – disse Jimmy Jr.
– Vocês não dividem o trabalho?
– Não – respondeu Jimmy Jr. – Ela disse para eu me foder e lavar minhas próprias roupas.
Eles riram um pouco.
– Ela está certíssima – disse Jimmy.
– Quando foi a última vez que você lavou alguma coisa? – perguntou Jimmy Jr.
– Não comece. Faço a minha parte.

— É, é. Claro que faz. Tenho de ir. Tenho de fazer a merda do jantar.
— Porra, a menina está mesmo lhe segurando pelas bolas — disse Jimmy.
Seguiu Jimmy Jr. até a porta.
— Aqui, tome — disse Jimmy Jr. — Acho que pode precisar disso.
Era uma nota de cinco libras.
— Ei...
— Vamos, pegue — disse Jimmy Jr.
E pôs a nota dentro do bolso da jaqueta do pai.
— Para umas cervejas — disse ele.
— Obrigado.
— De nada. Tchau.
— Obrigado.
— Pronto, fique calado. Tchau.
— Está certo. Boa sorte, filho.

❖

Sharon o encontrou.
— Não me ouviu? — perguntou ela.
Jimmy estava olhando para a porta quando Sharon entrou no quarto. Ficara ali desde a partida de Jimmy Jr.
— O quê? — perguntou Jimmy — Estava me procurando, filha?
— Estava quase gritando — disse Sharon. — Lá de baixo. Não me ouviu? — perguntou de novo.
— Devo ter cochilado. Estava...
— Está tudo bem com você?
Estava triste, sentia-se pequeno e como se tivesse apanhado.
— Estou ótimo — disse ele.
Olhou ao seu redor, como se procurasse a razão por estar ali.
— O chá está pronto — informou Sharon.
— Oh, legal.
— Alguma coisa errada?
— Não, nada, Sharon, nada. Nada.
Sorriu, mas Sharon continuou olhando para ele.
— Tem alguma coisa errada, não tem? — perguntou ela.
— Olhe...
— Posso ver pelo seu...
— Me deixe em paz, porra!

– Desculpe por ter falado.
Ela segurou a porta ao sair.
– Desço em um minuto.
– Faça o que quiser – disse ela, e bateu a porta.
Ela ouviu a madeira rachando com a batida, mas não parou. Desceu as escadas.

No quarto, Jimmy abriu sua boca o mais que pôde e massageou o queixo. Agora estava bem. Imaginara que seus dentes iam trincar e se quebrar; não conseguia abrir a boca, como se ela estivesse trancada e apertada. E ele teria de fechar os olhos e esperar a dor e o aperto. Mas aí a coisa toda parou e ele começou a respirar de novo. Sentia-se fraco agora, um pouco fraco. Mas estava bem. Em um minuto estaria ótimo.

Fechou a boca. Estava tudo bem agora. Pediria desculpas a Sharon por ter gritado com ela. Esticou-se e ficou ereto. Agora desceria. Pegou a nota de cinco da cama e pôs no bolso.

❖

Ele estava com a nota de cinco de Jimmy Jr. e mais duas libras que Veronica lhe dera para que pudesse pagar uma rodada. Se apenas o Bimbo e Bertie estivessem lá, então a nota de cinco seria suficiente e ele poderia dar as duas moedas de volta para Veronica, mas se Paddy também estivesse, então ia precisar de todo o dinheiro. Eram quinze para as dez, tempo suficiente para que pudesse esvaziar uns três ou quatro copos, mas tarde demais para ter de pôr a mão no bolso para pagar uma segunda rodada antes do pub fechar.

Saiu do gramado e atravessou a rua. A lâmpada do poste estava quebrada de novo. O vidro em estilhaços, espalhado pela calçada. Era sempre aquela que eles quebravam, e a única também.

Era engraçado; ficara agradecido quando Jimmy Jr. lhe dera a nota, mais do que isso, ficara contente, mas ao mesmo tempo, ou um pouco depois, tivera vontade de ir atrás dele, esbofeteá-lo e jogar a merda da nota na cara dele; que atrevimento, o dele; quem ele achava que era, distribuindo notas de cinco como se fosse o porra do Bob Geldof?

Mas agora estava tudo bem. Tinha cinco libras e estava saindo numa noite de segunda-feira.

– Olhe o Jimmy – disse Malcolm, um dos leões-de-chácara do Hikers.
– E aí, tudo em cima, Malcolm? – disse Jimmy.
– Frio danado.

– E eu não sei?
Empurrou a porta do bar e entrou.
– O senhor em pessoa! – disse Bimbo.
Estava contente em vê-lo; Jimmy podia sentir. Tinha um sorriso na cara que até roupa podia-se estender nele. Apenas ele e Bertie no bar, com os copos cheios na frente deles. Bertie se virou e viu Jimmy.
– Ah – disse ele. – *Buenas noches*, Jimmy.
– Tudo bem? – cumprimentou Jimmy.
Nada se comparava a isso, algumas cervejas com os amigos.
– Uma cerveja aí, Leo – gritou Bimbo pra o bar –, por favor.
Leo já tinha posto o copo embaixo da torneira do barril. Jimmy esfregou as mãos. Queria gritar de alegria, mas pôs as mãos nos bolsos e olhou ao redor. Chamou a atenção deles para um canto.
– Quem são eles? – perguntou.
– Não sei, *compadre* – disse Bertie. – Gringos.
Estavam olhando para três casais, todos jovens, com expressões satisfeitas na cara.
– Para mim são um bando de abestalhados – disse Jimmy.
– Mas você nem os conhece, cara – disse Bimbo.
Bimbo sempre levava as coisas a sério.
– E nem quero conhecer esse bando de fodidos – disse Jimmy a Bimbo.
– Olhe para eles. Deveriam estar lá em cima.
Lá em cima era o salão.
– Cuspo neles – disse Bertie.
– Mas não pode proibir as pessoas de virem aqui se quiserem – disse Bimbo. – Isso é um pub.
– Claro que se pode – disse Jimmy.
– Ele está certo, *compadre* – disse Bertie a Bimbo.
– Como é que ele está certo? – disse Bimbo. – Um pub é um pub, um lugar público.
Leo chegou com o copo de Jimmy.
– Agora sim – disse Leo.
– Legal, Leo – disse Jimmy – Que me fodam se não é uma beleza.
Eles concordaram; era.
A espuma subia e ultrapassava o copo, transbordando pelos lados, e depois nivelava e parecia sólida no topo. O copo estava limpo por fora. Jimmy inclinou o copo um pouco, mas a espuma ficou do jeito que estava. Ficaram admirando.

— Porra — disse Jimmy — Olha só.
Levantaram-se dos bancos e procuraram uma mesa vazia.
— Bom — disse Bimbo. — A coisa é que qualquer um tem o direito de entrar num pub se quiser.
— De jeito nenhum — disse Jimmy.
Sentaram-se numa mesa e se acomodaram; afundaram-se nas cadeiras, arregaçaram as calças, jogaram os porta-copos secos e amassados na mesa do lado. Estavam em seu elemento.
Não havia muita gente no pub.
— Vem cá, Bimbo — disse Jimmy. — Você acha mesmo que qualquer um poderia entrar aqui? Agora, por exemplo?
— Eh — disse Bimbo.
Não queria responder, mas não tinha alternativa.
— É.
— Então por que é que o Malcolm está lá fora?
Bimbo perdeu.
— E num frio desses — continuou Jimmy.
— *Si* — disse Bertie. — Pobre do Malcolm.
— Ele está sendo pago muito bem para isto — Bimbo disse a Bertie.
Depois virou-se para Jimmy.
— Mas isso não é a mesma coisa. — Ele só está lá para não deixar os arruaceiros entrarem aqui. Não vai proibir esses aí de entrarem só porque vocês não gostam do jeito deles.
— Uma merda. — disse Jimmy. — Como é que ele pode distinguir esses aí dos arruaceiros?
Bimbo estava encurralado de novo.
— Ele sabe.
— Como?
— *Si*.
— Ah, olhem aqui, caras — disse Bimbo. — Qualquer um — arruaceiros ou não, passadores de droga ou seja lá quem for —, qualquer um que se comporte e goste de uma cerveja não deve ser proibido de entrar aqui.
Podiam perceber pelo jeito com que ele falou e olhou para eles que queria que concordassem; estava quase pedindo.
— De jeito nenhum — disse Jimmy — Porra nenhuma.
Bertie concordou.
— *Si* — disse ele.
— Ah, e por que não?

— Olhe aqui — começou Jimmy, embora não tivesse idéia do que ia dizer depois.
— *Compadre* — Bertie tomou as rédeas.
Sentou-se direito na cadeira.
— Vamos dizer que vamos à cidade, certo? Vamos à cidade e tentamos entrar numa dessas discotecas de lá, certo?
— Certo — disse Jimmy.
— Será que nos deixariam entrar? O que você acha? — perguntou Bertie para Bimbo.
— Não ia querer ir a um desses lugares mesmo — disse Bimbo.
— Responda à pergunta — ordenou Bertie.
Bimbo pensou um pouco.
Não era a cerveja que Jimmy adorava; não era isso. Gostava da cerveja — era demais, a cerveja — mas não era essa a razão dele estar ali. Podia passar sem ela. ESTAVA PASSANDO sem ela. Só vinha umas duas vezes por semana no momento, desde que tinha sido mandado embora do emprego, e nunca tinha sentido falta da bebida, não seriamente. Toda noite lá pelas nove — quando ouvia a musiquinha do telejornal — começava a dar uma coceira e não conseguia se concentrar e ficar sentado assistindo às notícias na tevê ou se interessar, mas não era a falta do líquido do bar que o desesperava: era isto (ele se encostou para trás na cadeira e olhou para Bimbo), a rapaziada daqui, as piadas, as gargalhadas. Isto era o que ele adorava.
— Então? — Bertie pressionou Bimbo.
Estar desempregado não teria sido tão ruim se pelo menos pudesse vir aqui todas as noites, ou nem precisava ser todas as noites, bastava cada duas noites, e suas baterias seriam recarregadas. Mas não podia ser assim; tinha uma família para alimentar e tudo mais. Estava aqui hoje somente porque recebeu uma nota de cinco do filho.
— Não diria que entraríamos — disse Bimbo.
— Concordo com você — disse Bertie. Os *hombres* mandariam a gente se foder e dar o fora. E...
Levantou seu novo copo de cerveja.
— E estariam com a razão.
Desapareceu atrás do copo. Jimmy e Bimbo esperaram.
— Agora — disse Bertie, e olhava para Bimbo — porque estariam com a razão?
Jimmy estava se divertindo com isto.

Bimbo levantou seu copo e o colocou de volta na mesa.
— Desisto — disse ele. — Não sei.
— Claro que sabe — disse Bertie. — É porque não temos o direito de estar lá. Não estou certo?
— Está — respondeu Jimmy.
— Discotecas não são para gente como nós — Bertie falou para Bimbo. — São para a rapaziada jovem e as *signoritas*. Ir lá para uma cerveja e dançar e o que vier depois, se entende o que quero dizer.

Riram.
— Não é o nosso pedaço — disse Bertie.
Ele abriu os braços e mostrou a sala do pub com as mãos, da direita para a esquerda.
— Este, sim, é o nosso pedaço, *compadre* — disse ele.
— Certíssimo — disse Jimmy.

Bertie estava se divertindo. Apontou as coisas no bar.
— Nossos copos, nossas mesas com os porta-copos como calço para pararem de se balançar. Nosso alvo de dardos e nossos arcos, ali, olhem.

Pisou firme no chão.
— Nosso assoalho sem carpete. Nossas cadeiras aqui, com as molas arranhando a nossa bunda. É aqui que nos encaixamos, Bimbo — disse Bertie. — E esses fodidos de merda ali deveriam ir lá para cima no salão, que é o lugar deles.
— Ah, bom — disse Bimbo, depois que parou de rir. — Acho que você tem razão.
— Oh, sim, tenho — disse Bertie. — Tenho.
— Sim, claro que tem — disse Jimmy — Mas, vem cá, Bertie. Você já esteve num desses lugares antes, não é? Numa discoteca.
— Sim, com certeza, estive — confirmou Bertie.
— Mesmo? — exclamou Bimbo. — E o que estava fazendo num desses lugares?
— Assistindo à corrida de cachorros — disse Jimmy.
— Sabe o que quero dizer — disse Bimbo. — Não comece agora.
— O que acha que ele ia fazer num desses lugares, porra?

Bimbo ignorou.
— Desculpe, Bertie — disse ele. — Por que estava numa dessas discotecas, então?
— Não tinha outro lugar — respondeu Bertie.

Ele esperou.
— O que quer dizer?

— Não havia outro lugar para ir porque todas as outras cantinas estavam fechadas, compreende?
— Não. Acho que não entendo.
— Cheguei em Limerick depois...
— Limerick?
— *Si*.
— E o que estava fazendo lá?
— Ah, agora — disse Bertie. — É uma longa história e não importa, porque não tem nada a ver com a discoteca.
— Sim, mas por que estava em Limerick? — perguntou Jimmy.
— Você está pedindo para aborrecer, *compadre* — disse Bertie.
— Perguntei por perguntar — disse Jimmy. — Minha vez, rapaziada.
— Não, espera aí, Jim — disse Bimbo. — Pago esta rodada.
— Mas é a minha rodada.
— Não importa — disse Bimbo. Não se preocupe.
Bimbo se levantou para que Leo o visse.
— Não, espera aí — disse Jimmy. — Sente.
— Não, de jeito nenhum — disse Bimbo. — Está tudo certo.
— Sente!
Bimbo não sabia o que fazer.
— Pago minha própria rodada — disse Jimmy. — Certo?
As outras pessoas começaram a olhar para ele, esperando que alguma coisa acontecesse. Leo estava do outro lado do bar, pronto para entrar e salvar os copos.
Bimbo se sentou.
— Claro, Jim — disse ele. — Sem problema. Só que... Desculpe.
— Não tem importância — disse Jimmy.
Ele bateu na perna de Bimbo com a mão.
— Desculpe por ter gritado com você — disse ele. — Mas se é para eu pagar, eu pago.
— E faz muito bem — disse Bertie.
Jimmy sorriu.
— Desculpe, Jimmy — disse Bimbo. — Não quis...
— Não — Jimmy o interrompeu.
E levantou-se.
— Três cervejas das boas aqui, Leo!
Olhou para o ponteiro do relógio ao se sentar de novo: estava salvo. Não haveria tempo de chegar a uma outra rodada completa.

— E o que estava fazendo numa porra de uma discoteca? — Bimbo perguntou a Bertie. — Entre todos os lugares...
— Ele já disse — interrompeu Jimmy.
— Não, não disse — retrucou Bimbo. — Não de verdade. Só disse que estava em Limerick.
— Corrija — disse Bertie. — Contei que não havia outro lugar para ir.
— E por que isso?
— Deus do Céu, como ele é tapado — Jimmy disse para Bertie.
— Estava tudo fechado — Bertie disse para Bimbo. — Depois de apear meu burro, jogar uma água na cara e bater a poeira do meu poncho, os bares já tinham fechado, *comprende*?
— Sim — disse Bimbo.
— Então — continuou Bertie. — Havia uma discoteca no hotel...
— Estava num hotel? — perguntou Jimmy.
— *Si*.
— Porra, o quê!
— Tudo do melhor, meu amigo — disse Bertie.
— Foi caro?
— Vinte e seis libras.
— Está falando sério? — exclamou Bimbo. — Por uma noite apenas?
— Oh, *si*.
— Meu Deus — disse Bimbo. — Café da manhã também?
— Mas é claro — respondeu Bertie.
— Era um desses continentais que eles servem, Bertie? — perguntou Jimmy.
— Porra, não — disse Bertie. — Cuspo nesse tão falado café da manhã continental. Não, foi o nosso, com salsicha, ovos e tudo.
— Legal — disse Bimbo. — Era bom?
— É, deu para passar — respondeu Bertie.
— Isso é demais — disse Bimbo. — Não é?
— O quê? — perguntou Jimmy.
— Bertie ficar num hotel.
— O que ainda quero saber é o que ele estava fazendo na porra de Limerick — disse Jimmy.
— Pronto — Leo gritou do bar.
— É a nossa — disse Jimmy.
Levantou-se e chegou ao bar num segundo.
— E como foi então? — Bimbo perguntou a Bertie.

— O quê?
— A discoteca.
— Ah, isso. Legal. Não era ruim.
Jimmy voltou.
— Tire estes copos daí, Bimbo, por favor. Bom garoto.
Jimmy pôs os copos na mesa.
— Uma beleza, não são?
— Esse cara é um gênio — disse Bimbo.
— *Si* — concordou Bertie.
— E como é que o deixaram entrar? — Bimbo perguntou a Bertie.
— Entrar onde? — perguntou Jimmy.
— Na discoteca.
— Ah, sim.
— Eu era um hóspede, *compadre* — Bertie disse para Bimbo. — Tinha o direito de entrar.
— Verdade?
— *Si*. Dei uma arrumada na aparência.
Segurou o colarinho da camisa por alguns segundos.
— Sabe como é, não é?
— Seu metido — disse Jimmy.
— Vá se foder — disse Bertie. — E digo mais uma coisa. Funciona.
— O quê?
— Dar uma geral. Se embelezar.
Jimmy fez uma expressão de quem duvida.
— Pode ser que dê certo — disse ele.
— Mas se estou lhe dizendo — Bertie retrucou.
— Talvez — disse Jimmy.
Bimbo estava perdido.
— Ele está tentando nos contar que conseguiu dar uma trepada — Jimmy disse a Bimbo.
— Não — disse Bimbo. — Está brincando.
— Ele está, é claro — disse Jimmy.
— Não estou dizendo nem sim nem não — disse Bertie.
Bimbo olhava atentamente para Bertie, para se certificar de que ele estava apenas brincando. Bimbo não gostava desse tipo de conversa. Bertie era casado. Mas ele sabia que Bertie estava tirando sarro deles, dava para ver pela cara dele, olhando para os lados como se não tivesse dito nada de importante. Com certeza estava só tirando sarro.

43

— Uma mulher e tanto, ela — Bertie disse para Bimbo.
— Ah, chega disso — disse Bimbo.
Jimmy também estava olhando para Bertie. Ele tinha a mesma idade de Bertie, talvez alguns anos a mais. Bertie não trepou com nenhuma dona em Limerick; dava para ver. Mas continuou olhando.

❖

Jimmy estava às voltas com os cadarços. O nó estava apertado e suas unhas estavam muito curtas para poder desatá-lo. Teria de acender a luz; não conseguia nem sentir o nó com os dedos de tão pequeno que ficara. Também não tinha mais unhas, todas fodidas de tanto roê-las.
— Cristo!
Não gritou, nem nada, mas a palavra explodiu no ar. E jogou a cabeça para cima porque seu pescoço não agüentava mais. Estava sentado na cama, encurvado.
Suas unhas não costumavam ser assim.
Tentou puxar o sapato do pé. Seu pescoço estava ficando dormente. Fechou os olhos.
— É você?
Agora acordara Veronica.
— Não consigo tirar a porra do sapato.
Mas foi bom que ela acordasse. Estirou-se na cama, esticou-se e esfregou o pescoço.
— Desculpe — disse a ela.
— Foi bom?
— Demais.
— Como vai a rapaziada?
Ela sempre dizia rapaziada como se fossem adolescentes, como se ele tivesse ido brincar com eles.
— Estão ótimos — disse ele. — Bimbo perguntou por você.
— E o que disse a ele?
— Eh...
Esta era complicada.
— Disse que você estava bem — disse Jimmy.
— Você cruzou os dedos quando disse isto?
— Ah, Veronica.
— Ah, Jimmy...

Estava tudo bem. Ela não estava querendo brigar com ele.
— Vou ter de entrar na cama com o sapato no pé; olhe.
Veronica sentou na cama e acendeu a luz do seu lado.
— Qual é o problema? — perguntou.
— Meu sapato; olhe.
Ela olhou.
— Você ainda não sabe como amarrar o cadarço do seu sapato?
E pôs o pé no seu colo e começou a mexer no nó. Ele quase caiu da cama quando se virou para ela.
— Você não presta para nada — disse ela. — Para nada mesmo.
Por um milésimo de segundo, quis esticar a perna rápido e enfiar o pé no estômago dela; como ela podia falar com ele assim; mas foi só um instante. Não ia fazê-lo.
— Pronto.
Ela tinha desfeito o nó.
Era bom às vezes, também, ser paparicado por Veronica.
— Muito obrigado — disse ele.

❖

Levantava-se com todo mundo de manhã, mesmo que não precisasse; vestia-se e tudo. Só Darren e as gêmeas tinham de sair de casa cedo agora, e nem era tão cedo, pois a escola ficava perto. Mesmo assim, ainda era um alvoroço na cozinha. Preferia assim, porém. Sabia de outros caras que ficavam na cama e deixavam a criançada se preparar para a escola. Ele não gostava disso.

A primeira coisa, depois de dar uma mijada, era entrar de fininho no quarto de Sharon e tirar Gina do berço. Ela estaria esperando por ele. Era idiotice, mas sempre segurava a respiração quando abria a porta até quando via que ela ainda estava viva. Toda manhã; não sabia por quê. Ela se agarrava ao seu pescoço e os dois saíam do quarto, porque sabiam que não era para acordar Sharon.

Então, entravam no quarto das gêmeas. Veronica punha a cabeça na fresta da porta e gritava para elas, quando descia as escadas para a cozinha, e o trabalho dele e de Gina era ir depois de Veronica para fazer com que elas se levantassem.

— Estão acordadas, meninas?

Era uma pergunta idiota porque nunca estavam. Ele colocava Gina na cama e ela pulava em cima delas e isso fazia com que parassem de fingir que ainda dormiam. Era como ter um saco de batatas pulando em cima de você. Uma vez, a fralda da Gina se abriu e isso as fez levantar rapidinho. Quando ouvia Linda ou Tracy dizendo para Gina parar, saía do quarto porque não gostavam que ele estivesse lá quando levantassem da cama.

Desceu sozinho para a cozinha. Olhou na sala da frente para ver se Darren tinha se levantado. Na verdade, não olhava, apenas batia na porta. Darren dormia na sala, desde quando eles decidiram que Sharon precisava de um quarto só para ela, por causa da Gina. Era uma lástima; dois a menos na casa – Jimmy Jr. e Leslie – e o pobre do Darren ainda tinha que dormir no sofá. Iam construir uma extensão atrás da casa; tinha ficado de ver se a Cooperativa poderia fazê-lo.

Esta manhã, Darren estava saindo da sala, quando Jimmy alcançou a porta.

– Oi, Darren.
– Oi.
– Tudo bem?
– Tudo.
– Bom. Já arrumou os lençóis e os cobertores?
– Já.
– Bom rapaz.

Deixou Darren passar para a cozinha primeiro. Depois, destravou a porta da cozinha e deixou Larrygogan entrar. O tonto do cachorro já tinha quase feito um buraco na porta, de tanto arranhar a madeira para entrar em casa todas as manhãs, e gemia. Mas Veronica nunca deixava ele entrar; parecia que não ouvia o seu gemido. Jimmy a observava às vezes quando o cachorro choramingava e gemia lá fora – era de dar dó, como um bebê sendo torturado ou algo parecido – mas Veronica nem ligava; ele a tinha observado.

Quando abria a porta, o cachorro pulava em cima dele como um doido, agradecendo, pelo menos Jimmy às vezes achava. O cachorro não era babaca. Não chegava a falar, mas os ruídos que fazia às vezes quando queria um biscoito ou uma batatinha frita... Não grunhia apenas; tinha grunhidos diferentes que ele usava, dependendo de quanto queria algo, e gemidos e outras coisas também. E às vezes, apenas olhava para a gente – só olhava – e era impossível não imaginar uma dessas criancinhas famintas na África. Era um cachorro porreta, o Larrygogan.

– Ah, meu Deus!

A porra das patas do cachorro estavam molhadas e sujas. Ele pulou em cima de Jimmy de novo. Jimmy agarrou suas pernas na hora em que iam aterrissar nas suas calças.
– Darren, pegue a toalha dele.
– Está bem – disse Darren.
Jimmy olhou para a porta aberta enquanto Darren pegava a toalha do cachorro embaixo da pia. Estava chovendo e fazia frio lá fora. Não era o frio de inverno, era aquele tipo de frio que entrava nos ossos e dava uma aparência triste a cada cômodo da casa, exceto a cozinha quando estava lotada. O cachorro tremia como um rato molhado; parecia muito mais magro porque os pêlos grudavam na sua pele. Ele latiu. Depois se sacudiu. Suas patas de trás começaram a deslizar no assoalho, por isso Jimmy soltou suas pernas.
– Aqui.
Darren jogou a toalha para Jimmy.
– Bom rapaz – disse Jimmy.
Ele abriu a toalha – estava suja, mas seca – e se preparou para enxugar as costas do cachorro, e esta era a parte que o cão adorava. Jimmy soltou a toalha, mas não acertou em Larrygogan porque ele tinha se enfiado embaixo da mesa da cozinha, deslizando e latindo.
– Saia daí para que eu possa secá-lo.
Larrygogan enfiou o focinho no chão e latiu para Jimmy.
Jimmy sempre achou que este latido, o mais atrevido dele, soava como um "Vá se foder". E o jeito com que suas orelhas se empinavam quando dizia – dizia, não, quase; só latia, mas parecia que dizia, sendo atrevido com Jimmy, seu dono. Era demais.
– Venha cá, seu cão renegado.
O cachorro latiu de novo.
– Aqui, Darren; vá para o outro lado da mesa e empurre o cachorro para mim.
Jimmy fitou Larrygogan.
– Agora está fodido, porra – disse ele.
– Pare com isso – pediu Veronica.
– Desculpe, Veronica – respondeu ele.
Estava se divertindo demais.
Darren chegou no outro lado da mesa. Ajoelhou-se e esticou-se embaixo da mesa e empurrou Larrygogan – que estava com o focinho no chão, o traseiro para cima – mas ele se arrastou para trás, empurrando as mãos

abertas de Darren. As patas do cachorro deslizaram um pouco, mas ele ficou de pé e Darren teve de sair de baixo da mesa. Estava se cagando de rir agora. E Jimmy também.

– Cuidado para ele não peidar na sua cara – disse ele a Darren.

– Porra – Darren exclamou, e não conseguia empurrar direito de tanto rir.

Larrygogan estava ganhando.

– Ah, deixe ele – disse Jimmy.

Levantou-se.

– Deixe ele morrer de frio. Ele merece, nunca vi cachorro mais besta.

Darren saiu de baixo da mesa. Eles sorriram um para o outro, então Darren sentou-se e começou a ler seu livro. Jimmy fechou a porta. Larrygogan correu para o corredor.

Ainda tomava um café da manhã bem feito, com frituras, torradas e uma tigela de sucrilhos, se sentisse a barriga vazia. Costumavam ter sucrilhos de marcas diferentes: toda vez que tinha um comercial diferente na tevê, as gêmeas morriam se não experimentassem os novos sucrilhos. Agora só compravam Kellogs de milho. Eram os melhores. Chá também, bastante chá. Só tomava café mais tarde durante o dia e às vezes até nem ligava se não tivesse. Não precisava. Mas chá, sim. Adorava sua caneca de chá; vinte canecas de chá.

Tinha uma caneca para o trabalho que já era dele fazia anos; estava guardada. Era grande, branca, sem desenho, sem rachadura, sem qualquer slogan idiota. Punha dois saquinhos de chá dentro dela; costumava pôr. Nunca esqueceria o gosto da primeira caneca de chá de manhã, geralmente num cômodo vazio numa casa nova com lama e sujeira por todo lado, um frio de matar; porreta, era demais; escaldava suas entranhas quando descia; e o gosto que deixava na boca... incrível, incrível. Sempre usava dois sachês, espremidos até o fim. A caneca era tão grande que esquentava além das mãos. Era como estar sentado em frente à lareira. Depois de alguns goles, ele se virava e fitava o trabalho já feito. Sempre terminava algumas paredes antes de parar para o seu chá. Mesmo se os outros caras paravam, ele continuava, até sentir que precisava, que tinha merecido o chá. Olhava ao redor para o reboco fino. Era perfeito; nem sequer um relevo ou inclinação, tão lisinho que não dava para saber onde ele tinha começado. Então, bebia o resto do chá e continuava na tarefa. A caneca estava guardada no galpãozinho do quintal, numa sacola junto com o resto de suas ferramentas. Embrulhada com papel higiênico.

— Vai ficar ensopado no caminho para a escola, Darren — disse ele.

— É — respondeu Darren.

— Bom — continuou Jimmy. — Pelo menos não vai precisar se lavar, não é?

— É — disse Darren.

Darren olhou para a chuva batendo na janela.

— Cristo! — exclamou.

— Pare com isso — pediu Veronica.

— É daquelas chuvas de verdade — Jimmy disse para Darren.

— Tenho Educação Física hoje — contou Darren a ele.

— Mesmo? — perguntou Jimmy — Ah, nunca vão mandá-lo para fora nessas condições; não podem.

— Mas da última vez mandaram.

— Mandaram mesmo, os filhos da puta?

Veronica pôs o prato na sua frente e então lhe deu um sopapo na cabeça.

— Desculpe — pediu.

Pegou dez pence e enfiou na caixa de palavrões.

— Você quer que eu escreva um recado para o professor? — perguntou a Darren.

— Não quer nada — interrompeu Veronica.

— Não — disse Darren. — Não me importo. Pode ser que pare.

— Isso é verdade.

Darren voltou ao seu livro e à sua refeição. Jimmy levantou a faca e o garfo.

— E o que temos aqui, hein? — perguntou.

Darren continuou lendo. Veronica estava ocupada. Assim, ele cortou um pedaço de lingüiça, pôs em cima da torrada, fechou a torrada ao redor da lingüiça e mordeu. A margarina estava gostosa e quente.

As gêmeas apareceram.

— Você tem de assinar isso — pediu Linda a Jimmy.

— Desapareça daqui e tire esse negócio da cara agora mesmo — disse Veronica.

— Ah, mamãe...

— Agora mesmo! Você também — disse ela a Tracy.

Tracy seguiu Linda pelo corredor.

— Não é justo! — ouviram Linda exclamar.

– Que foi isso? – queria saber Jimmy.
– Estão usando maquiagem nos olhos – disse Veronica.
– Oh.
– Foram mandadas para casa na semana passada por causa disso – acrescentou Veronica.
– É loucura – disse Darren. – Coisa mais sem sentido.
Jimmy não tinha tanta certeza.
– Elas são um pouco jovens – disse ele.
– As do último ano também não podem – Darren contou a Jimmy.
– Ah, então – disse Jimmy – você está com a razão, Darren. É idiotice.
– Regra da escola – disse Veronica.
– Isso também é certo, é claro – concordou Jimmy.
Darren se levantou, pôs o marcador entre as páginas do livro cuidadosamente, para não perdê-lo.
– Se todo mundo tivesse este tipo de atitude – disse ele –, nada nunca mudaria.
Jimmy não sabia o que fazer. Gostava de ouvir Darren falar daquele jeito, mas ele estava sendo atrevido também, com sua mãe. Tem alguma coisa no jeito com que Darren fala desde que sua voz mudou que deixava Jimmy confuso. Admirava Darren, cada vez mais; era um rapaz sensacional; tinha um orgulho imenso dele, mas achava que tinha um pouco de ciúmes dele às vezes; não sabia ao certo. Mesmo assim, não ia deixá-lo falar com sua mãe desse jeito. Isto não tinha cabimento.
Mas as gêmeas voltaram.
– Você tem de assinar isto – Linda disse para ele.
– Assinar o quê?
– Aqui.
– Sim – disse Jimmy. – Mas pode me dizer por quê?
Pegou o diário de exercícios das mãos de Linda.
– Não sei – respondeu Linda. – Só me pediram para você assinar aí.
Jimmy olhou para a capa; Big Fun, Wet Wet Wet, Brother Beyond, Tracy ama Keith. Olhou para as costas do caderno. Linda ama Keith.
– Sortudo, esse Keith – disse ele. – Onde é para assinar?
Linda pegou o diário e achou a página certa.
– Aqui – mostrou ela.
Havia uma página para cada semana, dividida entre seções para as matérias, exercícios de casa e os comentários dos professores.
– Não precisa ler – disse Linda.

— Dever de casa não foi feito — leu Jimmy. — Continuou tagarelando. — Dever de casa não foi feito. Atrevimento. Enfiou o compasso em um colega de classe. Dever de casa deve ser feito em casa.

Olhou para ela.

— Porra — disse ele. — E isso é só segunda-feira.

— Deixe eu ver — disse Veronica. — Meu Deus.

Linda apontou para um dos comentários.

— Não fui atrevida. Ela disse que eu fui, mas não fui. E ele — este aqui — me acertou com a régua, por isso tive de acertar nele também, ela não viu quando ele me acertou com a régua, ela só vê...

— Viu — corrigiu Veronica.

— Ela só viu quando acertei nele com o compasso. E não enfiei o compasso nele. Eu só...

— Chega! — disse Jimmy.

Ele olhou para Veronica.

— Me dê a caneta — disse ele a Linda. — Onde está o seu diário? Espere até eu vê-lo — disse ele a Tracy.

— Está na escola — respondeu ela.

— E por quê?

— Um professor ficou com ele.

— Por quê?

— Não sei.

Jimmy olhou para Veronica de novo.

— Estão de castigo — disse às gêmeas. — Vocês duas.

Achou onde estava escrito "assinatura dos pais" e assinou na linha pontilhada.

— Até quando? — perguntou Tracy.

— Até quando eu quiser — disse Jimmy — Quem lhe pediu para eu assinar isto?

— Miss McCluskey.

— A Mulher Elefante — disse Darren, ao sair.

— Não comece, você também — disse Jimmy.

Olhou firme para as gêmeas para que elas não começassem.

— Estou avisando — disse ele. — Se uma de vocês rir, vai receber uma daquelas boas.

Tracy foi a primeira; não conseguiu abafar. E isto fez Linda começar também.

— Tome — disse Jimmy.

Deu com o jornal na cabeça dela, mas não com muita força.
— Vou ver seus deveres de casa toda noite, estão me ouvindo? E... Gritou.
— E se eu vir mais um comentário ruim, vou...
A porta da frente se fechou numa batida.
— Crucificá-las! Essas duas vão estar empurrando um carrinho de bebê antes mesmo de completar os quinze.
— Deus do céu! — exclamou Veronica. — Não diga isso.
Ele olhou para Veronica atentamente.
— Vou checar os deveres delas todo dia, não se preocupe. E não vamos deixá-las sair de jeito nenhum depois do jantar e isto vai endireitá-las, você vai ver, Veronica. Não acha justo?
— Está bem.
— Vou fazer de tudo. Posso até dormir na mesma cama que elas.
— Jesus! — disse Veronica. — Já temos problemas demais em casa sem isto.
Jimmy riu.
— Boa garota — disse ele. — E você podia dormir com o Darren, o que acha?
Adorava o café da manhã todos os dias. Pena que passava tão rápido.
Levantou-se.
Cadê Gina?
— Não há sossego para as criaturas de Deus — disse ele.

❖

— De qualquer jeito eles não são computadores de verdade, com certeza não são.
— É mesmo — disse Veronica. — São apenas brinquedos.
Jimmy e Veronica estavam fazendo compras de Natal. Era quinta de manhã e faltavam mais de três semanas para as festas, por isso o Shopping de Donaghmede — onde estavam — não estava muito cheio. Não disseram nada, mas sabiam que ambos procuravam coisas boas, que não custassem quase nada. Jimmy se lembrava do tempo em que era um menino e costumava caminhar com a cabeça abaixada, rezando para achar dinheiro no chão, e quando virava uma esquina, fechava os olhos e os abria de novo e não achava nada no chão à sua frente.
— E faz mal à vista — disse Veronica.

– É mesmo? – perguntou Jimmy. – Tem razão; li algo sobre isso em algum lugar, eu acho. Ah, bom. Seria loucura comprar um desses, então.

Estavam olhando os computadores na vitrina. Eram superbaratos, quase de graça; e tinham um ar de qualidade. Você ligava-os na tevê e assim podia jogar todo tipo de videogame. Jimmy uma vez jogou Invasores do Espaço, anos atrás; só uma vez, por isso não sabia jogar direito, mas se divertiu muito. Estes daqui pareciam até melhores; mais cores e mais variedade. Seria legal ter um desses em casa, incrível. E, além do mais, era também um computador; tinha com certeza outras coisas que se podia fazer com ele, além de jogar. Mas não tinham como comprar um desses. O ano passado, nessa época, o ano passado teriam comprado...

– E também, para quem a gente daria um desses? – perguntou Veronica.

– Para as gêmeas. Acho.

– Não estariam interessadas nisso – disse Veronica. – Odiariam você por dar uma coisas dessas a elas.

Ela riu.

– Queria mesmo ver a cara delas quando descobrissem que iam ganhar um destes computadores no Natal.

Jimmy riu também.

– É – disse ele. – Só que achei que eles pareciam superlegais, sabe como é. E para Darren?

– Ficaria ofendido.

Ela tinha razão.

– Você seria o único que usaria – disse Veronica.

Ele fez um esforço para sorrir.

– É verdade – respondeu.

– Para você, a gente compra um Airfix, que tal? – disse Veronica.

❖

Era choro de verdade. Ela estava chorando.

Jimmy estava do lado de fora da porta do quarto de Sharon. Tinha subido à procura de seu livro.

Sharon fungou.

Jimmy segurou a maçaneta da porta. Ia entrar.

Mas não podia.

53

Queria entrar, mas não podia. Se entrasse, não saberia mais o que fazer.
Voltou à cozinha sem fazer barulho, mas pisou no degrau que rangia.

❖

Veronica já tinha dado uma olhada nela. Agora era a sua vez. Um, dois...
Agarrou a maçaneta e entrou com tudo na sala.
– Desculpe, Darren, por ter entrado sem bater. Oh, olá.
– Oi.
Ela sorriu. Meu Deus! Ela era linda.
Esticou a mão para cumprimentá-la.
– Sou o pai de Darren – disse ele. – Como vai?
Ela corou um pouco. Linda.
– Legal.
– Esta é Miranda – Darren disse para Jimmy.
– Desculpe – disse Jimmy – Não ouvi direito...
– Miranda – repetiu Darren.
– Miranda – disse Jimmy – Como vai, Miranda?
– Bem, obrigada – disse Miranda.
– Mas é claro que está bem – disse Jimmy.
– Estava procurando alguma coisa aqui? – perguntou Darren.
Sua expressão era uma daquelas suas de eles-me-tratam-ainda-como-se-fosse-criança. Mas estava orgulhoso também, dava para ver.
Jimmy deu um tapinha na cabeça dele.
– Estou sim, meu filho – disse ele. – Estou procurando por Gina.
– Ela não está aqui.
– Não, você tem razão – concordou Jimmy. – Mas Miranda está, não é? Bye, bye, Miranda.
Fechou a porta atrás dele. Era uma beleza, a moça. Veronica contara que ela era linda, mas as mulheres sempre dizem que outras mulheres são lindas, e não são; elas não têm noção. Miranda, no entanto, ela era uma...
Boazuda. Era mesmo. Era esquisito pensar assim; seu próprio filho estava namorando uma boazuda; mas era verdade. Teria batido uma boa punheta, ali mesmo no corredor, só lembrando como ela era e seu sorriso; sem pensar duas vezes.
Ele nunca tinha namorado uma garota como aquela.

Voltou à cozinha para dizer a Veronica que gostara dela.

❖

Havia dias em que tinha uma sensação na barriga o tempo todo, como um peido crescendo dentro dele, mas não era isso de jeito nenhum. Era como se suas calças estivessem muito apertadas, mas tinha olhado e não estavam, eram perfeitas para ele; mas havia uma bola de ar duro dentro dele, crescendo. Era ruim, uma sensação ruim de excitação, e não conseguia fazê-la desaparecer. Era como quando era menino e fazia alguma coisa má e esperava o pai voltar do trabalho para casa e lhe dar uma surra. O filho da puta dava a surra com o cinto. Não usava o cinto nas calças; o cinto ficava guardado só para surrar Jimmy e seus irmãos; guardado sob a pia. Um cinturão enorme de couro; ele levava um tempão se agachando para pegá-lo, depois testava-o esticando-o o couro no canto da pia e dizendo "Ah, bom" como se estivesse satisfeito com ele; e depois fitava Jimmy e fazia-o olhar para ele e então Jimmy sentia a dor na perna uma vez, duas, três vezes e era uma dor fodida e era pior ainda se ele tirasse os olhos de seu pai, o sádico filho de uma puta, por isso ele tinha de ficar fitando-o o tempo todo; era uma agonia sem fim, mas não era tão ruim como a espera. Esperar era a pior parte. Se ele fazia alguma traquinagem logo cedo e sua mãe dizia que ia contar ao seu pai, pronto; ela nunca mudava de idéia. Ele passava o dia todo se cagando de medo, esperando que seu pai chegasse em casa, rezando para que ele fosse beber uma cerveja no bar ou fosse atropelado por um carro ou tivesse caído dentro de uma máquina na fábrica ou tido um ataque do coração, qualquer porra servia.

E era assim que ele, às vezes – freqüentemente –, se sentia agora, cagando-se de medo. E não sabia por quê.

❖

– Você já leu *David Copperfield*, Veronica? – perguntou Jimmy.
– Não – respondeu Veronica.
Ela estava lendo *O Senhor das Moscas* na mesa da cozinha.
– Não mesmo? – disse Jimmy. – Mas é muito bom.
A melhor coisa que fizera foi largar a fodologia de *O Homem na Máscara de Ferro*.

— Olhe só para o tamanho do livro — comentou. — Oitocentas páginas. Mais. Coisa séria. Tem um filho da puta chamado senhor Micawber e, não estou brincando, ele é um filho da puta mesmo. Você não quer ler depois que eu terminar, Veronica?

Veronica terminou a nota que escrevia, sobre a cabeça de Piggy sendo estraçalhada. Sabia o que ele queria que ela dissesse.

— Está bem — disse.

— Mesmo? — exclamou Jimmy — Muito bom. Melhor então eu terminar de ler rápido. Tenho de entregar de volta na biblioteca no dia 21 de dezembro.

Olhou para a data.

— Isso mesmo — disse.

— Então temos um montão de tempo — disse Veronica.

— Claro que temos — disse Jimmy.

Ficou realmente contente. Não sabia por que, não exatamente.

— Você quer ler este aqui, quando eu terminar? — Veronica perguntou a ele.

— OK — disse Jimmy. — É uma boa idéia. Uma troca, hein?

— É — disse Veronica.

Ele olhou para ela lendo e parando para tomar nota. E imaginou se ele também poderia tomar notas. Às vezes, esquecia o que...

Não; isso seria pura besteira; idiotice.

— Vou subir e ler mais alguns capítulos antes da comida — disse a Veronica.

— Tudo bem — disse Veronica.

❖

— De qualquer jeito, são uma perda de tempo mesmo — disse Jimmy.

— Ah... Eu sei, mas...

Veronica não tinha se convencido.

Jimmy pegou um dos cartões.

— Por exemplo — disse ele. — Olhe para este aqui, olhe. Dessie e Frieda; eles moram na esquina, a gente se vê todos os dias!

A expressão de Veronica não se alterou.

— E ainda mais — disse Jimmy. — É você quem diz que não podemos mandar nenhum, e não eu.

O rosto de Veronica endureceu. Jimmy não lhe deu tempo de falar.

— Você que disse que não temos como mandá-los — disse ele. — Eu é que não me importo.

— Não podemos mesmo comprar — disse Veronica.

— Então — retrucou Jimmy. — Aí, você disse de novo. Não podemos comprar. Então é melhor não mandar nada. Então por que está reclamando tanto? Foi idéia sua.

Veronica suspirou. E ficou triste de novo.

— Não é justo — disse ela.

— E como não é justo? — queria saber Jimmy. — Como não é justo?

Veronica suspirou de novo.

— Como!?

— Você está me culpando — disse Veronica.

— É — respondeu Jimmy — E você está me culpando.

— O que está dizendo? — perguntou Veronica.

— Sim, está — respondeu Jimmy. — Você decidiu que não temos dinheiro para comprar cartões de Natal e acho que está certa. Mas aí faz essa cara de murcha... Não é minha culpa se não temos a porra do dinheiro para a porra de seus cartões de Natal!

— Nunca falei isso.

— Não, mas seu jeito falou. Tenho olhos, fique sabendo.

Levantou-se.

— Ah, Jimmy...

— Ah, nada. Estou de saco cheio disso — Vá se foder!

❖

Jimmy estava segurando uma garrafa de Guinness. Tinha também uma latinha de Tennents na outra mão e um copo vazio entre os joelhos, por isso estava enrascado. Isto era a pior coisa de não se estar em casa; só isso; não estando em casa, não se pode fazer o que se quer. Tinha de se comportar.

Estava na casa de Bimbo.

Se estivesse na sua própria gaiola, não estaria sentado assim, como um babaca, afundado na poltrona — não conseguia se levantar porque tinha as mãos cheias. Não queria deixar a latinha ou a garrafa num dos braços da poltrona porque a madeira estava num ângulo de uma pista de esqui e brilhava; ele poderia estragar o verniz; sentia até o cheiro do verniz. E a molecada de Bimbo correndo para cima e para baixo, como crianças. Porra, eram crianças mesmo. E a porra da gravata estava sufocando-o; serrando o seu pescoço da cabeça. Era a camisa, uma nova que Veronica lhe dera. Ela disse que ele engordara. Não era justo: estava bebendo muito menos e ainda estava engordando. Foi ela quem disse isso. Provavelmente disse isso ou porque o falava ou então admitia que comprara o tamanho errado. E agora, estava sufocando e não podia desafogar a porra da gravata porque suas mãos estavam ocupadas.

Puta merda, é hoje!

Era a manhã de Natal. Faziam isso todos os anos no Natal, iam para uma das casas da turma e tomavam umas cervejas antes do almoço. Era legal, a maioria das vezes. Não tinha certeza, mas achava que essa teria sido a vez dele e de Veronica de reunirem todos em casa; mas não tinha certeza. Bimbo disse Vocês virão em casa para o aperitivo de Natal? uns dias antes e Jimmy não se deu ao trabalho de dizer nada porque não tinha sentido; não tinham mesmo dinheiro para comprar bebida para todos eles.

Tinham apenas umas poucas latinhas de cerveja para eles mesmos e Jimmy Jr. ia trazer mais algumas. Pelo menos era o combinado.

Ele se inclinou para a frente o mais que pôde e depositou a Tennents no chão; quase não dava para alcançá-la. Mas era melhor assim. Agora dava para se organizar melhor. Pegou o copo entre os joelhos e encheu de Guinness.

A sogra de Bimbo ainda olhava para ele.

Deixa ela, a puta velha.

Desejou que Bertie chegasse logo. Ele tinha jeito com velhotas assim. Falava-lhes de como eram enxutas e ah! se ele fosse um pouco mais velho e esse tipo de merda. Jimmy não tinha jeito para isso, pelo menos esta manhã, não.

Ela ainda olhava para ele.

Ele sorriu.

– Tim-tim – disse ele.

Ela apenas olhou para ele.

Meu Deus, não sabia como Bimbo agüentava. E onde se enfiou Bimbo? Estava sozinho naquela sala, a não ser pela presença da avó do porra do Freddy Kruger sentada do outro lado. Bimbo disse que voltaria num minuto. E isto foi há horas. Apostava que ele estava jogando num dos computadores de seu filho, isto é o que o filho da puta estava fazendo; e deixara Jimmy ali encurralado.

Veronica estava na cozinha com Maggie, a patroa de Bimbo.

– Que cheiro gostoso que vem da cozinha, hein? – disse Jimmy.

Sua boca se moveu.

– O que disse? – perguntou Jimmy e se inclinou um pouco mais.

Talvez ela não tenha dito nada. Talvez não pudesse controlar os músculos, aqueles que seguravam a boca. Ah, Deus do céu, isso era um inferno; Bimbo que vá à merda.

Ouviu passos no jardim.
— Porra, cara, já era tempo.
Tinha falado sem pensar. E ela balançou a cabeça. Jurava que sim; ela ouvira. Oh, Cristo!
Não, ela não podia ter ouvido. Não. Só balançou a cabeça ao mesmo tempo, foi isso. Porque, talvez, seu pescoço não agüentava mais o peso. Ele torceu para ter sido isto.
A campainha tocou; o primeiro verso de *Strangers in the Night*.
Agora tinha certeza de que ela o ouvira de fato.
Que coisa mais idiota para uma campainha fazer, tocar uma música. Bom, nem mesmo precisavam de uma campainha. Esta casa era exatamente como a de Jimmy; dava para ouvir uma batida na porta de qualquer lugar da casa.
Bertie entrou.
— *Compadre*!
Jimmy se levantou da poltrona.
— Feliz Natal, Bertie.
Cumprimentaram-se. As mãos de Bertie eram enormes, e secas.
Vera, a esposa, estava com ele; uma mulher e tanto, achou Jimmy; enxuta, sem dúvida.
— Como vai, Jimmy, meu bem — disse ela, e botou a bochecha meio de lado para ele beijar.
E ele a beijou. Não estava empapada desse negócio de pó que um monte de mulheres usa quando vai passear. Veronica também não usava essas coisas.
Agora a sala estava cheia; Jimmy, Vera, Bertie, Bimbo, dois de seus filhos e a sogra dele ali no seu canto. Jimmy se sentia melhor agora.
— O que vai querer, Vera? — perguntou Bimbo.
— Quer uma Tennents? — perguntou Jimmy, oferecendo a lata a Bertie.
— Oh, *si* — respondeu Bertie.
— Bimbo me deu uma latinha — explicou Jimmy — e depois me perguntou se eu preferia uma garrafa de Guinness e eu disse que sim, por isso...
Pegou a lata do chão.
— Não está nem aberta.
— Ok — disse Bertie. — *Gracias*.
— Que tal um trago com a cerveja, rapazes? — Bimbo perguntou a Jimmy e Bertie. Jimmy olhou para Bertie e Bertie sacudiu os ombros.
— OK, claro — disse Jimmy. — Está bem.

59

Agora sim a coisa estava boa. Sorriu para Vera e levantou seu copo.
– Tim-tim, não é?
– O que Papai Noel trouxe para você, Jimmy? – perguntou Vera.
– Isso aqui – disse Jimmy.
E mostrou a camisa nova.
– Muito bonita.
– Um pouco pequena, talvez.
– Não, não. É muito bonita.
Bertie viu a mãe de Maggie.
– E ela não está mais bem disposta do que no ano passado, hein? – disse ele aos dois.
– Com certeza – disse Jimmy, mas não pôde olhar para ela.
– Elas estão na cozinha – Jimmy informou a Vera.
– Bom para elas – respondeu Vera.
Bimbo apareceu com os copinhos na mão e a bebida de Vera, uma vodca ou um gim.
– A cavalaria – disse Bertie. – *Muchas gracias*, meu amigo.
– As mulheres estão na cozinha – Bimbo disse a Vera.
– Que bom – disse Vera.
Jimmy achou que ela já tinha secado uns poucos copos. Talvez não: ela não era realmente como as outras mulheres, sempre fazendo as merdas dos sanduíches e chá e falando sobre a Família Real e o seriado *Coronation Street* e esse tipo de bosta. Mesmo assim a casa dela era impecável; pelo menos todas as vezes que Jimmy esteve lá tinha sido assim.
Bertie se aproximou do ouvido de Bimbo.
– Não sei não, mas tem um cheiro esquisito vindo da sua sogrinha ali – disse ele.
Bimbo pareceu chocado.
– Pode ser que esteja morta – continuou Bertie.
Jimmy se cagando de rir; a cara do coitado do Bimbo não ajudava. Vera riu também. Riu abertamente; não daquelas risadinhas clac, clac, clac que a mulherada por aí faria. Como Veronica teria soltado.
– Vá lá – Bertie falou para Bimbo. – Estou dizendo, meu *compadre*, o fedor é de matar.
– Meu Deus – murmurou Bimbo. – Será que ela está aprontando alguma coisa?
– Vá lá e veja – disse Bertie. – Pode ser que tenha sido apenas um peido, mas...

Bimbo olhou ao redor para se certificar de que nenhuma das crianças estava por perto para ver aquilo.

– Espere aí – disse Jimmy. – Eu também estou sentindo alguma coisa agora.

– Não é uma fedentina horrível? – perguntou Bertie.

– Oh, meu Deus – disse Bimbo.

– Isto pode arruinar seu almoço de Natal, *compadre* – disse Bertie a Bimbo.

A Guinness subiu pelo nariz de Jimmy.

Ele foi para o corredor para arrotar e rir à vontade. Isto era demais; isto era o tipo da coisa de que ele se lembraria pelo resto da vida.

– Nunca mais vai poder limpar o estrago no sofá – disse Bertie.

Jimmy queria sair para o jardim e se esbaldar de rir.

Um dos filhos de Bimbo – Wayne talvez, Jimmy achou – entrou na sala para contar alguma coisa para o pai.

– Para fora, já! – gritou Bimbo.

E depois:

– Desculpe, filho; vá dizer a sua mãe que preciso dela.

– Diga para ela trazer um Perfex – disse Bertie.

– Não! Não diga, Wayne – disse Bimbo. – Agora vá.

Wayne saiu, com o jeito de quem mudara de idéia e não ia chorar e galopou para a cozinha, batendo num lado da bunda com a mão, como se estivesse montado num cavalo.

Quando Jimmy voltou à sala, Bimbo estava na frente da sogra, fingindo que procurava alguma coisa na prateleira às suas costas. Vera apontou para Bertie e murmurou para Jimmy.

– Ele fez a mesma coisa com o irmão dele ontem à noite – contou ela.

– Exatamente a mesma coisa.

Bimbo voltou. Eles se aproximaram para checar.

– Não estou sentindo nenhum cheiro – disse Bimbo.

– É mesmo? – perguntou Bertie.

– Você está gripado, então? – Jimmy perguntou a Bimbo. – Está ficando pior.

– Está mesmo? – perguntou Bimbo. – Deus do Céu, isto é um desastre.

Chegaram Maggie e Veronica e quase todos os filhos de Bimbo.

– O que foi? – perguntou Maggie. – Ah, Vera, como vai?

– Bem obrigada, Maggie. Feliz Natal. Feliz Natal, Veronica.

— Para você também, Vera. Feliz Natal.
— Quem se importa com o Natal agora? — disse Bimbo.
Ele virou o rosto para o lado; não queria olhar. E murmurou.
— Vamos ter de enfrentar uma emergência.
— Que emergência? — perguntou Maggie.
Jimmy estava com dificuldade de se conter, de manter sua fisionomia séria. E Vera também. Bertie, não. Bertie parecia um médico dizendo que você está com câncer.
— Sua mãe — disse Bimbo.
— Ela tem nome — respondeu Maggie.
— E isso não é só o que ela tem, *signora* — interrompeu Bertie.
E pronto. A Guinness, ranho, talvez um pouco da comida do café da manhã, tudo subiu até a boca e o nariz de Jimmy; não passou de seus dentes — foi sorte aí —, mas alguma coisa foi parar na sua camisa; não se importava, pelo menos ainda não; seus olhos se encheram de água.
— É foda; desculpe.
E riu.
Veronica pegou seu lenço e estava tentando limpar o ranho da camisa.
Ele riu como se fosse morrer; estava até doendo, mas era demais. Veronica fazia cócegas também e isso piorava as coisas.
Veronica começou a rir dele rindo.
Todos estavam rindo agora, até mesmo Bimbo. Sabia que tinha sido a vítima, mas não se importava; nunca se importava; só às vezes.
Jimmy sentiu um peido se aproximando e não confiava em si mesmo; não podia, não com toda aquela risada sem poder parar, e o suor; ia acabar sendo no fim ele quem iria arruinar o Natal de Bimbo — ao cagar por todo o seu carpete.
— Eh, o banheiro — disse ele.
— Aí vai — disse Bertie.
Levou um tempão para ele subir a escada; quase engatinhou pelos degraus.

❖

Ele deu uma mijada, já que estava lá, e lavou as mãos; sempre lavava as mãos quando estava em casa alheia.

Bertie era porreta; era demais.
Jesus do céu, a água estava fervendo.
Secou as mãos e olhou para o relógio: meio-dia. Isso era bom. Ainda ficariam uma hora e meia, ou mais. O negócio ia ser bom.
Vera; essa sim, era uma mulher bonita. Ela se cuidava – como se diz por aí. Tinha aspecto saudável. Parecia mais saudável do que Veronica. Mas era muito mais jovem do que Veronica, talvez uns dez anos. E parecia que fora mocinha não muito tempo atrás, enquanto Veronica parecia nunca ter sido moça. Mas não era apenas por causa da idade.
Bimbo tinha um barbeador elétrico.
Tinha dois deles, dois barbeadores elétricos, o safado; um que parecia normal e um outro, fino, de cor amarela, que não parecia servir para nada. Jimmy pegou o amarelo: Girl Care. Que foda...
Vera era um pouco atrevida, mas Jimmy gostava assim.
Era de Maggie, pronto, era isso. Para as pernas ou – talvez só as pernas. Apertou o botãozinho de borracha e o barbeador começou a funcionar, quase não fazendo barulho nenhum. Pôs o pé em cima do sanitário, levantou a perna da calça e desceu as meias um pouco; meias novas, presente das gêmeas.
– De cada uma, uma meia, não é? – disse ele quando desembrulhou o presente, hoje cedo em casa.
Olhou para a porta; tudo bem, estava trancada.
Devagar, pôs o Girl qualquer coisa em cima de uns pêlos longos, bem na canela: nada. Massageou uma outra parte de sua perna com ele e aí sentiu. Era macia, mas – era macia ali, pelo menos. Tinha um montinho de uns dez pêlos crescendo em um sinal que sempre teve desde que era menino.
Eram encaracolados e mais escuros do que os outros. Não ia pôr a cabeça do barbeador direto em cima deles; não, ia apenas passar o negócio em cima do sinal bem rápido e ver o que acontecia.
Olhou para a porta de novo. Vera talvez usasse um desses, quando depilava as pernas...
– Ah, que merda é essa!
Atirou o Girl Care na prateleira em cima da pia.
Meu Deus, ele era um fodido de marca maior. Depilando as pernas; que porra que deu nele?!
Estava suando.
Era melhor voltar para baixo, onde estavam os outros.
Depilando a porra da perna. Tinha cabimento?

Abriu a torneira de água fria.

Não, também não é assim; estava só curioso, foi isso; queria só saber se a coisa funcionava, foi isso e pronto.

A água fria na cara era bom. A toalha era boa também; limpinha e macia. Maggie deve ter posto a toalha no banheiro um pouco antes deles chegarem, só para eles. Não estava úmida ou cheirando mal, como seria o caso se toda a família a tivesse usado de manhã.

Boa alma, o Bimbo. Aquele suor quente tinha passado. Estava legal agora.

Ele abriu a porta e desceu os degraus.

❖

Estava gostoso. A janela aberta, não estava nem um pouco frio. Ninguém na rua àquela hora; nenhuma voz ou carro. Ninguém saía de casa na noite de Natal; não tinham para onde ir, a não ser que estivessem visitando a mãe ou alguém assim e estivessem voltando para casa.

Veronica dormia.

Foi a primeira vez em muito tempo que eles fizeram a coisa; dois meses, de fato. Que fizeram amor. Nunca chamava assim; soava meio idiota. Trepar com a mulher era mais do que trepar, principalmente se você já não trepava havia meses, mas – nunca podia dizer Vamos fazer amor, Veronica?, ela teria rido na cara dele.

Não estava cansado. Não bebera muito. Não teve muito o que beber, mas não tinha muita importância; mesmo porque não teria querido beber. E também porque cochilou um pouco enquanto Veronica e Sharon preparavam o almoço.

Veronica o surpreendeu alisando suas pernas para ver se estavam macias, para ver se ela tinha se depilado.

– O que está fazendo?

– Nada.

Ela não o surpreendera propriamente; ele o teria feito de qualquer forma. Mas então começou a alisar do joelho até a xoxota depois que ela disse isso, para ela não dizer que ele parou só porque ela o disse.

Eram macias, a não ser nas canelas. Ali estavam meio ouriçadas.

O filho Jimmy Jr. viera para o almoço. De táxi, faz favor. Bom para ele. E cinco charutos para Jimmy, presente de Aoife, sua namorada. Muito legal da parte dela; só a vira uma vez. Era muito bonita, muito boa para aquele...

Não, não era justo. Era um cara legal, o jovem Jimmy. Ia passar a noite, na sala, com o Darren. E Darren estava bem encaminhado também, com aquela beleza que era sua namorada.

Aoife e Miranda.

Dois nomes lindos. Tinha alguma coisa especial com os nomes; só de pensar neles, nem mesmo nas garotas, já atiçava seu fogo. Eram nomes de manequins.

Veronica não era um nome que se podia dizer que era um nome sexy. Ou Vera.

Mas Vera até que não era mal. Pelo que sabia, não havia nenhuma santa chamada Vera.

Veronica se remexeu e se aconchegou nele. Era bom. Agora se sentia culpado; não, não de verdade. Pôs a mão nas costas dela.

Aquele fodido do Leslie não deu sinal de vida; nem mesmo um cartão. Nem mesmo para dizer onde estava; e que estava vivo. Foi pego roubando uma caixinha de moedas de caridade num lugar em Howth. Não fora propriamente apreendido. Foi só visto por um policial de folga que o conhecia. E foi por isto que se fora, por roubar umas poucas libras em moedas de cinco e dois pence. Agosto passado. Passou duas noites na casa da irmã de Veronica em Wolverhampton e pronto; não tiveram notícias dele desde então. Fugindo da lei. Tinha apenas dezenove anos. Teria ido embora de qualquer jeito; metia-se sempre em enrascadas e nunca ficava em casa, e além disso, não se pode ser responsável por um marmanjo de dezenove anos. Estavam melhor sem ele. Jimmy tinha tirado folga no trabalho para ir com Leslie ao juizado uma vez, já faz uns cinco anos agora, por brincar nos trilhos.

Pobre Veronica, comprou um presente para ele, só por precaução; um pulôver de lã. Mas não colocou embaixo da árvore. Estava no guarda-roupa, ali, todo embrulhado. Ela não disse nada quando ele não apareceu ontem ou mesmo hoje. Estava alegre o tempo todo. Com ela, a gente nunca sabia.

Jimmy lhe daria umas porradas na cara se Leslie aparecesse aqui agora. Não, não; não daria.

Brincar nos trilhos. Depois disso, foi fazer coisa pior, como roubar uma caixinha de caridade dos pobres. Com certeza estava dormindo numa caixa de papelão agora...

Não tinha sido um mau dia, de jeito nenhum. Bom, talvez ninguém tenha recebido o presente que realmente quisesse – a cara das gêmeas quando viram os seus presentes – roupas. Sempre ganhavam roupas novas, roupas de Natal; os presentes eram outra coisa. Bem, ficaram contentes com as roupas. Ficaram experimentando as coisas o dia inteiro. Estavam ficando grandes, as meninas, agora já eram mocinhas mesmo. Gina era a única criança ainda na casa.

Jimmy comprou *David Copperfield* para Darren, e ele gostou; dava para perceber. Para Darren, do teu pai; isto é o que ele escreveu na página da frente. Viu Darren lendo o livro depois do almoço.

Comeram peru também, como sempre; um peru enorme. Comeriam sanduíches de peru por um bom tempo agora. Ganhara o peru no golfe bem antes do tempo, e uma garrafa de uísque Jameson. Seu jogo definitivamente melhorara depois que ficou desempregado.

Comprou uma toalha de prato para Veronica, com Itália 90 escrito nela. Ela também gostou. Mostrou para Sharon e as duas riram. Ele repreendeu-a mais tarde quando a viu enxugando os pratos com a toalha e ela riu de novo. E depois ele também riu. Mas não era para isso que era a toalha? Ela podia ter guardado para depois, porém. Uma ocasião especial, talvez. Ele não sabia ao certo.

– Jimmy, meu amor – ela explicou. – Natal é uma ocasião especial.

E aí mostrou a ele como usá-la; só de brincadeira. É. Tinha sido um belo dia.

❖

A gente se acostuma. De fato, não era tão ruim assim. Você só tem que preencher o dia e isto não é tão difícil. E agora os dias estavam ficando mais longos – já era janeiro –, logo o bom tempo ia começar e ele poderia fazer coisas no jardim. Tinha muitos planos.

O pior era o dinheiro, não ter grana; ter de ser mesquinho. Por exemplo, Darren pôde ir para a Escócia com a escola no seu segundo ano, mas as gêmeas não poderiam ir a lugar nenhum. Iam voltar da escola, pedir e ele teria de dizer Não, ou Veronica; ela era melhor para essas coisas do que ele.

A não ser, é claro, que ele conseguisse um emprego antes disso.

O caso é que era mais fácil suportar as coisas se ele não pensasse nisto, achar um trabalho. Tinha de continuar vivendo, como se fosse normal; preenchendo o dia. O melhor do inverno era que os dias eram mais curtos. É só à luz do dia que a gente se sente mal, inquieto, às vezes até mesmo culpado. O problema é que o tempo passava devagar, talvez devido ao frio.

Este inverno não estava frio de verdade, daqueles que tornam o nariz dormente. Dentro da casa, durante o dia, quando não acendiam a lareira, quando a meninada estava na escola – e não havia aquecedores elétricos, a não ser um no quarto de Sharon por causa de Gina –, não era frio de verdade, só uma frieza úmida, mas sem ser realmente úmido. Não era tão ruim se tivesse roupa adequada.

Tirava a jaqueta de vez em quando no passeio com Gina, de tão ameno que estava o tempo. Fazia isto muito, passear com Gina. Até mesmo levou a menina para o golfe uma vez e um palhaço idiota atirou uma bola que bateu no carrinho dela, quando Jimmy estava se preparando para pôr a bola no buraco sete, o mais complicado dos buracos. Meu Deus, se a bola tivesse atingido Gina, ele teria matado o cara. E o fodido só se desculpou e perguntou se Jimmy tinha visto onde a bola caíra. Jimmy falou para ele onde enfiaria a bola se fizesse aquilo de novo. Mas a coisa toda lhe meteu um medo danado.

Pelo menos ia ter alguma coisa para contar a Veronica quando voltasse para casa, algo real. Às vezes, inventava coisas para ela, pequenas aventuras; uma velhinha derrubando as compras, ou um menino quase sendo atropelado. Sentia-se um babaca quando contava isso para ela, mas tinha de fazê-lo, não sabia por quê; para deixar ela saber que estava tudo bem com ele.

Ia à cidade e passeava por lá. Não tinha feito isto em anos. A cidade mudara muito; pubs que ele conhecia e até mesmo ruas tinham desaparecido. Mas estava bonita, parecia-lhe. Uma coisa dava para sentir: a cidade cheirava a dinheiro.

– *Si*.

Bertie concordou com ele e Bimbo também.

A mulherada devia estar ganhando dinheiro de verdade hoje em dia; dava para ver pelo jeito de se vestirem. Uma vez ele se sentou num banco de pedra ao lado da ponte Halfpenny, entre os velhos de bronze que pareciam balançar; sentou-se lá e contou 54 moças bonitas que passaram em apenas quinze minutos; agora, eram mulheres bonitas, muito bem vestidas, na última moda; deviam ter pago uma nota pelas roupas que usavam; dava para ver.

Já lera três romances do tal de Charles Dickens; eram bárbaros. Simplesmente brilhantes. Agora com certeza ia fazer algum tipo de curso no ano que vem, em setembro; à noite, como Veronica. Lia os jornais da primeira à última página, hoje em dia. Na biblioteca em Raheny, ou Donahmede quando queria mudar de ares. Preferia Raheny. E assistia ao Sky News durante o dia. Não conseguia acompanhar o que estava acontecendo no mundo de hoje, principalmente nos países do Pacto de Varsóvia. Estavam falando sobre isto um dia, ele, Sharon, Darren e Veronica e até mesmo as gêmeas, durante o jantar: as gêmeas chamavam Thatcher de Thatcher e Bush de Bush, mas chamavam Gorbachev de Mr. Gorbachev: isto explicava alguma coisa. Porque as meninas podiam ser bem atrevidas quando queriam.

Sky News era legal, melhor do que o outro canal de merda que eles tinham, o Sky One. Mas não ia pagar pelos canais quando teriam de fazê-lo, no meio desse ano. Não valia a pena, embora não soubesse ao certo quanto cobrariam. E isto o fez lembrar: tinha uma fatura do Cablelink grudada na porta da geladeira há semanas. Por ele, podia ficar lá mais algumas. Foda-se.

Fizera uma lista de coisas a arrumar na casa e atacava uma coisa por semana. Ontem consertou o sanitário, por exemplo; apertou a maçaneta. Agora estava funcionando como nova. Coisas pequenas assim. Mas nenhuma loucura. Não ia se tornar um desses malucos idiotas obcecados com conserto, consertando coisas que não precisavam de conserto e depois invadindo os vizinhos e consertando coisas na casa deles também, com certeza fazendo pior do que estava antes. Uma vez que o tempo melhorasse e os dias ficassem um pouco mais longos, faria coisas no jardim, ah sim; não ia nem perceber os dias passando. Planos não faltavam.

Tinha um monte de coisas com que passar o tempo. O dinheiro era a única coisa que fazia falta. Passava em frente a um pub na cidade e ficava cheio de água na boca ao pensar num copo de cerveja – sempre dava vontade ao ouvir as vozes e o barulho da tevê lá dentro –, só um copo, mas não tinha com que comprar. Ou não podia comprar um sorvete para Gina quando iam passear, não que fosse deixá-la tomar sorvete nesse frio, mas era o que queria dizer; era exasperante. Humilhante.

Mesmo assim, dinheiro não era tudo. Estava até bastante feliz.

❖

Bimbo estava chorando.
Deus do céu.
Bimbo; de todos –
– E aí? – perguntou Jimmy.

Mas isto soou mal, como se nada de mais estivesse acontecendo. O homem estava chorando, porra.

— O que está te preocupando?

Isto era ainda pior.

— Você está bem?

Melhorou.

Ele sentou em frente a Bimbo, do outro lado da mesa. Escondeu Bimbo do resto do bar, assim ninguém podia vê-lo, a não ser que olhassem bem.

— Ah, estou...

Bimbo tentou sorrir. Enxugou as bochechas com o lado da mão.

— Estou legal.

Como se Bimbo tivesse lembrado onde estava. Jimmy sentou-se direito e levantou o copo. Experimentou a cerveja; estava ótima. A primeira que bebia nos últimos cinco dias.

— Recebi uma má notícia hoje cedo – disse Bimbo. – E me deixou um pouco arrasado.

E sacudiu os ombros.

Os pais de Bimbo já tinham morrido. Jimmy sabia disto porque se lembrava que eles morreram um depois do outro, só algumas semanas de diferença. Talvez a mãe de Maggie tivesse batido as botas mas... Bimbo era um molengão, mas não ia sair por aí chorando no pub por causa da mãe de Maggie; já era mais morta do que viva há anos. Um dos filhos...

Porra. Queria que Bertie estivesse aqui.

Bimbo falou.

— Me mandaram embora hoje de manhã.

— O quê?

— Fui dispensado. Estou como você agora, Jimmy, que tal? Um homem de lazer.

— Você foi...?

— É. Demais, não?

Podia ver os olhos de Bimbo se enchendo de novo. Coitado de Bimbo.

— Mas como? – perguntou Jimmy, desejando fazer com que Bimbo falasse, em vez de chorar.

— Oh, dez de nós recebemos uma carta. Os mais velhos, sabe como é. Na cantina, no fim do turno.

Bimbo era padeiro.

— O rapaz do escritório disse que eles tinham de competir com os grandalhões. Assim é que chamou, os grandalhões. O filho da puta.

Bimbo quase não dizia palavrão.
— Precisavam dos nossos salários para competir com os grandalhões. Que tal isso, hein?
— É chocante — disse Jimmy.
Bimbo estava alisando a espuma no copo; não percebia o que estava fazendo.
— Tem alguma chance deles te empregarem de novo quando eles... sabe?
— O cara disse que sim, o rapaz do departamento de pessoal que nos deu as cartas. Mas não acreditei nele. Não acreditaria nele mesmo se... é aquele tipo de cara, você sabe.
Bimbo se endireitou no banco de novo.
— Ah, claro...
Sorriu.
— A gente faz companhia um ao outro, que tal?
— Claro, porra — disse Jimmy. — Pode contar com isso.
É. Isto era verdade. Tentou parar de pensar que isso era uma boa notícia, mas quase não conseguia.
Era chocante também. Bimbo era mais novo do que ele e foi mandado embora porque já era muito velho.
— Meu pai, que Deus o tenha, foi quem me levou para lá — disse Bimbo.
— É verdade.
— Seu irmão, meu tio Paddy, ele também trabalhava lá.
— É.
— Nunca esqueço o dia em que cheguei em casa com meu primeiro salário. Corri o caminho inteiro, sem parar, com a mão no meu bolso para não deixar o dinheiro cair. E um pacote com bolos que tinha sido devolvido. Bolo de frutas. Cemitério de mosca. Estava mais excitado por causa do bolo do que pelo dinheiro, para você ver como eu era menino. Sabia que seria o maioral quando as minhas irmãs vissem os bolos de fruta. Sabia que a filha mais nova de Marie sofre de epilepsia, eu lhe contei?
Marie é uma das irmãs de Bimbo, aquela de que Jimmy gostava.
— Não, é mesmo, rapaz?
— É. Catherine. Tem só seis anos. Triste, não é?
— Meu Jesus, é claro. Seis anos?
Bimbo começou a chorar de novo. Seu rosto se desmanchou. Esfregou o nariz. Procurou um lenço, que não tinha. Deu um gole. Sorriu.

— O que vou fazer, Jimmy?

❖

E encheram a cara, é claro. Bertie estava demais quando chegou.

— Ótimas notícias, *compadre* — disse para Bimbo. — Você sempre foi um padeiro fuleiro mesmo.

E Bimbo caiu na risada; e estava contente. E a risada de Bimbo; quando Bimbo ria, todo mundo tinha de rir também. Veronica sempre dizia que a risada de Bimbo era de enlaçar a gente.

— Três copos aqui — Bertie gritou para Leo no bar. — E John Wayners, rapazes?

— Porra — disse Jimmy.

Não tinha muito dinheiro consigo. Não importa...

— Está bem — ele respondeu.

— OK — disse Bimbo. — Também vou nessa.

— Bom homem — disse Bertie. E Leo? — ele gritou. — Três Jamesons também.

E aí Paddy apareceu.

— E quanto é a indenização que você vai receber? — Paddy perguntou a Bimbo quando chegou perto.

— Deus do céu — disse Jimmy. — Ele nem se sentou ainda e já quer saber quanto você vai receber.

Bimbo riu.

— Estou pouco me lixando em saber o que ele vai receber — disse Paddy.

— Então por que perguntou?

— Perguntei por perguntar — disse Paddy. — Vá se foder.

— Uns dois mil — disse Bimbo.

— Não diga a ele — disse Jimmy.

— Talvez três — disse Bimbo. — Não sei. Vão dizer na segunda.

— Então a gente se encontra aqui na hora do jantar na segunda — disse Bertie.

— Ah, claro — disse Bimbo. — Vamos beber umas com a grana, pode estar certo.

— Vai ficar doido sem nada para fazer — Paddy disse para Bimbo.

— Cale essa boca, seu fodido! — disse Jimmy.

Olhou para Bimbo rápido, mas Bimbo não se importou.

— Você daria um médico de classe, Paddie — disse Bertie. — Sabia disso?

Posso até ver. A senhora está com câncer, vamos ter de arrancar a teta.
— Oh, Deus — disse Bimbo.
— É — disse Jimmy, quando parou de rir. — Ele vai melhorar, doutor? Não, senhora, ele está fodido.
Riram de novo.
— O que vai fazer então? — perguntou Paddy a Bimbo.
— Tem muita coisa que se pode fazer — disse Jimmy.
— O que, então?
— Consertar coisas na casa, eh...
— Na casa dele já está tudo consertado — disse Bertie. — Parece até a casa do Elvis; como é que se chama — Graceland.
Bimbo riu, mas ficou satisfeito com o comentário.
— O jardim dele — disse Jimmy.
— O jardim dele é...
— O jardim dele não é como um jardim de gente — disse Bertie.
— Tem muita coisa que ele pode fazer — insistiu Jimmy.
— É — disse Paddy. — Tenho certeza de que tem. Mas o quê?
— Ele pode limpar a igreja nas segundas de manhã — disse Bertie.
Caíram na gargalhada.
— Uma velhota está tentando fazer com que Vera faça isto — disse Bertie.
— Ajudar a limpar a merda da igreja nas segundas de manhã.
— Não diria que isto seja coisa para Vera — disse Jimmy.
— De jeito nenhum — disse Bertie. — Ela nem se dá ao trabalho de sujar a porcaria do lugar nos domingos de manhã.
Bertie enxugou metade de seu copo.
— Ahh — exclamou.
— Minha vez — disse Bimbo.
— A primeira rodada de muitas — disse Bertie.
— Leo — Bimbo gritou. — Quando puder, três...
— Quatro — retrucou Paddy.
— Quatro copos e quatro doses de uísque, por favor!
Não disseram nada por um tempo
— Ah, sim — disse Bertie então.
Estava preparando o terreno.
— Sei o que faria se recebesse uma bolada como Bimbo vai receber — comentou.
Um deles tinha de fazer a pergunta. Por isso...
— O quê, então? — perguntou Jimmy.

– Levo a grana na Gem, certo?
– Eh, certo.
– E aí passo as notas no nariz de Mandy e deixo ela cheirá-las um pouco.

Jimmy e Paddy começaram a rir.

– Então, levo ela para os fundos da loja, atrás da geladeira, certo?
– Oh, Deus.

Bimbo começou a rir também.

– E assim, morreria feliz.

Quase se mijaram de rir; Bertie parecia tão sincero.

– Porra, *compadres* – disse Bertie, quando se recuperou um pouco. – Não estou brincando.

Paddy concordou. Ele também gostava de Mandy do Gem.

Todos gostavam de Mandy.

– Você é um safado de primeira – disse Jimmy para Bertie.
– Não disse nada que vocês não pensam em fazer quando entram lá. Aquela *signorita*. Que tesão.
– Ela só tem dezesseis anos, nem isso – disse Bimbo.
– E daí?

Bimbo sacudiu os ombros. Não tinha importância; estavam apenas brincando.

– Fui lá hoje de manhã – disse Bertie. – A garota é absolutamente demais, não é? Fui buscar o *The Sun*. E ela é tão boazuda quanto qualquer uma da página 3.
– Ela é muito mais bonita – disse Jimmy.
– *Si* – disse Bertie. – Puro tesão, com certeza. E acabei dizendo. Disse para ela.
– Não disse – duvidou Paddy.

Bertie olhou para Paddy por um segundo. Depois continuou sobre Mandy.

– Abri o jornal na página 3, certo? E mostrei a ela. Olhe, devia ser você aqui – disse a ela.
– E o que ela respondeu?
– *Si*. Falou para eu ir me foder. Mas gostou, isso eu notei.
– Ela é muito bonita mesmo – disse Bimbo.
– Aí fiz ela ir buscar um pacote de batatinhas fritas para mim – disse Bertie. – E eu detesto batatinha frita.

Eles riram. Sabiam onde ele queria chegar.

— Só para vê-la se agachar, sabe como é. *Caramba*, rapazes, quase quebrei o balcão com a dureza da minha piroca. Quando ela me deu a batatinha frita, eu disse que queria de vinagre com sal só para ela se agachar de novo.
— Ela vai estar gorda antes de mesmo de completar os dezoito — disse Paddy.
— Não — retrucou Jimmy. — Não vai.
— Como não?
— Porque ela não é assim — disse Jimmy. — Ela não é uma dessas meninas que parecem mulher antes de chegar aos quatorze e depois parecem com a mãe antes de chegar aos vinte. Ela não é assim.
Surpreendeu-se pensando se devia estar falando assim, se não estava dando uma impressão errada. Mas Bertie concordou com ele.
— *Si* — disse ele.
— Minha vez — disse Jimmy.
Queria se levantar. No meio daquela conversa, ele se sentiu sujo; assim. E depois, idiota. Falando sobre as meninas assim, as mocinhas bem novas. Mas quando Bertie continuou, estava tudo certo. Mas Darren estava limpando as mesas hoje à noite. Se ouvisse...
Levantou-se.
— O mesmo de antes aqui, Darren, por favor!
— O quê?
— Leo sabe. Só precisa falar para ele o mesmo de antes.
Estava ficando cheio. Leo estava correndo de um lado para o outro feito doido atrás do bar.
— Bom, como ia dizendo, Bimbo — continuou Bertie quando Jimmy se sentou. — *Compadre mio*, isso é o que faria se eu fosse você.
— Como? — perguntou Paddy.
— O quê?
— Como ia fazer?
— Do mesmo jeito que sempre fiz.
— Não, não estou dizendo a trepada em si — explicou Paddy. — Quero dizer, convencê-la a dar para você. Como ia conseguir?
— Não vejo nenhum problema aí, *compadre* — disse Bertie. — Mostro a ela o dinheiro e digo a ela que daria um pouco da grana se ela alisasse o careca lá embaixo para mim; não vejo qual seria o problema.
— Vá se foder — disse Jimmy.
— O quê?
— Não pode fazer isto assim.

— Por que não?
— Porque a garota não é uma merda de prostituta, por isso.
— Não é – concordou Bimbo.
— Ouça aqui, *compadre* – disse Bertie. – Todas as mulheres são prostitutas.
— Ah, isso não – disse Bimbo.
— Vamos ouvir o que ele tem para dizer – disse Jimmy.
— Ele está certo – disse Paddy. – A minha só me deixou sair hoje depois que comprei uma barra de Crunchie para ela.
Bertie se dirigiu a Bimbo.
— Não me entenda mal, *compadre* – disse ele. – Não são apenas as mulheres. Todos os homens são uns safados também.
— Eu não sou safado coisa nenhuma, meu amigo – disse Jimmy.
— Cala boca um minuto – disse Bertie. – O que quero dizer é: todo mundo tem um preço.
— Ah, e isso é tudo? – perguntou Bimbo.
— Se está pensando... – disse Jimmy.
Estava falando para Bertie.
— Se você pensa que pode entrar na loja, pôr o dinheiro no balcão e Mandy vai baixar as...
— Quieto, Jimmy, olhe o Darren.
— Aqui vem mais uma rodada, pessoal – disse Bertie.
— Abram espaço na mesa, gente – disse Darren.
— Claro, claro.
Tiraram os copos vazios e os puseram na mesa atrás deles, assim Darren pôde pôr a bandeja na mesa.
— Você conhece Mandy, da loja Gem, Darren? – perguntou Bertie.
Jimmy tentou chutá-lo por baixo da mesa; em vez dele, atingiu Bimbo, mas sem força.
— Conheço – respondeu Darren. – Mandy Lawless.
— Ela é bonita, não acha?
— Ela é legal, sim.
— Fique com o troco, Darren – disse Jimmy. – Bom rapaz.
Darren pegou o dinheiro e contou.
— Mas falta uma libra – falou para Jimmy.
— É mesmo? – disse Jimmy.
Agora não ia poder se livrar de Darren antes que Bertie abrisse a boca de novo. Deu uma nota de cinco para Darren.
— Você pode me dar o troco depois – disse ele.

– Não, não – disse Darren. – Tenho o dinheiro aqui.
Ah, Jesus amado!
Mas Bertie não disse nada e Paddy também não. Estava olhando ao redor à procura de alguma coisa para reclamar.
– Aqui está – disse Darren.
– Bom sujeito.
– Obrigado, pai.
– Não há de quê.
– Vou dizer uma coisa, pessoal – disse Jimmy quando Darren foi embora. – Vocês não viram a namorada dele. A namorada do Darren.
– Ela é bonita? – perguntou Bimbo.
– Bonita, não. Mais do que isso. Uma beleza – disse Jimmy. – Linda.
– Sério? Que legal.
– Miranda, o nome dela.
– Gosto do nome – disse Bertie. – Mirrandaah. *Si*, muito bonito. Então ela é um mulheraço, Jimmy?
– Uma rosa – disse Jimmy.
– E você é uma tulipa – retrucou Paddy.
– Vá se foder, porra – exclamou Jimmy.
– Agora vamos, rapazes – disse Bertie, e se inclinou para frente para ficar entre Jimmy e Paddy como se fosse apartar uma briga, mesmo não havendo briga nenhuma. – Passarinhos no ninho – disse Bertie.
– O que tem os passarinhos? – perguntou Paddy.
– Eles concordam – disse Bertie. – Certo?
Paddy não argumentou.
– Agora – disse Bertie. – Se vocês tivessem, digamos, mil libras, certo?
Sentaram-se. Adoravam esse tipo de história.
– E – continuou Bertie – sabe com certeza que a mulher mais gostosa do mundo, isto é, a coisa mais linda que você já viu na sua vida inteira, certo? E soubesse com certeza...
Bimbo começou a rir.
– Fique calado, cara. – Agora se soubesse com certeza que ela treparia com você se lhe desse o dinheiro, vocês dariam a ela a grana?
– Todo o dinheiro? – perguntou Jimmy.
– *Si* – respondeu Bertie.
Olhou ao seu redor. Estavam todos pensando na resposta, até mesmo Bimbo.
– E o que ela me daria pela metade da grana? – perguntou Paddy.

Eles se mijaram de rir.

❖

– Cadê ele? – disse Jimmy.

Estavam no estacionamento do pub, esperando Bimbo terminar de vomitar. Bimbo parou, pelo menos por ora. Mas ainda estava bem pálido.

Tinham sido os últimos a sair; caindo de bêbados, especialmente Bimbo. Quase não conseguia falar. Darren estava espirrando um pouco de limpador de móveis no salão do pub para o gerente pensar que ele tinha limpado as mesas.

– Obi-gado, Dar-re – disse Bimbo, e isso era tudo o que podia formular.

Estavam do lado de fora agora.

– Oh, meu Deus – disse Bimbo pela milésima vez.

– Está tudo bem – disse Bertie.

– Desperdício de grana, isso é o que é – disse Paddy.

Estava olhando o que tinha saído do pobre Bimbo.

Jimmy concordava com Paddy.

– Pelo menos – completou ele. – Aproveitou o que pôde.

– É verdade – concordou Paddy.

Jimmy não estava se sentindo tão mal, considerando que estava destreinado. Faltava o equilíbrio. Teve de segurar no muro quando pensou que ia cair. Mas estava satisfeito consigo mesmo.

Bimbo endireitou-se.

– Você está bem agora, amigo? – perguntou Bertie.

– Claro que ele está – disse Jimmy. – Não está?

Bimbo não disse nada por um momento. Depois falou.

– É. É...

– Vamos ficar aqui a vida inteira, ou o quê? – perguntou Paddy.

O plano era eles irem para a praia com uma dúzia de cervejas. Decidiram isto depois que Paddy reclamou sobre a criançada que andava por lá todas as noites.

– De todas as idades – Paddy contou a eles. – Com os miolos cheios de merda.

– É chocante – disse Bimbo.

E aí Bertie disse que eles mesmos deviam ir até lá depois de terem sido postos para fora do bar, e isto é o que iam fazer agora. Então...

— A gente vai ou não vai? – perguntou Paddy.
— Vá na frente, *compadre*, e a gente acompanha – disse Bertie.
— Ah, não sei – disse Bimbo. – Não sei se...
— Vamos lá, porra – disse Jimmy. – O ar fresco vai lhe fazer um bem danado.
— Agora – retrucou Bimbo. – Não tem nada de errado comigo.
— Então vamos, não é? – respondeu Jimmy.
— O quê, rapazes? – perguntou Bimbo. – A gente vai andar de barco?
— Escute só o cara! – disse Paddy.
Bimbo começou a cantarolar.
— Que merda! – disse Paddy.
— WE COME ON THE SLOOP JOHN B..
— Ah, *si* – disse Bertie.
Gostava desta, por isso acompanhou Bimbo.
— ME GRAN'FATHER AN'ME...
— Cadê ele? – Jimmy perguntou a Paddy.
— Ele quem?
— O furgão de batata frita – disse Jimmy.
— O que tem ele?
— Não está lá. Cadê ele?
— E eu sei lá!
— LET ME GO HOME...
LEHHHH' ME GO HOME...
— Quero uma porra de coisa para comer, cara – disse Jimmy. – Calem a boca, vocês!
Mas aí ele começou a cantar também.
— I FEEL SO BROKE UP...
I WANNA GO HOME...
Acabaram. Bimbo parecia muito melhor. E começou de novo.
— BA BA BAH...
— Espere um pouco, Bimbo – disse Jimmy.
— BA BARBER ANN...
— Cale a boca!
Jimmy quase caiu com a força do grito.
— Não está aí a bosta do furgão – explicou ele.
— É verdade – disse Bertie. – Achei que estava faltando alguma coisa.
Sempre teve um furgão com lanchonete em frente ao Hikers, não só nos fins-de-semana. Sempre.

Mas hoje à noite não estava ali. Bimbo olhou de um lado para o outro na rua para ver se o achava, e para trás também.
— Ele deve estar doente.
— Deve ter comido um dos seus próprios hamburgers — disse Bertie.
— O que a gente faz, então?
— Não tem problema, *amigo*, a gente vai para a lanchonete.
Queria dizer a verdadeira lanchonete de batata frita e peixe, não aquela sobre rodas; a que ficava no Green, entre a Gem e o lugar onde antes era o Bank of Ireland.
— De jeito nenhum — disse Jimmy.
Balançou a cabeça e quase caiu de quatro de novo.
— O que tem de errado lá? — perguntou Bertie.
— WEEHHL...
— THE WEST COAST FARMERS' DAUGHTERS...
— Cale a boca, Bimbo.
— A lanchonete fica ali — explicou Jimmy. — Certo?
— Eh, *si*.
— E a porra da praia é para lá — disse Jimmy.
— *Si*.
— Então, não tem ninguém que me faça andar esse caminho todo para lá, para depois voltar tudo de novo para chegar à praia.
— Paddy vai e a gente espera por ele aqui.
— Paddy vai uma ova — disse Paddy.
Sentaram-se no muro do estacionamento.
— Bom, então é melhor liberar estas belezas agora — disse Bertie. — Não é?
Tirou as seis garrafas de dentro do embrulho.
— Enquanto a gente discute a solução, hein, Bimbo?
— Certo. Muito obrigado.
— Alguém tem um abridor aí?
— Quantas vezes disse para gente comprar cerveja em lata. Disse, ou não disse?
— Vá se foder.
— As latinhas não têm o mesmo gosto — disse Jimmy.
— *Si* — concordou Bertie. — Certíssimo.
Ele se levantou e encostou o gargalo da garrafa na beira do muro.
— Vamos ver agora — disse.
Tentou tirar a tampa da garrafa.
— Vai quebrar a garrafa — disse Paddy.

– Vou mesmo? – retrucou Bertie.
Levantou a garrafa e a espuma derramou pela sua mão, mas não atingiu sua roupa.
– Muito bem, Bertie – disse Jimmy.
– Para você, Bimbo – disse Bertie, e lhe passou a garrafa aberta.
– Minha vez, agora – disse Jimmy.
– Faça você mesmo – disse Bertie.
Ele encostou o gargalo da garrafa na beira do muro e empurrou-a para baixo, mas a garrafa deslizou e ele acabou arranhando os dedos e soltou a garrafa.
– Merda!
– Cuidado.
Um carro da polícia vinha em sua direção.
Os guardas não saíram do carro, mas o que não estava dirigindo abriu o vidro.
– O que está acontecendo por aqui?
Bertie tirou os dedos da boca.
– Estávamos esperando a sua mulher – respondeu.
Paddy começou a assobiar a música do Gordo e o Magro. Jimmy o cutucou, mas ele não parou.
– Não me venha com sua lábia – disse o guarda para Bertie.
Jimmy não gostava dessas coisas.
Bertie se aproximou do carro e se inclinou, mostrando o lábio superior.
– Este aqui? – perguntou ele.
Depois mostrou o inferior.
– Ou este aqui?
Paddy se levantou agora também.
Bimbo sussurrou para Jimmy.
– A gente conhece... conhece a mulher dele?
Jimmy não sabia o que faria se os guardas saíssem do carro. Nunca esteve em enrascada com a polícia, mesmo quando era menino; apenas com Leslie.
O motorista falou.
– Senhor Gillespie.
Bertie se encostou à janela do carro e se dirigiu ao motorista.
– *Buenas noches*, sargento Connolly – disse ele.
Bimbo se levantou do muro e começou a catar os cacos de vidro.

— Você está me parecendo em ótimo estado e bastante corado – disse o sargento Connolly.

— Isso é porque estivemos trepando com filhas de policiais a noite toda, sargento – disse Bertie.

Jimmy queria se levantar e dar no pé.

Paddy se inclinou ao lado de Bertie para ver o rosto dos guardas. Ele deu umas tossidelas como se fosse cuspir, mas o policial no banco de passageiro não se mexeu. Nem mesmo olhou para ele.

O sargento Connolly falou.

— Você não saberia nada sobre um certo roubo no Supervalu em Baldoyle hoje à tarde, Sr. Gillespie? – perguntou a Bertie. – Saberia de alguma coisa, ou não?

— Sim – respondeu Bertie. – Saberia.

— O quê?

— Eles escaparam – disse Bertie.

O sargento riu. Jimmy não gostou daquilo.

— Você pode ir à minha casa e fazer uma busca se quiser – disse Bertie ao sargento.

— Já fizemos isto – respondeu o sargento.

O policial sorriu para Paddy.

— De que porra está rindo, meu caro? – exclamou Paddy.

Bertie se adiantou e tirou Paddy da sua frente.

— E achou alguma coisa? – perguntou ele ao sargento Connolly.

— Não, na verdade, não – respondeu o sargento. – Mas... diga à sua querida mulher um grande obrigado por mim, está certo? Esqueci de agradecer pessoalmente. Boa noite. Vá com Deus.

O carro se distanciou, cruzou a rua e desapareceu pela avenida Chestnut.

— Os filhos da puta – disse Paddy.

— Onde tem uma lixeira? – perguntou Bimbo.

— Aqui, Bimbo – disse Jimmy. – Olhe.

Pegou o braço de Bimbo e o fez acompanhá-lo. Queria ir para casa – e levar Bimbo para casa – antes dos policiais voltarem.

— Até mais – disse ele a Bertie e Paddy.

— Onde vão? – perguntou Paddy.

— Para casa – disse Jimmy – Estou quebrado.

— Boa noite, *compadre* – disse Bertie. – Aqui, leve umas garrafas para você. Tome.

— Não – respondeu Jimmy. – Não, obrigado, não se preocupe. Até mais.

Queria ir logo para casa. Não sabia como agir com este tipo de situação. Não queria que os guardas pensassem que tinha alguma coisa a ver com o que fosse. E Bimbo; os dois desempregados e tudo. O tal de Connolly ia pensar que eles trabalhavam para Bertie. E que tinham assaltado a casa ou qualquer coisa assim. Veronica...

– Vamos para casa, Jimmy? – perguntou Bimbo.
– Vamos.
– Bom.

❖

As duas semanas seguintes foram ótimas. Tinha de admiti-lo. Se estivesse procurando alguém para ficar desempregado, teria de ser Bimbo. Isto não queria dizer que ele quis que Bimbo fosse despedido; de jeito nenhum. O que queria dizer era isso: ele não podia pensar em melhor companhia do que Bimbo, e agora que Bimbo não estava trabalhando os dois podiam ficar por aí juntos o dia inteiro. Era bom demais.

Não achava que estava sendo egoísta. No começo – durante a primeira semana – sentiu-se um pouco culpado, um pouco canalha, porque Bimbo estava tão miserável e ele era o oposto. Não podia esperar para levantar e sair de manhã, como um menino nas suas férias de verão. Mas agora não pensava mais assim. Porque estava ajudando Bimbo, na verdade. Não negava que estivesse superfeliz porque Bimbo não trabalhava – não que tenha contado para alguém – mas não precisava sentir-se mal porque, no fim das contas, não foi ele quem mandou Bimbo embora e nem é o que tinha desejado. E se Bimbo voltasse ao seu emprego antigo ou conseguisse um novo, ele seria o primeiro a lhe dar os parabéns. E teria sido para valer.

Mas Bimbo estava desempregado; era um fato. Estava por aí fazendo nada. E Jimmy estava por aí fazendo nada, então por que não fazer porra nenhuma juntos? A diferença é que, com os dois juntos, dava para fazer um montão de coisas. Jogar golfe sozinho numa manhã friorenta de março podia deixar qualquer um deprimido, mas com a companhia de alguém era bárbaro. E era a mesma coisa também caminhar pelo passeio; e tudo mais, também.

Jimmy não sentira aquele mal-estar, aquele para valer, por um bom tempo; desde antes do Natal. Mas também não se sentira legal; apenas calmo. Mas agora, agora se sentia legal; feliz. Bimbo o ajudava do mesmo jeito que ele ajudava Bimbo. O dia depois daquela noite quando encheram a cara – o dia depois de Bimbo ser despedido – Jimmy foi lá para a casa dele e o levou para um passeio. Maggie tocou no braço de Jimmy quando eles saíam de casa. Era sábado, por isso Bimbo estaria em casa mesmo, mas dava para perceber que Bimbo não achou aquele um sábado como outro qualquer. Tinha também uma ressaca de matar. Mas a caminhada o alegrou e Jimmy o levou à biblioteca em Raheny e o fez preencher o cartão e mostrou onde estavam os livros.

Na segunda-feira, o primeiro dia de verdade, Jimmy chegou na casa de Bimbo às nove horas e o fez jogar golfe. Teve de ameaçar bater com o taco na cabeça dele se não saísse do seu buraco, mas no fim ele acabou cedendo. Jimmy tinha até fechado o zíper da jaqueta dele. E Maggie encheu uma garrafa térmica para eles, o que não foi uma má idéia, pois estava um frio de foder. Desistiram depois de seis buracos; não conseguiam segurar o taco direito, porque não tinham luvas, mas se divertiram mesmo assim. E Jimmy mostrou a Bimbo o que estava errado com sua tacada. Levantava a cabeça cedo demais. À tarde assistiram a um pouco de snooker e jogaram scrabble com Sharon, até Gina, a filhinha da mãe, desmanchar a mesa, quando eles se distraíram com uma jogada de snooker na tevê.

Na quarta – choveu o dia inteiro na terça – Jimmy levou Bimbo à cidade. Bimbo só tinha andado de trem umas duas ou três vezes antes, por isso gostou. E uma moleca filha da puta atirou uma pedra no vagão deles, quando passava em frente do hospital em Edenmore, e isso deu papo para o resto do caminho, isto e as casas novas enormes perto da rua Howth, em Clontarf, que ficavam tão próximas dos trilhos que o trem quase passava por dentro delas.

– Imagine pagar o olho da cara e morar tão junto dos trilhos – disse Jimmy.

– Coisa estúpida – disse Bimbo.

Jimmy mostrou as casas nas quais passara o reboco fino.

Trouxe Bimbo para o ILAC Centre e pediu à mocinha no balcão para pôr um vídeo sobre vulcões na tevê, que eles passaram um tempo assistindo. Foram tomar um chá, depois que Jimmy retirou alguns livros e explicou a Bimbo como aquelas listras na etiqueta do livro e no cartão de Jimmy funcionavam e como o rapaz no balcão de retirada só tinha de passar uma caneta eletrônica em cima delas para os nomes dos livros aparecerem junto com o nome de Jimmy no computador. Ainda carimbavam a data de retorno na capa do livro como antigamente.

Foram para a lanchonete no andar de baixo. O café era uma delícia lá, mas Bimbo insistiu em tomar chá. Às vezes ele era muito teimoso. Jimmy ia fazê-lo pedir café – porque ERA delicioso – mas depois desistiu. Ficaram olhando o que se passava na rua Moore. Era gostoso ficar ali olhando a velharada vendendo frutas e legumes e a moçada passando pela rua. Viram um menino – um rapazinho feio para chuchu – roubando a carteira da bolsa de uma mulher. Ele o fez tão rápido que, quando se deram conta, já não podiam mais fazer nada. A mulher ainda não tinha percebido. Simplesmente continuou caminhando em direção à praça Parnell, a pobre coitada. O moleque deve ter feito isso para comprar drogas ou algo assim. Não disseram nada um para o outro sobre aquilo. Mas fez Jimmy lembrar de Leslie.

– Agora experimente aqui, Bimbo – pediu Jimmy.

Passou a caneca para Bimbo. Bimbo pegou-a e tomou um gole.

– E aí? Não é delicioso?

– Oh, é mesmo – disse Bimbo. – É bom.

– Aposto como você se arrependeu de não ter pedido um para você, hein? – disse Jimmy.

Depois disto, foram para casa.

Faziam alguma coisa todo dia, ou quase. O tempo estava meio esquisito. Uma hora estava lindo; tinham de tirar a jaqueta, ou até mesmo o pulôver, de tão quente que estava. E aí começava a nevar – sem brincadeira! – ou chovia pedras de gelo.

– Neve em abril – disse Bimbo, olhando para o céu.

Era legal assim, só que ele estava com frio. Estavam embaixo de um abrigo perto do laguinho no parque St. Anne. Bimbo não queria se encostar na parede porque estava cheirando a mijo; era horrível. Gina estava com eles, no carrinho dela.

– É loucura, esse tempo – disse Jimmy.

– Estava lindo um instante atrás – completou Bimbo.

– É verdade – disse Jimmy. – É essa merda da camada de ozônio; esse é o problema.

– Mas não é sempre assim em abril? – perguntou Bimbo.

– Tão ruim assim, não – disse Jimmy. – Não senhor.

Certificou-se de que a cabeça de Gina estava completamente dentro do capuz.

– É o efeito estufa – disse ele.

– Achei que isto é o que faz o mundo ficar mais quente – disse Bimbo.

— Isso também faz — Jimmy concordou com ele. — É; mas faz esfriar também. Faz o tempo ficar doido.
— A gente não sabe o que vestir — disse Bimbo. — Por certo que não.
Enfiou as mãos dentro das mangas.
— É melhor sair por aí pelado — disse Jimmy.
Os dois riram.
— Pelo menos saberia o que enfrentar, não é? — disse Jimmy.
— Ia precisar de sapatos — concluiu Bimbo.
— E algum lugar para pôr os cigarros, não é?
Riram de novo.
— Não me sinto bem se não tiver meus sapatos nos pés — disse Bimbo. — Até mesmo na praia.
— É mesmo?
— Ou chinelos.
Aí parou. E o sol apareceu quase de imediato e era como se nunca tivesse nevado, a não ser pela neve no chão. Mas estava desaparecendo rápido; dava para eles verem a neve derretendo e evaporando.
— Adoro ficar olhando para este tipo de coisa — disse Bimbo.
— É — disse Jimmy.
Deu uma olhada em Gina. Ela ainda dormia.
— Ainda bem, não é? — disse ele. — Ela faz um barulhão, não é, Bimbo?
— Mas claro — disse Bimbo. — Isto é o que bebês na idade dela sempre fazem. Ela é um amor.
— Não é mesmo?! — disse Jimmy. — E se o resto dela for tão bom quanto seus pulmões, ela será uma beleza quando crescer.
Hora de voltar. No caminho de casa, tinham lido os jornais na biblioteca, para fugir do frio. Mas tiveram de sair porque Gina começou a traquinar.
Não se encontravam muito à noite; só uma ou duas vezes por semana.
— Olhe — disse Bimbo certo dia.
Tirou alguma coisa de um envelope com janelinha.
Jimmy chegou perto para ver o que era. Bimbo não o passou para Jimmy; apenas o segurou.
Era seu cheque de indenização.
— Legal — disse Jimmy.
Bimbo pôs o cheque de volta no envelope e foi até a cozinha passá-lo para Maggie. Daí saíram.
Bimbo pôs uma boa parte do dinheiro na casa. Comprou janelas de alumí-

nio para a parte de trás. As da frente já eram de alumínio. E pôs o seu nome na fila para a conversão do gás. O plano de retorno dá metade em dinheiro. Jimmy ajudou Bimbo a passar o papel de parede na cozinha dele e Veronica ficou uma fera quando deu com a cola nos cabelos dele e ficou sabendo como tinha ido parar lá. Ele teve de prometer de fazer isto na cozinha deles para que ela não enchesse mais o saco dele, mas não tinham dinheiro para comprar o papel nem nada, por isso era uma promessa fácil de cumprir.

Iam para Howth de vez em quando e caminhavam pelo passeio e pelo píer. Iam até comprar anzóis para pesca.

Foi então que uma coisa incrível aconteceu. Bimbo ajudava um pouco com o time. O Barrytown United. Mas ele só ia às partidas dos menores de 13 anos, porque Wayne, um de seus filhos, jogava no time; ele era quase sempre o reserva e Bimbo tomava conta das coisas deles e do dinheiro. E às vezes levava o time dos menores de dezoito para as partidas e trazia a molecada de volta para casa. Bem, numa ocasião ele conseguiu dois bilhetes para ver um dos amistosos antes da Copa, da Irlanda contra o País de Gales, em Lansdowne.

– Não são realmente dois bilhetes – explicou ele a Jimmy.

– Que porra quer dizer então? – queria saber Paddy.

– E estou falando com você? – respondeu Bimbo. – Vamos ao jogo de graça – continuou para Jimmy –, mas temos de trabalhar um pouquinho. Nada de mais.

– O quê?

– Não sei exatamente – disse Bimbo. – Você vem, ou não vem?

– OK – respondeu Jimmy.

– Bom – disse Bimbo.

– Eles vão perder mesmo – comentou Paddy. – Espere só para ver.

– Vá se foder, meu chapa – disse Jimmy.

Jimmy adorava futebol, mas não assistia a uma partida ao vivo há anos, e agora ia ver uma internacional, e de graça.

– Os bilhetes de entrada são como ouro em pó – contou a Veronica.

Pegaram o trem direto para Lansdowne. Jimmy pedira emprestado a Darren o cachecol da Irlanda. Darren ainda ia a todas as partidas, mas não se importava mais em usar o cachecol. Por isso Jimmy o pedira.

– Quantas paradas depois da rua Amiens fica a estação de Lansdowne? – perguntou Jimmy a Bimbo.

Bimbo olhou no mapa pregado acima da janela que mostrava todas as estações.

– Ehh... Três – disse Bimbo. – Três.
– Ótimo – disse Jimmy. – Preciso dar uma mijada.
Tinha bebido no Hikers; duas cervejas.
– A gente espera até chegar lá – disse Bimbo.
– Legal – disse Jimmy. – Não tem pressa.
– Tem um banheiro enorme embaixo dos nossos lugares.
– Legal – disse Jimmy.

Quando chegaram em Lansdowne, tiveram de pôr umas jaquetas brancas com a marca Opel e seguiram um cara gordo, que os levou para o estande Oeste, e o que precisavam fazer era mostrar ao pessoal onde eram seus lugares. Coisa fácil. Só um débil mental não encontraria o seu assento ali. Ele tirou sarro de Bimbo. Disse a ele que compraria uma lanterna e uma saia, para Bimbo ir trabalhar no cinema. – Posso ajudá-lo? – Jimmy ouviu-o dizer a um idiota que não achava o seu lugar.

Daí foram para o lado do campo um pouco antes de começar a partida, do lado de dentro das barreiras – era demais – e assistiram ao jogo. Foi uma partida fuleira, de dar dó; mas ele gostou e o tempo continuou bom. Tirou a jaqueta da Opel, mas o gordão pediu para ele vesti-la de novo, e como ele tinha pedido com delicadeza, Jimmy aceitou. Quando a partida estava para terminar, o gordão disse para eles se virarem para a torcida para não deixar nenhum moleque pular a cerca quando soasse o apito final. E então foi pênalti para a Irlanda e eles se viraram para ver; e aquele merda do Sheedy falhou – Southall salvou a bola – e ele se virou de novo e aquele cara novo no time, o Bernie Slaven, fez um gol e Jimmy não viu. Ia ter de assistir na tevê à noite. Não sabia por que tinha se virado para a torcida; ninguém ia fazê-lo proibir um cara de pular as barreiras; não tinha nada a ver com ele. Mas foi um dia legal. Mick McCarthy chegou perto de onde ele e Bimbo estavam, quase no fim do jogo, para atirar uma de suas bolas longas, e Jimmy cumprimentou-o dizendo "Tudo em cima, Mick", e McCarthy tinha piscado para ele. Era um bom jogador, o McCarthy, um homem de não dar moleza.

Iam assistir ao jogo da Rússia de graça também no fim do mês. E isto definitivamente era uma coisa legal de se esperar; seria uma partida muito melhor.

– Definitivamente – Bimbo concordou.

Estavam no trem voltando para casa.

– Não sei, não – disse Jimmy. – Diria que essa tal de glasnost só serviu para fazê-los uns molengas, você percebeu? Agora não precisam se preocupar em serem mandados para a Sibéria se perderem.

– Vamos esperar para ver – disse Bimbo.
Assim passavam o tempo, sem problema. Às vezes era só isso que faziam, passar o tempo; ficavam matando o tempo, fazendo nada, até a hora de ir para casa para o almoço ou jantar. E isso não era tão bom assim. E às vezes Jimmy percebia que Bimbo estava meio para baixo. E às vezes ele mesmo estava para baixo. Mas faziam companhia um ao outro, ele e Bimbo.
E agora – hoje – todos os treinos de Bimbo valeram a pena – ele ganhou no golfe. E em vez de ganhar um vale fuleiro para o açougue ou uma coisa mixa assim, ele ganhou um troféu com um golfista no topo; e não parecia coisa barata, não, como muitos deles parecem. Não, era muito bonito e Bimbo estava se esbaldando de alegria; estava no céu.
Tinham bebido alguns copos para comemorar e agora iam procurar o furgão para pegar umas batatas fritas e um peixe empanado, porque já era tarde para o jantar e a fome não ia esperar Maggie e Veronica prepararem alguma coisa para eles.
– Você está bem? – perguntou Jimmy.
Bimbo estava tentando achar um jeito de carregar o troféu e os tacos.
– Aqui – disse Jimmy. – Me dê um deles.
E pegou os tacos de Bimbo. Estava com uma fome dos diabos.
– Tchau! – Bimbo dizia adeus a todo mundo.
– Dá para se apressar? – pediu Jimmy. – Pelo amor de Deus.
Chegaram no estacionamento. Ainda estava claro; eram quase oito horas. O céu estava escarlate onde o sol tinha desaparecido.
– Não é lindo? – disse Bimbo.
– Vou comer um hamburger também – disse Jimmy.
Mas o furgão não estava lá.
– Que porra!
E aí se lembraram de que o furgão não estava lá há muito tempo; meses, até. Só notaram agora porque queriam comer.
Caminharam até a lanchonete em frente ao Green.
– Quem sabe não é até melhor – disse Bimbo. – A gente nunca sabia o que estava comendo vindo daquele furgão. – Mas é estranho...
Estava com dificuldade de acompanhar Jimmy.
– Aquele furgão era uma mina de ouro – disse ele.
Jimmy concordou.
– É.
– Talvez o cara esteja doente – arriscou Bimbo.
Quase caiu numa poça.

— Ou talvez esteja morto.
— Ótimo — disse Jimmy.
— Uma mina de ouro, era aquele furgão — repetiu Bimbo.
— Não devia ter sido tanto assim, senão ele ainda estaria lá — disse Jimmy.
— É, talvez — continuou Bimbo. — Mas diria que ele ou está doente ou morto.
— Eu é que vou morrer agora se não despejar alguma coisa na barriga — disse Jimmy. — Vem cá, Bimbo — disse ele. — Vê se não faz corpo mole só porque ganhou uma vez. Não estou querendo me gabar...
— Eu sei.
— Mas acontece com muitos caras. Param de treinar, só porque ganharam um trofeuzinho de merda; não estou querendo ofendê-lo.
— Eu sei, não se preocupe — assegurou Bimbo. — Não vai acontecer comigo.
— Ótimo. Nem vamos querer um emprego agora, hein? Com tanto o que fazer.
Bimbo sorriu para ele.
É claro que havia tempos ruins. Claro que sim. O pobre do Bimbo ficou numa depressão tremenda, do jeito que o próprio Jimmy tinha ficado, quando ainda não sabia lidar com isto; ser um homem de lazer. Ele — Bimbo — comprava o *Independent* todas as manhãs. Diziam que era o melhor jornal para empregos, e ia direto nas últimas páginas. Não tinha porra de esperança nenhuma de conseguir um trabalho pelo jornal, ele mesmo sabia disto; todo mundo sabia que não se consegue nunca um emprego através do jornal. Mesmo assim, ele ainda comprava e passava o dedo pelas colunas, a tinta manchando as pontas dos dedos e depois o rosto, e depois ficava deprimido quando não achava nada para ele. Deus o ajude. Jimmy teve de impedi-lo de escrever para o McDonalds pedindo emprego; tinha um anúncio enorme no jornal de sábado.
Jimmy foi buscá-lo. Estavam jogando um contra o outro no golfe desta semana. E ele estava na mesa da cozinha, começando a escrever a carta.
Jimmy leu o anúncio.
— Está fazendo isto a sério, não está? — perguntou Jimmy.
— Sabia que você ia dizer isto — disse Bimbo.
Continuou com os olhos no papel, mas não escreveu nada. Seu endereço era a única coisa no papel até agora.
— O que pensa que está fazendo? — perguntou Jimmy. — Então?

Teve o cuidado de escolher o tom e as palavras para não soar muito duro ou muito sarcástico.
— Estava só escrevendo — disse Bimbo. — Para ver o que eles diriam.
— Eles não querem ninguém como você — disse Jimmy. — Querem a moçada para poder explorar até os ossos. E não gente adulta como você, como nós.
— Eu sei — disse Bimbo. — Sei disso...
— Nem teriam um uniforme que lhe caberia.
Bimbo tinha alguma coisa a mais que queria terminar de dizer.
— Queria ver o que eles diriam, sabe como é? O que responderiam.
— Não vão nem se dar ao trabalho de responder — disse Jimmy.
— Poderiam.
— Porra, Bimbo. Pelo amor de Deus. Você é um padeiro.
— Aí, está vendo — disse Bimbo.
E pôs a caneta no papel.
— Se eu colocar que sou padeiro, talvez fiquem impressionados — não sei — impressionados, não; talvez pensem que tenho experiência e... a gente nunca sabe.
— Ah, Bimbo!
— Só estou escrevendo, mais nada.
Levantou-se.
— Só estou escrevendo. Faço mais tarde, então.
Bimbo ganhou. Ganhou no golfe.
— Seu filho da puta — disse Jimmy.
Não foram beber depois. Era muito cedo. Foram direto para casa.
Jimmy conhecia Bimbo; se lhe oferecessem um desses empregos, ele toparia. "É o começo", diria; e não daria a mínima para quem o visse naquele uniforme. Até usaria o uniforme para ir e voltar para casa do emprego, sem pensar em nada. E Veronica perguntaria a Jimmy por que ele também não arrumava um emprego como o de Bimbo — mas não era essa a razão por que queria que Bimbo se segurasse. Veronica sabia que se oferecessem qualquer emprego a Jimmy ele não hesitaria, mesmo se fosse para ganhar menos do que o salário-desemprego. O fato é que não ia deixar um amigo seu — seu melhor amigo — cair tão baixo. Um homem como Bimbo nunca se recuperaria de ficar em pé em frente ao balcão, usando um uniforme que não lhe cabia e servindo hamburgers e batata frita para bêbados filhos da puta e meninada atrevida. E nem mesmo eram batatas fritas de verdade.
Estavam em frente ao portão da casa de Bimbo.

– Você não vai escrever aquela carta para o McDonalds – disse Jimmy.
– Ou vai?
– Ah...
– Seria desperdiçar a porra do selo, cara, pelo amor de Deus.
– Não – disse Bimbo. – Acho que não vou perder meu tempo com isso.
– Muito bem – disse Jimmy. – Até mais tarde, então.
– Tchau – disse Bimbo.
Jimmy foi para casa. Queria saber se a sala da frente ia estar livre hoje à tarde. Darren estava estudando pra caralho para seu exame final e Jimmy não ia ficar no caminho dele. Iam mostrar o Liverpool contra o Chelsea na RTE. Talvez Darren fosse sair, encontrar sua namorada.
Tinha esquecido a chave. Bateu no vidro da porta. Bimbo talvez fosse escrever para o McDonalds mesmo que tenha dito que não. Bateu de novo. Não ia descansar enquanto não entrasse numa porra daqueles uniformes. Protegeu os olhos com as mãos e olhou pela janela da frente. Não tinha ninguém. Bateu pela terceira vez. Devia ter colocado um desses martelinhos de bronze que põem na porta para bater. Bertie tinha um, e também um desses olhos mágicos. Não tinha ninguém em casa.
– Caralho!
Iria para a casa de Bimbo por um tempo e assistiria a... Espere aí, não; tinha alguém descendo as escadas. Podia ouvir e agora podia até ver o perfil. Era Veronica. Deve ter caído no sono, ou estava estudando. Ia também prestar o exame final dali a umas duas semanas, Deus a abençoe. Bom para ela. Ele ia fazer o mesmo no ano que vem.
Veronica abriu a porta.
– Por que demorou tanto? – perguntou Jimmy.

❖

Jimmy trouxe quatro latas de Carlsberg, gostosas e ainda geladas, direto da geladeira do *off-licence**. Jimmy enfiou o nariz na abertura da lata.
– Sempre acho que cheira a mijo logo quando a gente abre a lata – disse ele. – Mas não é mijo ruim – explicou.
– É – concordou Jimmy Jr.

---

* Loja que vende bebidas alcoólicas fora do horário comercial.

Pegou a jaqueta atrás do sofá e tirou duas caixinhas de Planter's Nuts e jogou uma para Jimmy.
— Abra e cheire — disse ele.
Jimmy obedeceu.
— Então? — perguntou Jimmy Jr.
— Cheira a merda — disse Jimmy.
— É — disse Jimmy Jr. — Demais, não é? E tem um sabor gostoso pra caralho.
Jimmy deu um gole e segurou a cerveja na boca e deixou-a descer devagar. Assim, não ia arrotar. O controle remoto precisava de bateria nova, por isso Jimmy não podia aumentar o volume sem ter de se levantar, mas estava com preguiça. Tinha abaixado o volume quando Jimmy Jr. chegou, para perguntar como ele estava e como ia Aoife e tudo o mais. Já tinham feito mais um gol desde então; Ian Rush tinha. Não precisava de George Hamilton ou Johnny Giles para dizer quem tinha feito o gol, pois ele mesmo tinha visto. Estava de saco cheio daqueles dois. Giles não parava de reclamar.
— São uma máquina infalível, hein? — disse Jimmy Jr.
— Quem?
— O Liverpool — disse Jimmy Jr. — São como uma máquina. Um time de foder.
— É — concordou Jimmy.
Não acompanhava o futebol tanto assim.
— Uma máquina bem azeitada — disse Jimmy. — Não tem ninguém como eles.
— É — disse Jimmy Jr. — Vou me casar.
— Sempre fazem as coisas mais simples — disse Jimmy. — É tão óbvio, mas ninguém mais faz.
— Vou me casar — disse Jimmy Jr.
— Já ouvi — disse Jimmy.
— Então?
— Ela está grávida?
— Não, mas é claro que não, porra!
— Então é demais — disse Jimmy.
Estendeu a mão para Jimmy Jr.
— Aqui.
Teria matado o safado se tivesse emprenhado a moça; ela era muito boazinha para esse tipo de coisa lhe acontecer, boa demais.
Apertaram as mãos.

— Já contou a sua mãe?
— Não, não. Queria contar para você primeiro. Olhe, um outro gol, olhe!
— Barnes — disse Jimmy. — Incrível. Pena que ele não tenha uma avó irlandesa. Por quê?
— Por que o quê?
— Não comece — disse Jimmy. — Por que quis me dizer primeiro?
Jimmy Jr. se concentrou na tevê.
— Porque sim — disse ele. — Bom, vou contar à mãe agora.
— Ela ficará felicíssima.
Ele se levantou e saiu da sala.
Liverpool fez mais um gol, mas Jimmy só notou quando passaram o *replay* e mesmo assim não prestou atenção. Não soube quem o fez.

❖

— Como são os pais dela? — perguntou Sharon a Jimmy Jr.
— Boa pergunta — disse Jimmy. — Olhe bem para a mãe dela, pois é assim que ela vai ficar mais tarde.
— Escutem só o que ele está dizendo — disse Veronica.
Estavam jantando, Darren e as gêmeas também. Era muito gostoso. A comida não — a comida também estava, é claro; uma delícia —, a atmosfera.
Jimmy Jr. trouxera uma garrafa de vinho. Encheu um copo para as gêmeas também, mas um copo pequeno, e Veronica nem se opôs a nada. Jimmy olhou para ela. Ela não conseguia tirar os olhos de Jimmy Jr.
— São OK — disse Jimmy Jr.
Pôs a faca e o garfo no prato, fazendo barulho de propósito.
— Não, pensando bem, não são.
Eles se alvoroçaram.
— O pai é um filho da mãe — disse Jimmy Jr.
— Pare com isso — disse Veronica.
— Desculpe, mãe — disse Jimmy. — Mas ele é mesmo.
Todos riram, Veronica também.
— E ela, bem... — continuou Jimmy Jr. — Acho que muitas vezes ela não bate bem da cabeça.
— Está brincando! — disse Jimmy. — É verdade mesmo? É por causa da bebida?
— Não — respondeu Jimmy Jr. — Acho que não.

— Cola — disse Darren.

— Parem com isso — pediu Veronica.

— Parece drogada — continuou Jimmy Jr. — Quando entro na casa, ela sorri para mim depois de estar olhando para você, sabe como é, com aquele olhar parado. Me deixa perturbado.

— Talvez seja apenas porque é burra — disse Jimmy.

— Vai poder julgar por si mesmo, pai, pois vai encontrar com ela logo — disse Jimmy Jr.

— Tudo bem — disse Jimmy. — Ela é bonita?

— Quem? A mãe dela?

— Claro! — disse Jimmy. — E eu ia perguntar se o pai era bonito?

Riram.

— Não dou a mínima para a aparência do pai dela — disse Jimmy.

— Espera aí — interrompeu Veronica. — É melhor você também não dar a mínima para a aparência da mãe dela.

— Isso aí, mãe!

Caíram na gargalhada. Veronica ficou satisfeita.

Jimmy realmente queria saber como era a mãe de Aoife. Não sabia por quê; apenas queria; e muito.

— Então? — insistiu.

Pôs mais sal nas batatas. Eram batatas muito boas, pareciam bolos de farinha.

— Ela é ou não é?

— É — disse Jimmy Jr. — Quer dizer, acho que... Não, na verdade...

— Meu Deus!...

— É difícil de saber. Ela não é jovem. Talvez tivesse sido bonita um dia. Mas muitos anos atrás.

— E ela não pode ser bonita só porque já não é jovem? — perguntou Veronica.

— Eh...

— Claro que pode — respondeu Jimmy.

— É — concordou Jimmy Jr. — Mas ela...

— Tenha cuidado com o que vai dizer, filho — avisou Jimmy.

— Algumas mulheres velhas são muito lindas — disse Sharon.

— Isto é verdade — concordou Jimmy Jr. — Algumas delas.

E olhou para Veronica.

— E que tal você? — Darren olhou para o seu pai. — Olhe para o seu estado.

Jimmy olhou para Darren. Darren ficou olhando para ele, esperando uma reação. Jimmy não ia tolerar uma coisa dessa vindo de seu filho, pelo menos por mais uns dois anos.

Apontou o garfo para Darren.

— Não esqueça quem foi que pagou para a comida que você está comendo, meu filho, certo?

— Sei quem pagou — respondeu Darren. — O Estado.

Jimmy ficou com uma cara de quem acabou de saber da morte de alguém.

— Seu merda — disse Jimmy Jr. para Darren.

Mas ninguém falou mais nada. Linda e Tracy não se olharam.

Jimmy bebeu do seu vinho.

— Muito bom — disse ele.

Daí se levantou.

— Ehh — ao banheiro — disse ele.

Teve de se sentar de novo e empurrar a cadeira um pouco mais para poder se levantar direito.

— Volto num segundo — disse.

— Seu filho da puta, sacana, seu insignificante de merda — disse Jimmy Jr. para Darren quando ouviu Jimmy subindo a escada.

— Parem com isso! — gritou Veronica.

— Para que você tinha de dizer aquilo? — perguntou Sharon a Darren, querendo lhe dar um bom tapa na cara.

— Chega — gritou Veronica.

— Foi só de brincadeira — disse Darren.

E era verdade; quase tudo.

Jimmy Jr. agarrou a manga da camisa de Darren.

— Chega!!

Veronica olhou para todos eles ao redor da mesa.

— Agora chega — ordenou. — Agora, continuem comendo.

E continuaram. Sharon deu um chute em Darren por debaixo da mesa, mas não conseguiu acertar.

Daí Linda falou.

— Eles são ricos, Jimmy?

— Eles quem?

— A mãe e o pai dela — disse Linda.

— São — respondeu Jimmy Jr. — Acho que sim. — É, são.

Estavam todos na escuta por um ruído vindo de cima.

– O que você fez na escola ontem? – Veronica queria saber de Tracy.
Tracy ficou paralisada.
– Eh...
– Nada – disse Linda.
– O mesmo de sempre.
– Conte para a gente – disse Veronica.
– Ah, não...
– Vamos.
– É – disse Sharon. – Conte para a gente.
– Bem... – começou Linda.
Sabia o que estava acontecendo, tinha uma idéia. Não devia parecer que estavam esperando pelo pai quando ele voltasse.
– Bem – continuou ela. – Tivemos aula com Mr. Enright na primeira hora.
– Lipstick Enright – disse Darren.
– Cale a boca – disse Jimmy Jr.
– Linda gosta dele – contou Tracy.
– Não gosto nada!
Veronica começou a rir.
– Antes gostava – disse Linda. – Vou fazer picadinho de você, Tracy, espere só.
Jimmy descia as escadas; ouviram o barulho.
– E por que parou de gostar? – perguntou Sharon. – De gostar dele.
Linda controlava a conversa.
– Por que sim – respondeu.
– Ela... – começou Tracy.
– Cale a boca, Tracy – ordenou Linda. – OK, vou contar.
– Contar o quê? – perguntou Jimmy.
– Por que ela não gosta mais de Mr. Engright – disse Sharon para ele.
– Oh, Deus do céu – disse ele.
Todos riram, a valer.

❖

Ele lavou o rosto, encheu as mãos de água fria e esfregou-as na cara e pôs as mãos embaixo da torneira de novo e depois apertou os olhos. Deus, agora se sentia muito melhor. Não via a hora de voltar para casa. Teve de enxugar o rosto no agasalho porque não tinha toalha. Era como quando você chupa um sorvete muito rápido e de repente sente uma dor de cabeça terrível, uma daquelas de matar, piora e piora, você tem de fechar os olhos para ela ir embora – e então ela passa e tudo volta ao normal, nem um sinal do que se passou. Por um tempo depois do jantar, ele teve de esticar a cara várias vezes para não deixar as lágrimas caírem. E isso passou e ele tinha sentido como se fosse desmaiar – não de verdade. Teve de ficar se levantando e se sentar direito e abrir os olhos bem abertos; não sabia o que fazer. Não culpava Darren; era uma fase de adolescente, a de detestar o pai. Mas poderia ter lhe enchido de porrada.

Agora estava tudo bem, estava esperto e acordado. A cerveja ajudou, gostosa e gelada, e o gosto tinha lhe dado algo no que pensar. Agora ele estava ótimo.

– Vem cá – disse ele para Bimbo quando voltou do banheiro. – A única razão por que você ganhou de mim hoje é porque deixei você jogar de novo no buraco sete.

– Oh – disse Bertie. – O complicado sete; *si*.

– Ganhei por duas tacadas – disse Bimbo.

– E daí?

– Daí que eu ganharia assim mesmo.

– De jeito nenhum – retrucou Jimmy. – Você começou a ganhar do sete em diante. Não é verdade?

– Não diga nada, *compadre* – disse Bertie.

– É – respondeu Bimbo para Jimmy.

Queria saber onde Jimmy estava querendo chegar.

– Você começou a ganhar depois que eu deixei você jogar sua tacada no sete de novo, certo?

– Certo.

– Bem, isto causou um efeito psicológico negativo em mim. Não devia ter lhe dado aquela chance. Eu teria acertado a bola no buraco sete se não tivesse deixado você jogar duas vezes e aí teria ganho todas, como deveria ter sido. Como realmente ganhei se você pensar bem.

– Porra de Nick Faldo – disse Paddy.

– Agora isto não é justo – disse Bimbo.

Endireitou-se na cadeira.

– Agora, Jim, isto não é justo. Ganhei de você honestamente.

– Não, Bimbo, desculpe, mas não.

Bimbo ficou irritado.

– Certo – disse ele. – Agora tudo bem. Não ia mencionar isso, mas...

– O quê?
Agora Jimmy ficou preocupado, mas não demonstrou.
– O quê? Vamos, diga – continuou.
– Vi você batendo na bola de uma grama alta no buraco nove.
– Seu filho da puta!
– Vi com esses olhos – insistiu Bimbo.
– Seu sacana filho da puta, não viu nada!
– Vi – continuou Bimbo.
– Alegações muito sérias – disse Bertie, quando parou de rir.
– Ele está inventando – disse Jimmy. – Não ligue para o que ele diz.
Bimbo encostou o dedo embaixo do olho esquerdo.
– Está é inventando – continuou Jimmy. – É mesmo de dar pena. Você não suporta perder.
– Mas ganhei, cara! – disse Bimbo.
– Não de verdade, não ganhou – disse Jimmy.
– Você é quem perdeu, me desculpe, mas é – disse Bimbo. – E é um sacana também.
– É melhor você tomar cuidado com o que está dizendo – disse Jimmy para ele.
Sabia muito bem que todos acreditavam em Bimbo; estava pouco se lixando. Estava se divertindo.
– Só estou contando o que vi – disse Bimbo. – Você olhou ao redor e depois deu uma empurradinha na bola e aí gritou "Achei!" e depois disse, "Dei sorte, ela caiu no lugar certinho".
Bertie e Paddy estavam se mijando de rir.
– Vá se foder, cara – disse Jimmy. – E por que estava olhando para mim?
– Vai ter de pagar uma rodada por causa disto, *compadre* – Bertie exigiu de Jimmy.
– OK – aceitou Jimmy.
Tinha no bolso uma nota de dez que Jimmy Jr. lhe dera.
– Quatro cervejas aqui – gritou para o rapaz que passava por eles com uma bandeja cheia de copos vazios. – Mesmo assim ainda teria ganho de você – disse ele para Bimbo.
– Mas eu ganhei – disse Bimbo.
– É culpa daquele careca filho da puta, o Gorbachev. A grama deveria ter sido cortada ali; ele é um inútil. E está cheio de merda de cachorro pelo campo inteiro também.

— Tem alguém interessado numa chaleira elétrica? — perguntou Bertie.
— De graça?
— Não — respondeu Bertie. — Não, sinto muito, mas não. Mas posso fazer um preço legal para você.
— Quanto? — perguntou Paddy.
— Quinze libras — disse Bertie. — Trinta e cinco nas lojas. Duas por vinte e cinco.
— E quantas tem? — queria saber Jimmy.
— Nada de perguntas, *compadre* — disse Bertie. — Não tenho muitas. Uma quantidade pequena. Então?
— Não — disse Jimmy.
Olhou ao redor para ver se ninguém escutava ou espreitava.
— Não — disse Paddy. — Não precisamos de uma.
— Não — concordou Bimbo.
— OK — disse Bertie. — Sem problema.
— Você não teria um furgão desses de vender batatas e peixe frito, teria? — perguntou Bimbo a Bertie.
— Não — respondeu Bertie, como se Bimbo tivesse perguntado se ele vendia bananas.
Jimmy e Paddy olharam para Bimbo.
— Só uma idéia — disse Bimbo.
E não disse mais nada.
Bertie adorava um desafio.
— Que tal um Mister Whippy? — perguntou Bertie a Bimbo. — Acho que consigo um desses.
— Não — respondeu Bimbo.
— Seu coração se fixou num furgão, então?
— É. Não, não é tão importante. Se algum aparecer...
— *Si* — disse Bertie. — Vou ver o que posso fazer.
Jimmy olhou para Bimbo. Mas Bimbo parecia o mesmo de sempre, alegre e com ar de idiota, sem faísca nos olhos, nem nada.

❖

— Bimbo está falando em comprar um furgão de batata frita — contou ele para Veronica.
— Sabia que ele gostava de comer, mas assim já é demais — disse Veronica.
Jimmy não entendeu logo.

– Ah é; perfeito.

❖

Jimmy não estava dando sorte ao tentar espremer mais alguma coisa de Bimbo.
– É só uma idéia, mais nada.
E isto foi tudo o que conseguiu dele.
Estavam na sala de Jimmy assistindo a *Blockbusters*.
– Se Bertie achar um, você vai comprar? – perguntou Jimmy.
– B M – disse Bimbo.
O time das garotas na tevê deu a resposta antes de Bimbo.
– Está me ouvindo, meu chapa? – perguntou Jimmy.
– M T – disse Bimbo.
– Madre Teresa – disse Jimmy.
– Vamos ver; você acertou.
– Claro que acertei.
– Eles ganharam, olhe. Você teria ganho se estivesse lá, Jimmy.
– Qual é o prêmio?
– Uma viagem para algum lugar.
– Compraria o furgão se Bertie achasse um para você? – perguntou Jimmy de novo.
– Edimburgo; a viagem é para lá. Não é tão legal, não é?
– Melhor do que ir para lugar nenhum – disse Jimmy, defendendo o prêmio que teria ganho.
– Você está certo, é claro. Pelo menos parecem felizes, não acha?
Jimmy olhou para as duas garotas na televisão.
– Não me importava de ir com elas – disse ele.

❖

O tempo estava maravilhoso. Durante a semana inteira o sol estava brilhando no céu, sem aquele friozinho que a gente sente muitas vezes quando é um dia ensolarado de maio.
Estavam sentados no batente da porta de Jimmy, Bimbo e Jimmy, pegando um sol. Bimbo, de olhos fechados, cara para o sol, desafiando-o a lhe queimar o rosto.
– Gostoso – disse ele.

– É uma beleza – concordou Jimmy. – Dá para sentir o calor de verdade, não é?
– É.
– Tempo bom para uma cerveja gelada, hein? – disse Jimmy.
Bimbo não respondeu. Concordava com Jimmy, mas estivera conversando com Maggie sobre o seu dinheiro da indenização que estava minguando; ambos estavam gastando, roupas – Wayne tinha se crismado duas semanas atrás – e ovos de Páscoa e as coisas que sempre tiveram. Levaram todas as crianças para o cinema no dia da crisma de Wayne e isto tinha custado quase quarenta libras, contando o sorvete e a pipoca, quarenta libras que não tinham, que tinham saído da indenização. Maggie tirou dez libras no domingo só para comprar carne para o almoço. E Bimbo de vez em quando tirava uma nota de dez aqui e ali para uma cerveja no Hikers. E as janelas de alumínio e as outras coisas. Mas iam pôr um fim nisso. Hoje de manhã decidiram que tinham de parar, senão não teriam nada mais quando realmente precisassem. Por isso o último divertimento que teriam com o dinheiro seria ir ver o show *Cats*, ele, Maggie e a mãe dela; tinham comprado os bilhetes antes da decisão e por isso iam usá-los.
– Oh, olhe aqui – disse Jimmy. – Olhe.
Bimbo abriu os olhos e olhou para o chão até se acostumar com a luz.
– Ah sim – disse Jimmy, sussurrando.
Três garotas passavam pela rua; garotas de 16 ou 17 anos. Dava para perceber que elas sabiam que Jimmy e Bimbo estavam olhando para elas. Uma delas olhou para trás, para eles e para frente de novo, bem rápido. Bimbo sentiu o suor de repente e ficou irritado porque era Jimmy que estava olhando, e não ele.
– São apenas garotas – disse.
– Não tem maldade nenhuma em olhar – disse Jimmy.
Agora se sentiu um verdadeiro safado; teria de controlar-se – principalmente porque o próprio Menino Jesus de Praga estava sentado ao seu lado.
– Estão indo para casa jantar – disse Bimbo.
Jimmy viu que ele tremeu quando disse isto.
– E fazer o dever de casa – concluiu Bimbo.
– Essas daí não estão mais na escola. Já saíram...
– Eu sei – disse Bimbo. – Essas daí não vão mais à escola, mas...
– Trabalham na fábrica de tecidos em Baldoyle – disse Jimmy.

— Mas ainda são tão jovens — disse Bimbo. — Meninas.
— Ah, caia na real, Bimbo — disse Jimmy.
As meninas da fábrica de tecidos tinham folga na sexta à tarde. A primeira vez que Jimmy olhou para elas numa sexta-feira, da janela de seu quarto, ele sentiu o sangue invadir seu rosto, como se estivesse assistindo a um vídeo de sacanagem e tivesse medo de Veronica pegá-lo em flagrante. Havia um montão delas — todas de minissaia jeans — em frente à casa dos Sullivan. A filha de Derek e Ann Sulivan, Zena, trabalhava na fábrica de costura. Eram seis, rindo e se abraçando para esquentar o corpo contra o frio; foi há uns meses e essas meninas nunca se vestem bem para esse tempo. Todas tinham cabelos como a cantora, a tal de Kylie Minogue. Jimmy gostava assim. Achava cabelos encaracolados muito melhor do que lisos. Ficou apreciando-as por horas. Até se agachou e sentou na cama quando uma delas virou para o lado dele. Ficou com medo de voltar à janela de novo. Mas voltou, e depois elas se foram, os saltos dos sapatos fazendo um barulho incrível; ele sempre adorou aquele barulho — sempre acordava quando o ouvia. Sentiu-se um patife desgraçado na época, espionando pela janela; como um porra de um pervertido.
Mas estava só olhando, sonhando acordado, talvez. Não tinha maldade nenhuma, de jeito nenhum. Não ia começar a segui-las ou correr atrás delas ou — não, gostava só de olhar para elas, mais nada.
Subiam a rua de novo. Ele podia ouvi-los, os saltos. Bimbo estava errado; não iam para casa jantar coisa nenhuma. Ia dizer isto a ele quando elas passassem, o santinho coroinha de igreja.
Estavam dois portões antes do dele. Ia vê-las num segundo. Ia olhar para o outro lado, para Bimbo não pensar nada. Não que ele se incomodasse com o que Bimbo pensava.
Poderia vê-las agora se olhasse.
Ia dizer alguma coisa para Bimbo, só para estar conversando com ele quando elas passassem.
— Será que o Palace vai ganhar do United amanhã, você...
— *Compadres*!
Era Bertie. Ele ficou parado no portão olhando para a bunda das meninas até elas desaparecerem, sem qualquer pudor; não dava a mínima para quem o estivesse vendo.
— Como vai, Bertie? — cumprimentou Bimbo.
Para Bertie, Bimbo não ia dizer nada se estava comendo as meninas com os olhos. Ah, isso não.
Bertie ficou no portão. Estava usando camiseta estampada com Itá-

lia 90. Segurou a camiseta pela gola e sacudiu-a como para botar ar entre ele e o tecido.
— Estão ocupados, *compadres*?
— O que você acha? — respondeu Jimmy.
Bertie abriu o portão e gesticulou para que se levantassem.
— Venham cá, quero mostrar uma coisa.

❖

Estava uma nojeira. Nunca viu coisa tão suja. Caminharam ao redor dele. Era horrível pensar que as pessoas tinham um dia comido batatas fritas e outras coisas daquele negócio; era um escândalo. Não tinha ninguém que o fizesse olhar lá dentro.
Olhou para Bimbo, mas não pôde ver seu rosto. Bimbo estava olhando embaixo do furgão. Para quê, Jimmy queria saber; ficar querendo bancar o entendido no assunto. Seria o último lugar onde Jimmy ia querer enfiar a cara, embaixo daquele furgão; podia até cagar em cima de você. Era como alguma coisa tirada de um zoológico, já duro, tinha até a mesma cor.
Nem rodas tinha. Estava em cima de tijolos.
Bimbo se endireitou.
Bertie apareceu de trás do furgão, empurrando uma roda à sua frente.
— As rodas são novas, *compadres* — disse ele. — Tem mais três atrás dele — concluiu. — Em perfeitas condições.
Deixou a roda cair na grama.
— O que acha? — perguntou ele a Bimbo.
— Qual o lado que a merda sai? — perguntou Jimmy.
Bertie ficou entre Bimbo e Jimmy. Bimbo estava olhando para o furgão, movendo-se da esquerda para a direita, como se estudasse um quadro de pintura ou algum objeto de arte. Jimmy chegou mais perto para olhar bem para Bimbo.
Bimbo parecia excitado e decepcionado, como uma luz apagando e acendendo. Jimmy olhou para o furgão de novo.
Ah, Jesus, era um ferro-velho. O homem estaria maluco para até mesmo olhar para ele. Não ia deixá-lo entrar nessa.
— Maggie vai ter de ver — disse Bimbo para Bertie.
"Graças a Deus", pensou Jimmy. Evitaria que ele precisasse convencer Bimbo a não fazer uma besteira daquelas. Maggie daria uma no ouvido dele quando visse para que ele a tinha tirado do trabalho.

O rosto de Bimbo ainda piscava.
– Vou buscá-la – disse ele. – Esperem aí.

❖

Jimmy e Bertie esperaram no quintal enquanto Bimbo foi buscar Maggie. O quintal estava tão sujo quanto o furgão. Você não pode realmente dizer em que estado está uma casa olhando só de frente. Jimmy tinha passado por aqui não sabia quantas vezes – era apenas umas duas quadras da sua própria casa – e nunca tinha notado nada de estranho. Nunca tinha notado nem mesmo a casa antes; era apenas uma casa qualquer no final de uma série de casas. Só quando se chega nela pelo quintal que se percebe que um bando de selvagens moram a alguns metros da sua própria casa. E não era só por causa da pobreza.

– Não sei como alguém pode viver nesse estado – disse ele.

Bertie olhou ao redor.

– Não está tão mal – comentou. – Um pouco fora do normal, talvez.

– Fora do normal! – exclamou Jimmy.

E apontou para uma fralda descartável no pátio, em frente à porta de trás.

– E isto é fora do normal, é? Isto é totalmente intolerável, imundo.

Olhou ao seu redor, mais perto dele – estava sentado no pneu – como se procurasse mais fraldas.

– Eles deviam se envergonhar – disse ele.

– Não são eles, *compadre* – Bertie corrigiu-o.

– O que quer dizer?

– Antes era Eles, mas agora é só Ele. Ela se fodeu e o deixou aqui. Ele e as crianças.

– Meu Deus – disse Jimmy. – Isso é foda. Por quê?

– Por que o quê?

– Por que ela largou dele?

– E eu sei, *compadre* – disse Bertie depois de um tempo. – Só sei que ele é feio pra caralho.

– E você conhece ela também? – queria saber Jimmy.

– Não – disse Bertie. – Mas a criançada também é feia pra caralho.

– Ah, então é isso – disse Jimmy.

Estava de costas para o furgão, de propósito, como numa espécie de protesto. Olhou para ele por cima dos ombros.

104

— Você tem é muito peito, hein? — disse ele para Bertie.
— O quê? — perguntou Bertie.
— Tentando fazer Bimbo jogar seu dinheiro fora nessa porcaria aqui — explicou Jimmy.
— Não estou tentando fazer Bimbo jogar seu dinheiro fora — retrucou Bertie. — Ele me pediu para procurar um furgão para ele e foi o que eu fiz.
Jimmy levou algum tempo para responder. Tinha de tomar cuidado.
— E como achou isto aqui? — perguntou.
— Segui meu nariz infalível — disse Bertie.
Eles riram.
Jimmy agora sabia que Bertie não ia empurrar Bimbo para comprá-lo. De qualquer forma, Maggie nunca deixaria Bimbo fazer uma coisa dessas.
— Não tem sido usado há anos — disse ele.
— Não — corrigiu Bertie. — Não, não faz tanto tempo assim. Um ano mais ou menos.
Ele inspecionou o furgão de cabo a rabo.
— É uma barganha — disse ele. — Sólido, sabe como é. A sujeira se lava.
Jimmy mudou de idéia. O filho da puta ia mesmo fazer Bimbo comprar aquela porcaria.
— Tem muito mais coisas erradas com a porra do que sujeira — disse para Bertie.
— De jeito nenhum, *compadre* — disse Bertie. — Posso lhe assegurar.
— Me assegurar uma porra — disse Jimmy.
— Ei! — exclamou Bertie.
Estava apontando para Jimmy. Jimmy estava receoso de que isto pudesse acontecer. Mas às vezes você tem de assumir suas opiniões.
— Ei — disse Bertie de novo, mas não tão alto desta vez, agora que Jimmy olhava para ele. — Escute aqui, certo. Pergunte a quem quiser — a qualquer um — que tenha lidado comigo se tem alguma reclamação a fazer sobre o que comprou de mim e o que lhe dirá, hein?
Jimmy não sabia se era para responder.
— Não, *signor*, eles vão dizer — disse Bertie. — Qualidade, é isso que vão dizer, é o apelido do Sr. Bertie Gillespie. Meu amigo Bimbo, ele pediu para eu procurar um furgão de vender comida e eu achei um furgão de vender comida para ele. A coisa só precisa de uma lavagem embaixo do sovaco, mas e daí? Quem não precisa?
Jimmy sacudiu os ombros.

– Estou apenas dando minha opinião – disse ele.
– Jimmy – disse Bertie. – Você já comprou coisas de mim, certo? Muitos produtos.
– Certo – disse Jimmy.
– E alguma coisa que você comprou de mim deixou de funcionar?
– Nunca, Bertie – assegurou Jimmy. – O walkman da Linda quebrou mas isto foi culpa dela. Entrou na banheira com ele.
– Então – disse Bertie. – Se estou dizendo que é um furgão legal, então é uma porra de um furgão legal. É o Rolls-Royce dos furgões; *si?*
– OK – disse Jimmy. – Desculpe.
– Não se fala mais nisso – disse Bertie. – E por que Bimbo está demorando tanto?

Ele se levantou e subiu as calças na bunda. Jimmy se levantou e fez a mesma coisa com as suas, embora não precisasse; fez só porque Bertie o fez. Pôs as mãos nos bolsos e puxou as calças um pouco para baixo.

Olharam para o furgão.

– Onde está a janela? – disse Jimmy.
– Você está começando a me irritar – disse Bertie. – Está mesmo.
– Não, não quis...
– E quem quer o furgão, então? Você ou Bimbo? Não tem nada a ver com você, meu chapa.
– Só perguntei por perguntar, porra! – disse Jimmy.
– Talvez – disse Bertie.
– Só perguntei – disse Jimmy. – Só isso. Só estava curioso. Onde ficava a porra da janela, só isso. Tem de ter uma.

Bertie pensou por um momento.

Foi até o furgão. Bateu na lataria, no altura do queixo.

– Não – disse ele.

Moveu-se um pouco e bateu de novo.

– Não – repetiu.

Moveu-se um pouco mais distante.

– Tem de estar em algum lugar – disse ele.

E bateu de novo.

– Não.

Olhou para seus dedos.

– Meu Deus, verdade, está uma imundice – disse ele.

Deu um passo para trás e olhou atento para as laterais do furgão, da esquerda para a direita.

106

— Deve estar do outro lado — falou para Jimmy — E tem mesmo de ter uma janela?

— Claro que sim — disse Jimmy.

Era demais; nem a porra de uma janela tinha.

— Por quê? — perguntou Bertie.

— E como é que se pode servir os fregueses? — respondeu Jimmy. — Pela porra do teto?

— Oh — disse Bertie. — Você quer dizer uma portinhola, *compadre*. Está do outro lado. Uma portinhola imensa. Dá para servir até um elefante através dela.

— Ventilação — disse Jimmy.

— O quê?

— Precisa de uma janela para ventilação — disse Jimmy.

— Uma porra que precisa — disse Bertie. — Para quê? Você já tem a portinhola, caralho. É tão grande como um portão de garagem.

— Não importa a porra do tamanho se não tiver a porra de uma abertura para ventilar.

Jimmy estudou o furgão.

— Não sei — disse ele.

— Olhe aqui — disse Bertie. — Deixe-me apenas lembrá-lo de um pequeno detalhe; *uno* pequeno detalhe, certo. É um furgão para vender batata frita e não um trailer para viajar nas férias, *comprende*? Não importa nem um pouco se só tem uma janela ou não. A não ser que você esteja planejando...

— Oh, meu Deus.

Era Maggie.

— Ah — disse Bertie. — Aqui estão. É só usar a imaginação, *signora*, disse ele para Maggie, e fez espaço para que ela desse uma boa olhada no furgão.

Maggie ficou onde estava, como se estivesse com medo de chegar mais perto. Cruzou o cardigã mais apertado ao redor dos ombros. Bimbo estava ao seu lado, olhando atento para ela, desejoso, desejoso.

Como um menino, o babaca; compre isto para mim, mamãe, logo ia estar dizendo, o filho da mãe ia mesmo. Se ela deixá-lo comprar aquela geringonça, Jimmy ia — ah, nem sabia o que faria. Que porra, o dinheiro era deles mesmo.

Bertie estirou a mão e mostrou o furgão para Maggie de cima a baixo.

— Alguns minutos com uma mangueira e talvez, talvez nem isso, umas poucas horas com um raspador de tinta e vai ficar uma beleza. O Rolls-Royce dos furgões.

Jimmy não sabia por que não queria que Bimbo comprasse o furgão. Era porque isto estragava um pouco as coisas. E era o maior desperdício de dinheiro.

– Já olhou dentro? – perguntou Maggie a Bimbo.
– Oh, olhei sim – disse Bimbo. – Parece legal. Está tudo ali, todo o equipamento. – Está um pouco, eh...
– E o motor? – perguntou Maggie.
Bertie respondeu antes de Bimbo.
– Que motor seria este, minha *signora*?

❖

Tinha uma janela. Descobriram quando trouxeram o furgão para a casa de Bimbo. Dois dias depois de Bimbo tê-lo comprado.

Foi como uma procissão, empurrando e arrastando o furgão através das ruas de Barrytown, Bimbo e Jimmy e alguns de seus filhos, embora as gêmeas não fossem de muita ajuda, só se preocupavam em não sujar a roupa. Na verdade, não precisava nem tocar no furgão para se sujar, era só se aproximar da coisa. Levou um tempão para eles conseguirem pôr as rodas e mais um tempão para tirá-lo do quintal pela frente da casa, sem tirar um naco da parede, e já estava quase escuro quando finalmente alcançaram a rua de Bimbo. O tempo estava demais, é claro, todo mundo do lado esquerdo da rua estava no batente da porta, tomando os últimos raios de sol no rosto e, quando chegaram na esquina da rua Barrytown, havia uma multidão olhando. Jimmy ficou com a cabeça para baixo o tempo todo, a não ser quando ia morro abaixo antes de virar na avenida Chestnut, e teve de correr para a frente do furgão para ajudar Bimbo a evitar que a geringonça desembestasse por conta própria e passasse da esquina. Fizeram uma força do caralho, senão teria atropelado Bimbo e sua filha mais nova, Jessica. Devia ter deixado; teria ensinado Bimbo a não gastar seu dinheiro em porcaria. Bom, finalmente conseguiram que aquela inútil e enferrujada pilha de lataria parasse um pouco antes da esquina e agora, sim, havia uma multidão gritando de alegria quando passamos da esquina, os filhos da puta. Bom, empurramos a merda de volta um pouco e Wayne, um dos filhos de Bimbo, manobrou na direção; o suor caía de seu rosto, o pobre coitado, e alcançaram a avenida Chestnut e os filhos da puta gritaram de novo. Nem um sem-vergonha se prontificou para ajudar, é claro.

Havia mesmo uma multidão danada. Lembrava o no filme do funeral de Gandhi, embora fosse mais barulhento. Parecia mais o Tour de France, os vizinhos de um lado da rua, batendo palmas e gritando, os cínicos sem mãe.
– Ei, Jimmy, está empurrando ou trepando?
E riam, os babacas, como ovelhas.
– Isso aí, Jimmy!
– Olha só, gente! O Sr. Rabbitte está usando cuecas listradas!
Deus do céu, ele queria esfolar alguém quando ouviu aquilo. Veronica tinha razão; ele nunca deveria pôr a camisa dentro da cueca; dizia isso para ele há anos. Tentou se endireitar enquanto empurrava para fazer a cueca voltar para dentro das calças, mas era muito tarde, e não ia pôr a mão para trás para escondê-las porque estaria dando na cara.
– Aqui, gente, olhe a mancha de merda!
Tem gente que ri de qualquer coisa. Um moleque tinha um daqueles aparelhos de som portáteis no último volume; era como uma porra de um circo. Alguns portões a mais e alcançariam o de Bimbo, e aí pronto. A pior parte foi antes, quando passaram em frente ao Hikers, não só porque ele estava morrendo por uma cerveja, mas porque a rapaziada saiu do pub com os copos e se sentaram no muro, rindo e tirando sarro. Larry O'Rourke estava apostando três por um que Jimmy morreria antes de chegar até a casa de Bimbo. Ha, porra, ha. Jurava por Deus que no próximo feriado, quando o fodido subisse no palco com a banda e começasse a fazer sua imitação de Elvis, Jimmy ia contar a ele com quem ele parecia: com o porra do Christy Brown.
– Vamos, três por um que Jimmy bate as botas, quem aposta?
– É um carrinho de bebê gigante que ele está empurrando, não é?
Jimmy olhou para ver quem tinha dito aquilo, e foi o Bertie.
Não acreditava. Ainda tinha um pouco de ar nos pulmões para dizer uma coisa para os filhos da puta.
– Vão tomar no cu.
E um pouco mais de ar.
– Cornos safados.
Tinha chegado lá. Mais um empurrão até o calçamento e a entrada da casa de Bimbo e pronto.
Jimmy não conseguia ficar ereto por um tempo, suas costas estavam matando-o. Mas a suadeira era o pior. Estava ensopado. Seus sapatos nadando, sua camisa colada ao corpo, sua bunda molhada. Sentou-se na grama. As gêmeas queriam dinheiro pela ajuda que deram.
– Vão passear – foi o que ainda conseguiu dizer.

— Ah, mas não é justo...
— Vão se foder então!
Jimmy limpou o suor dos olhos e olhou para Bimbo e Maggie olhando para o furgão. Bimbo sem um sinal de preocupação, é claro; nem mesmo parecia sujo. Estava com os braços ao redor de Maggie e os dois admiravam o furgão como se fosse o primeiro neto. Bimbo, pelo menos; Maggie não parecia tão satisfeita. Não o culpava. Se seu primeiro neto estivesse no mesmo estado que aquele furgão, ele ia querer sufocá-lo, e ninguém faria objeção. Daí olharam um para o outro e começaram a rir e então olharam para o furgão e pararam de rir, e aí começaram de novo. Era bonito, vê-los assim.
Foi então que Bimbo notou Jimmy deitado na grama.
E já era tempo.
— Foi um barato, não foi? — perguntou.
— Eh... É, foi.
— Sabe o que estou pensando? — disse Bimbo.
E esperou para Jimmy lhe dar o sinal verde.
— O quê? — perguntou Jimmy.
— Agora que está aqui, longe daquele outro lugar, não parece tão ruim assim.
Estava falando merda, é claro, mas Jimmy deu a resposta que ele queria ouvir.
— Você tem razão, rapaz — disse ele.
— Quanto mais olho para ele — disse Bimbo —, mais acho que conseguimos uma barganha, você não acha?
"Ah", pensou Jimmy, "Deus o abençoe".
— Você pode estar certo que sim — disse ele.
— Agora isso já é estupidez — disse Bimbo.
Maggie também se aproximou.
— Mas graças a Deus não tinha motor. Conseguimos quase por nada.
— Huummm — disse Maggie.
Pagaram oitocentas libras. Maggie ficou firme em setecentos e cinqüenta até Bertie apresentar-lhe o dono com suas crianças sem mãe, o mais novo nos seus braços.
— O coitado do Jimmy parece que precisa de uma bebida — disse Maggie para Bimbo.
— E não é só ele — concluiu Bimbo. — Espere aí. Primeiro preciso fazer algo.
Foi pelos fundos da casa e voltou com dois tijolos e encostou-os embaixo da rodas.

— Agora sim — disse ele. — Está ancorado.
Bateu com o pé num dos tijolos e ele não se moveu.
— Isto deve segurá-lo — disse ele.
Estava satisfeito com seu trabalho.
— Vou pôr uma corrente no portão mais tarde — disse para Maggie. — Para ter certeza de que a molecada não vai roubá-lo durante a noite.
— Bem pensado — disse Jimmy.
Havia alguns moleques em Barrytown que poderiam até roubar uma pilha de lixo como o furgão do coitado do Bimbo, só para tirar sarro. Até roubariam deles mesmos, se não tivessem outros para roubar, esses bastardos!
Jimmy tinha voltado ao normal.
— Será que você tem forças para levantar um copo, Jim? — perguntou Bimbo.
— Essa é a única coisa que posso levantar no momento — disse Jimmy.
— Então vamos — disse Bimbo. — E você, Maggie?
— Não — disse Maggie. — *Thirtysomething* vai começar a qualquer momento.
— Ela nunca perde *Thirtysomething* — Bimbo contou a Jimmy ao passar pelo portão. — E não quer nem gravar no vídeo. Tem de assistir ao vivo.
E foi aí que acharam a janela. A criançada de Bimbo estava dentro do furgão explorando e Wayne pôs o pé através dela. Bimbo botou-os para fora e verificou se Wayne tinha se machucado. Não, estava tudo bem, nenhum arranhão ou cortes. Daí ele disse para ficarem longe do furgão porque era perigoso por causa do sebo acumulado no chão, e para o mais novo, disse que o furgão estava cheio de aranhas que mordiam e então fingiu que trancava a porta com a chave de casa.
Ele tinha jeito com os filhos; todos eles prestavam atenção ao que dizia.
— Agora — disse ele quando terminou.
Deu uma batida na porta e limpou a mão nas calças e foram para o Hikers.

❖

Jimmy queria uma gasosa. Darren estava trabalhando no bar, juntando os copos e tudo o mais, e recomendou a Budweiser. Jimmy olhou para o copo com suspeita. Levantou-o e tomou um gole, depois um maior e depois outro ainda maior.

— Não é de todo mal — disse finalmente.
Sentia a cadeira gostosa e fresca às suas costas.
Bimbo estava inquieto, olhando ao redor o tempo todo, se remexendo, acenando para todo punheteiro que entrava no bar.
— Está com formiga no rabo? — disse Jimmy.
— O quê?
— Parece uma pulga de circo — Jimmy disse para ele. — Está me deixando nervoso.
— Desculpe — pediu Bimbo. — É só que... Ah, você sabe.
Levantou seu copo.
— Bom, Jim, toque aqui — disse ele pela terceira vez.
— Aqui — disse Jimmy.
— Vamos tomar mais uma? — perguntou Bimbo.
— Não precisa...
— Só mais uma.
— OK, está bem — disse Jimmy. — Obrigado; não precisava. Mas agora quero uma Guinness, tá legal?
— Muito bem, meu amigo — disse Bimbo. — Darren! Dois copos de Guinness, por gentileza, meu jovem.
— O pobre do Darren vai estar fazendo seus exames durante a Copa do Mundo — disse Jimmy a Bimbo. — Não é uma tragédia?
— É uma tragédia das grandes — disse Bimbo.
— Uma desgraça — disse Jimmy.
E Darren chegou com as Guinness e Jimmy deixou-o levar o resto da Budweiser.
— É como beber Sal de Andrews — desculpou-se com Bimbo.
— Não se preocupe — disse Bimbo.
Deu uma boa gorjeta para Darren.
— Estava pensando — disse Bimbo. — Vamos ter de deixar o furgão pronto em tempo para a Copa do Mundo.
Jimmy não gostou do que ouviu. Mas não disse nada.
— Os pubs vão estar lotados — disse Bimbo.
Continuou sem dizer nada.
— E ninguém vai ficar cozinhando — disse Bimbo. — Principalmente se a Irlanda se der bem.
— Mas isto eles vão — interrompeu Jimmy. — Não se preocupe.
— É uma oportunidade enorme — disse Bimbo. — Todo mundo vai estar assistindo à tevê o mês inteiro.

112

— E eu também — disse Jimmy.
— É — disse Bimbo. — Vai ser um barato.
Beberam. Foi bom ter pedido a Guinness. Agora iam bater um papo sobre a Copa do Mundo. Jimmy se sentiu bem. Cantou baixinho.
— OLÉ. OLÉ OLÉ OLÉ. Já ouviu aquele jingle, Bimbo?
— Qual? O da Irlanda?
— O oficial, é.
— Ah, sim, ouvi — disse Bimbo.
— Demais.
Jimmy tentou imitar Jack Charlton.
— Ponha os homens sob pressão.
— Você quer ser meu sócio, Jim? — perguntou Bimbo.
— O que foi que disse?
Ele ouviu Bimbo muito bem, mas estava confuso.
— Que acha da idéia de ser meu sócio? — perguntou Bimbo.
Bimbo ficou sério de um jeito que só Bimbo ficava; inteiramente sério.
— Seríamos um excelente time — disse Bimbo. — Estive conversando com Maggie sobre isto.
— Porra! — disse Jimmy. — Eh, obrigado, Bimbo, muito obrigado. Não sei...
— Mas vai pensar a respeito, não vai? — disse Bimbo.
— Vou — assegurou Jimmy. — Vou sim. Obrigado.
— Não — disse Bimbo. — Estaria me fazendo um favor.
— Oh, eu sei disso — disse Jimmy.
Riram, e isto deu chance de Jimmy limpar os olhos. Depois disse de novo.
— Obrigado. Muito obrigado.
Respirou fundo.
— Porra — concluiu. — Que dia.
Espere até Veronica ouvir.
— McDonalds pode ir se foder — disse para Bimbo. — Certo?
Bimbo riu, satisfeito.
— Certo.
Riram de novo.
— Bimbo's Burgers — disse Jimmy. — Que tal o nome?
Bimbo bateu palmas.
— Eu sabia! — disse ele.
Ele estendeu a mão, Jimmy apertou-a e não a soltou por uma eternidade.

113

Daí soltou-a.
— Espere um pouco — disse ele.
Fez uma cara de preocupação.
— Quer dizer que vou ter de ajudar a limpar?
Ficou olhando para Bimbo tentando decidir se ele estava brincando ou não, depois os dois caíram na gargalhada e apertaram as mãos de novo.

❖

Veronica estava deitada ao seu lado, quase dormindo, Deus a abençoe. Estudara a noite toda para o seu exame. Mostrou a ele como fazer batata frita; parecia fácil.
Eram boas batatas fritas, as que ele estava comendo agora. Eram uma delícia no verão. Mas o cheiro de vinagre ia infestar o quarto de manhã.
Também comprou uma salsicha empanada à noite. Pôs a salsicha contra a luz que brilhava entre a janela e a parede, onde a cortina acabava, para ver melhor. Olhou de volta para Veronica.
— Veronica? — sussurrou.
Não queria conversar se ela não estivesse acordada.
— Mmmmm? — disse Veronica.
— Está acordada?
— O quê?
— Só se tiver acordada...
— Diga.
— Como é que se faz isto? — perguntou Jimmy.
Trouxe a salsicha para o travesseiro para que ela pudesse ver.
Veronica suspirou, quase.
— Oh, eu não sei — disse ela. — Não acho que elas são feitas. Acho que são achadas.
Achou o joelho dele e beliscou-o.

❖

Faltava um mês para o começo da Copa do Mundo e, como Bimbo dissera, tinham de estar prontos. Não era nem mesmo um mês completo, um pouco menos do que quatro semanas.
Conversavam em frente ao furgão.

– Certo – disse Bimbo. – A gente nunca vai conseguir limpar a sujeira só olhando para ele.

Então entrou em casa pelos fundos, pegou a mangueira e a enroscou na torneira na cozinha trazendo-a para a frente da casa através do corredor.

– Que cor que tem o furgão? – perguntou Jimmy.
– Branco! – disse Bimbo.
– Como é que sabe disso?
– Todos os furgões-lanchonete são brancos – disse Bimbo. – Dê um passo para trás, Jimmy.

E gritou para dentro de casa.
– Agora! Abra a torneira.

Alguém lá dentro abriu a torneira fria e Bimbo mirou a mangueira num dos lados do furgão. A água chegou em duas golfadas e depois numa corrente contínua e Bimbo se aproximou, assim a água podia jorrar com força sobre a lataria do furgão. Fez um barulho danado, tanto que alguns vizinhos vieram dar uma olhada. Bimbo espirrou água por todo canto; pôs o dedo no bico da mangueira e mirou um lugar só e ficou espirrando a água ali um tempão – mas podia ter mijado no canto porque o efeito teria sido o mesmo.

– OK! Feche a torneira! Feche a torneira!

Parecia irritado.

A água diminuiu e parou por completo.

– Não dá para abrir a água quente? – gritou Bimbo.

Maggie respondeu.

– Usei a água quente toda lavando a roupa.
– Ah, Deus do céu – disse Bimbo baixinho.

Deixou a mangueira cair. Estudaram as laterais do furgão. A sujeira ainda estava lá, tão sólida quanto antes, apenas um pouco mais brilhante por causa da água. Parecia ainda pior assim, quase saudável e viva.

– Como é que ficou tão sebento por fora? – perguntou Jimmy.
– Só Deus sabe – disse Bimbo.
– Do lado de dentro ainda dá para entender – disse Jimmy.
– É – disse Bimbo. – É.
– O que vamos fazer agora? – quis saber Jimmy.

❖

Bimbo tirou um montinho de sebo com a unha.
– A coisa desgruda, sim – disse ele.
Jimmy fez a mesma coisa.
– É – disse ele. – Mas porra, Bimbo. Vai levar uma porrada de anos para limpar tudo.
– De jeito nenhum – disse Bimbo.
Compraram raspadores de tinta, cinco deles, na loja do Barney, e atacaram o furgão com eles, e aí começaram a ver algum resultado. Uma vez que conseguiam pôr a lâmina embaixo da gordura e da sujeira, era fácil de tirar. Era repugnante sim, mas pelo menos podiam ver a graxa saindo, e isso compensava a sordidez da tarefa. Mas a sensação na pele era horrível, e o cheiro então...; era difícil descrever, mas terrível em todo o caso. Jimmy podia ainda cheirá-lo nas mãos mesmo depois de ter passado um pouco do óleo de Ulay de Veronica. E as roupas...; teria virado torresmo se chegasse muito perto do fogo depois de um dia de trabalho. Veronica disse que nunca tinha visto sujeira como aquela; disse isso nos primeiros quatro dias quando ele chegava em casa, mas não dizia como se estivesse irritada, era mais como se estivesse fascinada com aquilo.
Concentraram os esforços no lado de fora. Estavam com medo de dar uma boa olhada dentro, mas não disseram nada. Só trabalhavam. Raspavam o dia inteiro e quando começavam a deslizar por causa da gordura no chão, paravam e espirravam água com a mangueira e esfregavam com a vassoura. Bimbo foi buscar pó de serragem no açougue e espalhou-o em cima da graxa, assim não precisavam interromper o trabalho tantas vezes. Era trabalho duro sem dúvida, sujo e vagaroso. Mas Maggie disse que não ia durar para sempre e tinha razão; embora parecesse que ia. Ele se levantava às oito e ia direto para a casa de Bimbo e olhava o pedaço que limparam no dia anterior e era como se nunca tivessem tocado nele; ainda estava imundo e brilhante. Mas, por outro lado, ele ficava raspando, respirando pela boca, ouvindo o rádio, tagarelando com Bimbo, e aí quando se dava conta não havia mais gordura para raspar naquela parte; era o fim, só tinha a tinta branca, uma ilhazinha de tinta branca.
Ele teve uma sensação incrível quando isto aconteceu pela primeira vez e não parou de trabalhar até às oito da noite.
Estavam chegando lá.
Havia mais do que a limpeza pura e simples do furgão, é claro. Tinham de se tornar cozinheiros antes do fim do mês, o que era uma piada das grandes. A primeira vez que ele fritou batata, em casa, pôs muito óleo na

panela e quase botou fogo na porra da cozinha. Cagou-se de medo. Mas Veronica era uma boa professora, muito paciente; até deixou-o fazer o jantar um dia, o que era muito legal da parte dela. Mas foi um desastre – os hamburgers pareciam tição; era como estar comendo pequenos pneus – mas ninguém reclamou. Ela mostrou-lhe como descascar as batatas sem descascar também a pele dos dedos, como descascar na direção contrária do corpo, para evitar de enfiar a faca no próprio peito.

Cortou o pulso na primeira vez que tentou; não um corte de verdade, era mais um arranhão, mas isso não queria dizer que não doesse do mesmo jeito. Quase voou pela janela quando Veronica pôs desinfetante, mas mais tarde, quando estavam na cama, riram imaginando alguém tentando se matar com um descascador de batatas, descascando a pele até alcançar uma artéria, e daí começar no outro pulso, rápido, antes de desmaiar. Não tinham rido assim juntos fazia um tempão. Ela tinha um bom senso de humor, Veronica. A única vez que ela ficou brava foi quando ele descascou todas as batatas da casa, só para praticar. Ele não ficou chateado com a reprimenda, apenas disse-lhe que o tempo estava curto. Uma outra coisa que ela mostrou, uma coisa que ele nunca soube, foi que se deve pôr as batatas na água se não for usá-las logo, para mantê-las frescas e não perderem a cor.

– Bom – disse ele. – As coisas simples são as mais engenhosas, não é?
Pegou Sharon rindo dele quando estava treinando a descascar.
– Vê se não amola – disse ele.
E levou o balde de batatas para o quarto, assim podia praticar em paz. Mais tarde, Sharon perguntou se ela não podia trabalhar algumas noites no furgão, quando estivessem na rua. E ele disse sim.
Seria bom para ela.

❖

– Ela é boa no batente – disse Jimmy.
Queria dar uma porrada em Bimbo, do jeito que ele olhava para Jimmy. Como se ele tivesse peidado na missa, durante o Ofertório; esse tipo de olhada.
– Eu sei disso – disse Bimbo. – Não disse que ela não é, Jimmy.
– Então...?
– Empregar gente tem de ser uma decisão conjunta, Jimmy. Entre mim e você.

– Mas é só Sharon, pelo amor de Deus.
– Mesmo assim...
Bimbo tinha razão, mas...
– Você quer que eu a mande embora, é isso? Antes mesmo dela ter começado.
– Ah, Jimmy...
– Ah, uma merda.
Mas Bimbo tinha razão, Jimmy sabia disso. Só que ele detestava perder.
– Digo a ela que você não a quer – Jimmy disse para Bimbo, como se estivesse desistindo.
– Não, de jeito nenhum – disse Bimbo. – Não senhor.
– Então o quê? – disse Jimmy – Agora você me confundiu.
– É só que no futuro vamos tomar essas decisões juntos – disse Bimbo.
– Está certo?
– Sim – disse Jimmy. – Sem problema. Desculpe, mas...
– Ah, não – disse Bimbo. – Deixe para lá.
Voltaram a trabalhar e não disseram nada por um bom tempo.
O teto não estava tão ruim quanto as laterais, mas era um pouco difícil. Não tinha gordura lá, mas isso não queria dizer que não escorregariam. Bimbo escorregou lá de cima, mas caiu na grama, e não foi tão ruim; não se machucou seriamente. Mesmo assim, o barulho que ele fez ao bater no chão foi de meter medo, como uma batida enorme. Jimmy estava ajoelhado lá em cima, com medo de se mexer. Maggie sentiu quando Bimbo aterrissou na grama, correu até ele, levantou-o e deu-lhe o maior carão, quando se certificou de que ele não ia morrer nos seus braços. O pobre do Bimbo ficou um pouco chocado, por isso eles deram um tempo naquele dia. O único problema era descer do teto. A perna de Jimmy não achava a escada e tremia como a porra, mas finalmente conseguiu, e os dois foram beber uma cerveja. Olharam para o furgão quando chegaram no portão para ver como estava à distância, e não parecia nada mal; não era branco como deveria ser, como dentes novos, mas era definitivamente branco.
Foram numa missão de reconhecimento, assim apelidou-a Bimbo, mas estava só brincando. Foram até uma lanchonete que vendia batata frita; não à que sempre freqüentavam, porque o pessoal lá era um bando de esnobes filhos da puta e Jimmy não se dava mais bem com eles desde que Leslie jogou um gato morto por cima do balcão dentro da panela de fritura. Isso foi anos atrás, muito antes de Leslie ter ido à Inglaterra, e eles ainda

culpavam Jimmy. O fato é que tinha sido demais quando aconteceu. Jimmy e a rapaziada foram lá depois do pub fechar e o velho, a quem a garotada chamava de Gordo Leproso, contou a Jimmy o que Les tinha feito com o gato e Bertie mudou seu pedido para um bacalhau empanado, em vez de hamburger. "– Só por via das dúvidas, *compadres*", disse ele. Porra, como eles riram. E o Gordo Leproso proibiu a entrada deles lá. E Bertie se ofereceu para comprar o gato se isto o faria se sentir melhor, contanto que não quisesse que Bertie o comesse também. Bem, a proibição só durou uma noite – eram uns cu doces, os italianos; não se faz dinheiro barrando os melhores fregueses – mas ainda olhavam desconfiados para Jimmy. O Gordo Leproso, não; este morreu no ano passado, mas o resto deles, sim. Até mesmo aqueles que ainda estavam na Itália quando tudo aconteceu.

Por isso eles foram para uma lanchonete diferente, uma em Coolock. Foi meio divertido ir lá; era bobeira, mas Jimmy não podia deixar de pensar que era um pouco de aventura. Bimbo entrou na frente. Estava vazia, com exceção dos dois.

– Até agora, tudo em cima – disse Bimbo.

Tinha dois rapazes atrás do balcão, um deles preparando os saquinhos onde punham as batatas para os fregueses, fazendo uma fileira deles em cima do balcão. Bem pensado, concluiu Jimmy, e fez uma nota mental. O outro estava encostado na parede de trás, coçando a bunda. Tinha mais gente lá dentro, atrás da cortina de tiras de plástico vermelhas e amarelas que sempre põem nas portas de lanchonete, mas só os dois na frente estavam trabalhando.

– E aí, rapazes – disse Bimbo.
– O que vai? – disse o coçador de bunda.
– Dois simples – disse Bimbo. – Por favor.
– Grande ou pequeno?
Bimbo olhou para Jimmy.
– Um grande para mim – falou Jimmy.
– Dois grandes – respondeu Bimbo ao rapaz.

Ficaram de pé em frente ao balcão menor, onde punham o vinagre nas batatas e recebiam a grana. Inclinaram-se para ver os rapazes em ação, mas as batatas já estavam prontas e tudo o que tinham de fazer era enfiá-las no saquinho.

– Mais alguma coisa? – perguntou o outro.
– Não – disse Bimbo. – Obrigado. Esse é o nosso jantar.

Jimmy o cutucou.

– O quê?
– Vá – disse Jimmy. – Pergunte.
Em um minuto ia ser muito tarde.
– Eh, rapazes...? – começou Bimbo.
Olharam para ele.
Jimmy teve de cutucá-lo de novo; era um inútil.
– Onde vocês conseguem essas batatas? – perguntou Bimbo. – Se não se importarem com a minha pergunta.
– Na terra – disse o coçador de bunda, o punheteiro metido a besta, e os dois riram.
Jimmy teve de tirar Bimbo do balcão.
– Vamos.
– E as batatas? – perguntou Bimbo.
– As batatas que se fodam.
Empurrou Bimbo para fora. Os dois atrás do balcão ficaram com raiva porque agora tinham dois saquinhos de batatas prontos, mas ninguém para levá-los. Jimmy deu o dedo para eles.
– Volte para a porra do seu país – disse ele. – Que se foda o Comunidade Européia.
Sentiu-se muito melhor depois de dizer isto. E voltou para dar mais uma.
– E levem o Tony Cascarino com vocês – disse ele. – É um perna de pau mesmo.
E deixou a porta aberta, assim um deles tinha de fechá-la porque fazia frio.
Bimbo contou a Maggie o que aconteceu e ela tomou as rédeas naquele departamento.
– Decisão conjunta uma merda – disse Jimmy, mas não se importava; só disse isso para fazer Bimbo se sentir culpado, porque ele merecia.
Maggie era demais. Conseguiu, com a maior facilidade, um cartão para o supermercado de atacado. Tinham caras, Jimmy sabia, que podiam matar até a mãe por um destes cartões, só para comprar bebida barata, mas Maggie foi lá um dia de tarde e voltou com um. Ela tinha uma cabeça boa para negócios.
– Uma revelação – disse Bertie.
– É sim – disse Jimmy. – Tiro o chapéu para ela.
Bimbo ficou cheio.
Ela foi ver o negócio de licenças e autorizações, coisa que Jimmy nem tinha se preocupado em verificar e nem tinha passado pela cabeça de Bimbo. Disse que organizaria o estoque e a única coisa em que eles deveriam pensar era deixar o furgão em ordem e depois vender o produto. Disse também que

ia tomar conta de toda a parte legal da operação. Era um peso a menos nos ombros deles, Jimmy e Bimbo concordavam nisso.

– Eu nem sabia que se precisava de uma licença – admitiu Jimmy.

– Ah, sim – disse Bimbo. – A gente precisa de licença para quase tudo, esta é a verdade.

Jimmy achava que era isso mesmo; se a gente precisa de licença para cachorro ou aparelho de televisão, era justo que se precisasse de uma para uma lanchonete com rodas.

– Não é para o furgão – disse Bimbo. – É mais para o que se usa no furgão, se você entende o que quero dizer.

O lado de fora do furgão estava legal agora. O irmão de Bimbo, Victor, trabalhava com funilaria e ia dar uma mão com os amassados, pelo menos os piores. Tinha uns poucos arranhões, mas uns retoques de pintura, e ia ser difícil alguém notá-los. Os vizinhos ainda paravam e olhavam os dois trabalhando, mas agora não tiravam mais sarro.

– Nós fizemos um trabalho de primeira – disse Bimbo.

Jimmy passou o dedo pela pintura e não ficou marca nenhuma. Não teria sido assim na semana passada; seu dedo teria grudado.

– Agora vamos atacar a parte de dentro – disse Bimbo.

– Caralho – disse Jimmy.

❖

Todos se agruparam na cozinha de Maggie. Veronica veio com Jimmy, assim estavam os quatro, mais a mãe de Maggie. Estava aconchegante.

– Agora – disse Maggie. – O que acho que devíamos fazer hoje é finalizar o cardápio.

– Que cardápio? – perguntou Bimbo.

– Isso mesmo – disse Jimmy.

Estava preocupado; não queria ser um porra de um garçom.

Bimbo quase sussurrou num canto para Maggie.

– É só um furgão.

Veronica começou a rir, e Maggie também.

Jimmy não tinha certeza do que estava acontecendo, mas tinha a distinta sensação de estar sendo trapaceado, ele e Bimbo.

– O cardápio, meus senhores – disse Maggie – um tanto irônica, pensou Jimmy – é a lista de coisas de onde o freguês escolhe o que quer.

– Como aquelas na parede atrás do balcão? – perguntou Jimmy.

— Exatamente — respondeu Maggie.

Jimmy aquiesceu, como se soubesse disso o tempo todo; e estava só checando.

Começaram para valer. Maggie já tinha a coisa toda pronta no fogão, como nesses programas de receitas na tevê. Dividiu um hamburger em cinco partes e cada um deles ficou com um pedaço. Jimmy achou aquilo um pouco mesquinho, até quando provou.

— Porra!

Isto foi suficiente. Todos concordaram com ele. Maggie tinha uma lista; tinha até uma dessas pranchetas. Riscou uma linha em cima do primeiro nome.

— Como se chamam estes? — queria saber Jimmy.

— Splendid Burgers — respondeu Maggie.

— Meu Deus — disse Veronica.

Experimentaram mais cinco. A mãe de Maggie ainda estava no segundo quando o resto já tinha terminado.

— Alguém quer um copo de água? — perguntou Bimbo.

— Sim, por favor — aceitou Veronica.

— Sim, eu também — disse Jimmy. — Achei o terceiro mais gostoso.

— Não sei se a palavra certa é gostoso — disse Veronica. — Mas...

— E você, Bimbo? — perguntou Jimmy.

— É, também acho — disse ele. — Pelo menos o último deles não, o quinto.

— Porra, não.

A mãe de Maggie terminou de comer.

— O que acha, mãe? — perguntou Maggie.

— Muito gostoso — disse ela.

— Mas qual deles? — perguntou Jimmy.

— Oh — disse ela. — É uma competição?

E Veronica cutucou Jimmy por baixo da mesa antes que ele pudesse dizer alguma coisa.

— Então vai ser o Champion Burger? — disse Maggie.

— É o terceiro? — perguntou Jimmy.

— É.

— Então com certeza — disse Jimmy. — E são maiores também.

— Isso foi por causa do jeito que cortei — disse Maggie. — Eu lhe dei o pedaço maior.

— Mesmo assim — disse Jimmy. — Achei que era para lá de melhor do que os outros.

— Champion? — disse Maggie. — Uma... Duas... Vai ser Champion.

Jimmy estava na lua; tinha ganhado. Esvaziou o copo e levantou para pegar mais.

— O que vem agora? — perguntou Bimbo.

— Hamburgers na pimenta — disse Maggie.

Maggie e Veronica começaram a rir de novo.

E quando acabaram, estavam todos se sentindo um pouco enjoados — muito enjoados, na verdade — mas foi ótimo assim mesmo. Bacalhau fresco empanado era o próximo item, pequenos tijolos daquilo, seguidos de bacalhau defumado e empanado.

— Não é bacalhau defumado de verdade — confessou Maggie. — É tainha preta.

Veronica tirou o pedaço que tinha na boca quando ouviu isto, mas Jimmy achou que era muito bom. Sua filosofia era que não importava que porra era, contanto que o gosto fosse bom, e disse isso aos outros. Bimbo não concordou.

— Não acho que devemos vender alguma coisa dizendo que é outra — disse ele.

— Bem, está certo — disse Jimmy. — Escreva Tainha Preta Defumada no cardápio e veja quantos vão comprar.

— Então talvez não devamos vender bacalhau defumado se não conseguimos encontrar bacalhau defumado.

— Concordo — disse Veronica.

— Mas o pessoal gosta de bacalhau defumado! — disse Jimmy. — Eu adoro um bacalhauzinho defumado.

— Mas não é bacalhau defumado de verdade.

— E daí?

Veronica queria dizer alguma coisa.

— E tem de ser tudo tão pré-fabricado assim? Não daria para comprar o peixe em Howth e prepará-lo vocês mesmos?

— Muito caro, infelizmente — disse Maggie.

Maggie consultou a prancheta.

— E como... — interrompeu Jimmy. — Como é que a gente ia defumar o bacalhau e tudo? A gente não sabe como. Não somos uma tribo da Amazônia ou coisa assim.

Pegou um outro pedaço da tainha e mastigou para valer.

— Bem, eu acho que é uma delícia — disse ele.

E Veronica começou a rir de novo.

Maggie era demais quando estava meio embriagada. Ela fez sua mãe experimentar dois tipos diferentes de ketchup.

Eles ficaram olhando quando ela derramou o segundo ketchup na língua dela.

– Agora, mamãe – disse Maggie. – Esse aqui é menos repugnante do que o último?

– Oh, sim – respondeu ela. – Definitivamente.

Eles acabaram com a cerveja que Bimbo tinha escondido embaixo da escada (jurava que tinha mais latas ali), por isso foram para o pub para uns copos antes do horário de fechamento, para tirar o gosto de toda aquela porcaria e merda que estiveram provando a noite inteira.

A mãe de Maggie ficou em casa.

– Acho que o último hamburger na pimenta deve ter mexido com ela um pouco – disse Bimbo.

– Ah, é, Deus a abençoe – disse Jimmy.

Veronica riu até o cu fazer bico quando Jimmy disse aquilo. Estava realmente se divertindo. Jimmy segurou a mão dela quando saíram pela rua.

❖

Os dois estavam nervosos ao entrar. A Copa do Mundo ia começar dali a duas semanas e pouco. Subiram e entraram, já suando sem nem mesmo ter começado nada. Respiraram pela boca aquele ar que não tinha sido usado por meses; cheirava a tênis velho, mas ainda pior.

– Não tem ferrugem – disse Bimbo, depois de um tempo.

– Mas tem tudo o mais – retrucou Jimmy.

– E como, em nome de Deus, a gente vai fazer? – perguntou Bimbo.

Jimmy teve uma idéia; tinha vindo à sua mente quando começou a suar.

– Uns dois meninos seria melhor do que nós dois – disse ele. – E mais eficaz.

Bimbo não parecia achar a idéia boa.

– A gente só pede para eles tirarem a primeira camada – explicou Jimmy. – Daí o resto vai ser fácil para nós. Não ficaríamos atrapalhando um ao outro.

Era sábado. Não tinham aulas.

– Vou chamar Wayne – disse Bimbo.

– Ótimo – disse Jimmy – Ofereça alguma coisa.

— Vou ter de fazer isso — disse Bimbo. — Wayne não sai da cama.

Wayne virou adulto naquele dia. Ganhou seu primeiro salário. E como ele era bom. Logo no começo, um pouco depois de ter começado, ele saiu do furgão e vomitou, depois voltou de novo, sem problema. Não queria nem mesmo um copo d'água, que Bimbo se ofereceu a ir buscar para ele. Bimbo chamou mais um de seus meninos, Glenn, quando ele voltou do futebol, e assim eram dois deles lá dentro e Bimbo e Jimmy do lado de fora passando baldes de água quente para eles. O dia estava maravilhoso, um sol forte e uma brisa leve também. Wayne era pequeno, mas Glenn era minúsculo.

— Foram feitos na medida certa para esse trabalho — disse Jimmy.

Bimbo concordou.

— Mas vão bem na escola, também, Jimmy. Glenn é o melhor de sua classe.

— E está na cara que ele é — disse Jimmy. — Tem uma cabeça de homem.

Olhou para os meninos dentro do furgão de novo.

— Sabe do quê? — disse ele. — Se tivessem nascido uns cem anos atrás, passariam o tempo todo dentro de chaminés.

Bimbo também olhou para dentro; não pôde deixar de rir, mas estava feliz, feliz da vida.

— Parem com isso — disse ele.

Estavam jogando água um no outro.

— Sabe o que estou pensando? — disse Jimmy.

Estavam sentados na grama, de olho nos meninos.

— O quê?

— Devíamos pintar alguma coisa grande ali, do lado da portinhola — disse Jimmy. — E a mesma coisa do outro lado para combinar.

— Que tipo de pintura? — queria saber Bimbo.

— Não sei — disse Jimmy. — Um hamburger ou coisa assim; algumas batatas fritas do lado. Como um comercial. Não uma pintura como a Mona Lisa. Nada disso. Um anúncio.

Glenn escorregou para fora do furgão de cabeça, mas foi rápido o suficiente para aterrissar no gramado, e não no concreto da entrada. Ele riu e se levantou para fazê-lo de novo. Bimbo segurou-o pelas cuecas; só estava de tênis e cuecas.

— Chega de folia, agora, Glenn.

Mas os dois deslizavam mais do que Torvill and Dean no show de patim, não de propósito; não conseguiam parar. Daí Bimbo teve uma idéia brilhante. Pegou alguns pedaços de lixa – tinham um monte, é claro – e amarrou-as aos sapatos dos meninos. Funcionou.

Ficou olhando para dentro para os sapatos dos meninos o tempo todo.

– Vá com calma, Bimbo – disse Jimmy. – Não é que você tenha inventado a eletricidade.

– Você está é com inveja – Bimbo disse para ele.

– Vá à merda, porra.

No fim do dia, os dois meninos estavam caindo de mortos, mas fizeram um trabalho gigantesco. Maggie ficou uma fera. Disse que nunca mais ia conseguir limpar o sebo da banheira. Ela os deixou de molho até a pele deles ficar enrugada e eles ainda estavam cinzentos.

– Mas olhe o trabalho que fizeram – disse Bimbo.

Maggie olhou para o furgão. E teve de admitir: os meninos fizeram um trabalho fantástico.

❖

Subiram no furgão.

– Uma beleza o que os meninos fizeram, não é? – disse Bimbo.

Era segunda de manhã, cedinho.

Ainda estava sujo e ainda tinha o mesmo cheiro esquisito – era pior agora que o furgão estava mais limpo; estava fora de lugar – mas estava com uma aparência muito melhor do que dois dias atrás.

A porta ficava na parte de trás do furgão. O assento do motorista e do passageiro eram separados do resto; tinham de sair do furgão e dar a volta para entrar na parte de trás. Havia um degrau em frente à porta. A portinhola ficava para a direita de quem entra. Tinha espaço para dois, usando braços e cotovelos, e um balcão bem amplo, embora tivessem de se inclinar um pouco para fora para pegar o dinheiro. A parte que se abre da portinhola era como uma dessas saídas de emergência nos fundos de um ônibus de dois andares, mas sem o vidro. Você empurrava para fora e depois para cima. A chapa quente e a frigideira ficavam atrás da portinhola, do outro lado do furgão. Tinha uma janelinha em cima delas, sem vidro, porque Wayne o tinha quebrado com o pé. E uma pia no fundo, era tudo; umas poucas prateleiras e saliências. A pia ficava atrás do assento de passageiro.

– E para que a pia? – queria saber Jimmy.

– Para lavar as coisas, é claro – disse Bimbo.

– Mas sem porra de água – concluiu Jimmy.
– Tem que ter uma pia – continuou Bimbo.
– Mas não temos água – insistiu Jimmy.
– Bom, está ali para alguma coisa – disse Bimbo. – A gente descobre depois. Vamos começar de cima para baixo.
– Certo – disse Jimmy.
Bimbo trabalhava na parte esquerda e Jimmy, na direita, a parte da portinhola. Ele deixaria a portinhola e depois ia reclamar com Bimbo porque ele era tão molenga, só de sarro.
– Uma espirrada e a sujeira acaba – disse Bimbo, quando começaram.
Era uma moleza comparado com o que tiveram de fazer do lado de fora.
– Quanto você pagou aos meninos? – perguntou Jimmy a Bimbo.
– Nada ainda – respondeu Bimbo. – Eles pediram para ajudar de novo ontem. Foi uma folia para eles, isso foi.
Eles riram.
– Vão aprender – disse Jimmy. – Vamos ver se a gente clareia um pouco aqui dentro.
Tentou descobrir como abria a portinhola.
– Agora.
Puxou-a e ela caiu e Jimmy quase foi com ela. Fez um barulho enorme quando bateu no chão. Bimbo quase morreu de susto. Até derrubou o frasco de jiff dentro da frigideira.
– Meus Deus, meu coração – disse ele.
Jimmy estava se balançando no balcão. Suas pernas tocaram o chão e ele se sentiu mais seguro.
– Seu coração que se foda – disse Jimmy. – Eu quase caguei nas calças. Vem cá. Vamos mudar de canto.
– De jeito nenhum!

❖

Não estavam satisfeitos com a aparência da frigideira. Mas fizeram o melhor que puderam com ela.
– Mesmo assim – disse Bimbo. – Pode ser perigoso.
– De jeito nenhum – disse Jimmy. – É só o tempo de uso, mais nada.
Estavam na cozinha de Bimbo, tomando uma cerveja.

— A chapa quente não está mal — disse Bimbo.
— É. Dá para trepar com a patroa em cima dela de tão limpa que está.
— Shhh! — disse Bimbo.
Glenn tinha chegado segurando latas de abacaxi em rodelas.
— É o homem da Delmonte — disse Jimmy. — Muito bem, Glenn.
— São as mais pesadas — disse Glenn.
— Para você não tem problema, hein? — disse Jimmy.
Glenn correu pelo quintal para poder chegar ao galpão antes de derrubar as latas. Ouviram o barulho das latas no chão.
— Não conseguiu — disse Jimmy.
Bimbo se levantou para olhar pela janela.
— Não — disse ele. — Conseguiu, sim.
Tinham dois congeladores no galpão de Bimbo — Bertie os tinha conseguido; congeladores enormes, quase novos — e tudo era guardado neles: as postas de bacalhau, os pacotes de banha, os hamburgers, tudo que podia estragar.
Os filhos de Bimbo estavam trazendo caixas de chocolate Twix e Mars para Maggie.
— Já contei todos — avisou Maggie.
Em um segundo os meninos vieram correndo com dois Twixes e dois Mars Bars.
Bimbo tentou pegar Glenn.
— Me dê um Twix.
Glenn se safou e correu para o corredor, rindo de se rachar. Maggie fechou a porta da cozinha. Jogou um hamburger na mesa. Ele pulou. Estava sólido como rocha.
— O que você acha? — perguntou ela.
— Um pouco duro — disse Bimbo.
Jimmy pegou um. Era a coisa toda, completa, o pão também.
— O que é isso? — perguntou ele.
— Tem cebola, molho e até uma fatia de pepino dentro — disse ela. — E vem também com queijo, se quiser.
Ela sentou-se.
— É só levar ao microondas — disse ela.
— Ótimo — disse Bimbo.
— Não temos um microondas — disse Jimmy.
— Não podemos comprar um? — disse Maggie.

– Não temos eletricidade – disse Bimbo.
Eles se olharam.
– Oh, Cristo – disse Jimmy.

❖

– Agora, olhe aqui – disse Jimmy. – É muito fácil. Qualquer idiota pode fazer.
Estava na cozinha dos Rabbitte.
Ele tinha uma tigela na mesa à sua frente. Botou a água da garrafa de leite dentro da tigela.
– Água – disse ele.
Pôs farinha de trigo de um pacote em cima da água, depois arriscou e pôs o resto da metade do pacote dentro.
– E farinha – disse ele. – Está acompanhando até agora?
– Água e farinha – disse Bimbo.
– Muito bem.
Pegou o batedor de ovos.
– Esta é a parte mais difícil – disse ele. – Mais trabalhosa. Estou fazendo à mão, porque é assim que temos de fazer no furgão.
Atacou a mistura com o batedor, segurando a tigela do jeito que Veronica mostrara para ele.
– Estou dizendo, rapaz – disse ele. – Faz a gente suar.
Parou e olhou para dentro da tigela.
– Está misturando bem, está vendo? – disse ele. – Precisamos de um pouco mais de água, para tirar as bolotas.
Bimbo foi à pia e encheu a garrafa.
– Quase pronto – disse Jimmy.
Derramou mais água e atacou as bolotas com o batedor e depois com os dedos.
– Tem mais um ingrediente que tem de ser colocado, mas não me lembro qual é.
Começou a bater de novo.
– Não importa – disse ele. – Isto aqui dá para quebrar o galho.
Parou e mostrou o resultado para Bimbo.
– Aqui está – disse ele. – A massa mole.
Parecia correta.
– E é isso e pronto? – disse Bimbo.

— É — disse Jimmy — A não ser pela outra coisa que vai dentro que esqueci. Agora vamos ver se funciona.

Ele já tinha posto na mesa uma lata aberta de abacaxi em rodelas.

— Me lembre de repô-la, viu? — disse ele. — Veronica ficaria maluca no domingo se não a encontrar no armário. Agora vamos ver.

Pegou uma rodela de abacaxi e pôs em cima de um pedaço de papel de cozinha.

— Tem de secar primeiro. É muito importante.

Enxugou a rodela com a ponta do rolo.

— Isso deve bastar.

Levantou a rodela e tirou os pedacinhos de papel dela.

— É só papel mesmo — disse ele. — Não faz mal nenhum.

— É.

— Certo. Vamos torcer agora.

Baixou a rodela na massa mole, e deixou-a imergir. Pegou um garfo e procurou pela rodela e achou-a.

— Pai nosso que estai no céu... Porra, demais! Olhe: coberta inteirinha.

— É demais — disse Bimbo.

— E agora é só jogar na frigideira. Demais; a massa está perfeita. Se estivesse muito rala, não grudaria no abacaxi e se estivesse muito grossa, o buraco na rodela teria desaparecido. Mas agora está no ponto certo. Perfeita.

❖

— Vamos cortá-las em pedaços diferentes — disse Jimmy. — O pessoal prefere assim.

Era o que estavam fazendo agora, descascando as batatas e cortando-as e jogando-as num balde enorme, cheio de água; no galpão.

— Quando tivermos um pouco de grana — disse Jimmy — talvez a gente compre uma dessas máquinas de cortar batata como Maggie falou e a gente só corta algumas e mistura com o resto, assim ninguém desconfia.

— É — disse Bimbo.

Jimmy olhou para o balde e deu um chute para ajustar as batatas.

— Agora já tem bastante, eu diria.

— Ótimo.

Cada um pegou uma alça do balde e carregaram-no através da casa para o furgão. Foi trabalho duro levantá-lo no degrau e enfiá-lo no furgão; a água fez o balde ficar muito pesado e ainda por cima se balançar de um lado para o outro. Estava tudo pronto. Hoje era a grande noite. Tudo no furgão estava brilhando; quase tudo. Tiveram de comprar alguns utensílios, algumas bandejas e uma cesta para a frigideira. Bimbo comprou. Jimmy não tinha um tostão. Puseram o balde embaixo da pia. Era o melhor lugar, porque não ficava no caminho e a pia não servia para nada.

— Devíamos tirá-la daí de uma vez — disse Jimmy.
— Ah, não — disse Bimbo. — Pelos menos agora, não.

A merda da pia dava nos nervos de Jimmy, uma pia sem água; era tão útil como uma bunda sem o cu. Mas deixou para lá. Tinham muito o que fazer hoje.

— Vamos pôr o resto das coisas? — perguntou Bimbo.
— Não vejo por que não — disse Jimmy.

Não queriam deixar as coisas dentro do furgão por muito tempo. As coisas do freezer iam ficar moles ou até mesmo estragar se eles as tirassem muito cedo. A escolha do momento era vital.

— É a diferença entre um freguês satisfeito e um cadáver — tinha dito Jimmy.

Eles riram, mas não era engraçado.

Saíram do furgão e pararam para olhar para o hamburger pintado do lado do furgão. Era um hamburger enorme, com pão e tudo e com BIMBO'S BURGERS escrito acima dele e A BATATA FRITA DA HORA embaixo.

O de baixo foi idéia de Maggie.

— Ainda não gosto do ketchup — disse Jimmy. — Parece muito com sangue. Vai afastar a freguesia.

— Ah, não — disse Bimbo. — É bonito e alegre.

A filha do irmão de Maggie, Sandra, foi quem pintou; ela estudava numa escola de pintura ou coisa assim.

— Aquele pedaço de carne esticando para fora também.

Jimmy apontou para ele.

— Parece uma língua de fora.

— Bem, para ser honesto, Jimmy — disse Bimbo. — Nunca vi uma língua feita de carne moída.

— Tem a mesma cor de...

— Olhe — disse Bimbo. — Ela pintou todos esses pontinhos pretos para parecer carne moída.

E foi lá e tocou nos pontinhos, mostrando-os a Jimmy.
– Eles só fazem parecer que a carne está estragada – disse Jimmy.
– Foi sua estúpida idéia em primeiro lugar – disse Bimbo.
– Quer saber por que não gosto do desenho? Na verdade gosto dele. São só as cores que não gosto. E quer saber por quê?
– Por quê, então?
– Porque a mocinha que fez é vegetariana, é por isso.
Agora tinha acertado. Sandra lhe contara isto, quando ele estava conversando com ela enquanto pintava; um garota linda, mas meio esnobe; engraçada também.
Bimbo parecia perdido.
– Sabotagem, seu bobo – disse Jimmy.
– O quê?
– Sabotagem – disse Jimmy. – Direito dos Animais.
– O que quer dizer?
– Mas não é óbvio?
– Eh, não.
– Uma vegetariana, certo, pinta um desenho de um hamburger, e o que ela faz? Pinta com cores tão horríveis que espantarão os fregueses e ninguém comprará nada.
– Sandra?
– São todos iguais – disse Jimmy. – Fanáticos, pelo amor de Deus. Você não viu? Estão botando bombas embaixo do carro das pessoas lá na Inglaterra, só porque fazem experiências com animais.
– Espere aí agora – disse Bimbo. – Não estamos fazendo experiências com animais.
– Não – disse Jimmy. – Mas a gente bota eles na chapa e assa a porra deles e depois fazemos as pessoas comê-los.
Bimbo pensou um pouco. Olhou para o hamburger.
– Ah, eu não acho não – disse ele.
– Ache o que quiser – disse Jimmy. – O dinheiro é seu mesmo. Vamos ou a gente chega atrasado.
Puseram as caixas com Twix e Mars embaixo da chapa quente, junto com as latas de Coca-Cola e Seven-Up. Puseram os hamburgers na pimenta na prateleira em cima da frigideira. A farinha e uma fileira de garrafas de leite cheias de água prontas para o preparo na prateleira ao lado da pia; tiveram de catar garrafas de leite por aí. Tinham uma caixa para o dinheiro. Bimbo pôs um pote enorme de molho Kandee vermelho e o sal

e o vinagre em cima do balcão. Tinham dez pacotes de pão. Maggie comprou-os no Crazy Prices. Jimmy abriu o pacote e pegou um.

– Esta é a parte mais gostosa do hamburger, não é? – disse ele.

– São gostosos, sim – disse Bimbo, e pegou um também. – Mas é melhor a gente não comer o nosso estoque todo.

– Tenho um exército marchando no meu estômago – disse Jimmy.

Enfiaram uma pilha de saquinhos de papel num pedaço de cordão para as batatas fritas e Jimmy pendurou-os num gancho ao lado da frigideira e pôs um pilha de sacos de papel de embrulho sobre o balcão. Bimbo dobrou os aventais bem certinho e com cuidado e deixou-os em cima do balcão, ao lado dos sacos de papel.

– Não é um bibe – disse Jimmy a Veronica quando ela o pegou experimentando no quarto. – É um avental, certo.

Maggie foi quem comprou os aventais, da Copa do Mundo. Ela fez bem, era muito melhor do que aqueles com receitas. Estes só tinham Itália 90 estampado neles, e a taça.

– Não é uma taça – disse Bimbo. – É uma estátua. Nunca notei antes.

– Olhe, Bimbo – disse Jimmy – O que soa melhor, Copa do Mundo ou Estátua do Mundo?

– Entendo – disse Bimbo.

Deixaram o peixe no freezer até o último momento. Se você não botava o bacalhau na massa mole quando estivesse ainda duro como madeira, acabava com uma merda danada flutuando no óleo da fritura. Empilharam os retângulos de bacalhau e a tainha preta nas bandejas de alumínio.

– A gente quase precisa de luvas para fazer isso – disse Jimmy. – São frios para caralho.

Ele bateu com um pedaço do bacalhau contra o freezer e examinou-o: não deixou uma marca sequer.

– Agora este sim é um bom pedaço de peixe – disse ele. – Não vai decepcionar.

As bandejas estavam frias, mas não pesadas. Mesmo assim, eles correram pela casa para chegar ao furgão e assoprar as mãos.

– Bi-bi – falou Bimbo, para tirar a mãe da Maggie do caminho ao passar pela cozinha na pressa, tentando carregar a bandeja sem segurar com força. Ele encostou-a no peito e a camisa estava ficando molhada.

Maggie os seguiu.

– Boa sorte – disse ela.

Jimmy ia dirigir. O furgão fora atracado ao calhambeque de Bimbo com uma corda que se estendia na entrada da casa. Bimbo embrulhou um agasalho velho ao redor de seu pára-choques como precaução. Queria usar Wayne, com um pé em cada pára-choque, mas Maggie não deixou. Bimbo entrou no carro e deu partida. Maggie pôs a cara na janela, ele baixou o vidro e ela lhe deu um beijo.

– Porra – disse Jimmy baixinho. – Vamos, vamos.

E foram. Bimbo avançou alguns centímetros e teve de parar porque dois carros iam passando. O furgão encostou na sua traseira, mas não chegou a bater. Daí estavam na rua, na direção do Hikers. Dois meninos correram ao lado dele e um deles deu um chute no furgão. Desapareceram. Jimmy sabia que eles estavam pegando carona na traseira, os danados.

Tinha um pedaço de rua que era meio complicado, uma descida, antes de chegarem à rua principal, a rua Barrytown. Se houvesse trânsito e Bimbo tivesse de parar, Jimmy bateria direto na traseira dele; não havia como evitar. E foi o que aconteceu, só que pior. Não tinha carro nenhum e Bimbo continuou atravessando a rua principal, mas aí um idiota de merda numa motocicleta apareceu, não sabia como, por detrás de uma caminhonete estacionada e Bimbo teve de brecar e Jimmy não podia brecar, é claro, e ele entrou direto na bunda de Bimbo, e ouviu o barulho das coisas caindo por todo lado na traseira do furgão.

– Porra!

Ele escutou.

Silêncio. Talvez não fosse tão ruim.

Bimbo continuou e chegaram no Hikers sem mais incidentes. Ele começou a brecar uns cinqüenta metros antes do Hikers, para que quando parasse de verdade o furgão não continuasse e batesse no carro.

Jimmy escutou para ver se ouvia alguma coisa rolando dentro do furgão, mas não ouviu nada.

Bimbo pegou os tijolos para escorar o furgão. Jimmy abriu a porta de trás.

– Ah, meu Jesus!

Água. Nos seus sapatos. Não muita água; mas muito mais nos fundos, no chão, junto com hamburgers na pimenta e peixe. O balde não tinha entornado, mas havia muita água, não se podia dizer que era só uma poça. Os hamburgers na pimenta eram os piores; a água os fez moles e estavam se esfarelando; tinham de jogá-los fora. O peixe não sofreu tanto.

Pegaram as caixas do chão antes que a água pudesse chegar até lá. O estrago ficou po aí.

Mesmo assim, desanimaram um pouco.

Jimmy se inclinou e cutucou um dos peixes com o dedo. Ainda estava duro e bom.

— Precisamos de um rodo — disse Bimbo.

— Precisamos é de uma porra de um motor — disse Jimmy. — Vamos. Vamos limpar logo para irmos assistir à partida.

Limparam a sujeira, empurraram para a rua os nacos de hamburger na pimenta e a água com um pedaço de papelão de uma das caixas e secaram o chão com uma toalha de prato. Jimmy deu uma boa lavada nos peixes com um pouco da água das garrafas de leite. Jogou fora os que estavam muito sujos, aqueles em que a sujeira tinha se grudado à carne do peixe.

— Olhe, Bimbo — disse, quando terminaram. — Não foi tão ruim quanto pensamos.

— Vamos — disse Jimmy — Senão vamos perder os melhores lugares.

❖

— Sheedy recebe a bola. E Sheedy chuta!

O lugar virou um hospício!

A Irlanda empatara. Jimmy segurou Bimbo e quase quebrou os ossos no abraço que deu. Bertie tinha subido numa das mesas batendo no peito como Tarzan. Até mesmo Paddy, o cara mais carrancudo na face da Terra, estava pulando feito um maluco e sacudindo a bunda como um brasileiro. Os copos caindo das mesas, mas ninguém estava nem aí. A Irlanda tinha feito um gol contra a Inglaterra e não existia nada no mundo mais importante do que isto, nem mesmo a cerveja.

— Quem fez o gol? Quem fez?

— Não sei. Não tem importância, porra!

Todos se sentaram para ver o replay, mas ainda não sabiam quem tinha feito o gol, porque ficaram malucos de novo quando a bola entrou na rede de um, dois, três ângulos diferentes, e olhando para o pobre do Shilton tentando pegar a bola. Era uma algazarra danada.

Daí alguém na frente gritou.

— Sheedy.

— Sheedy fez o gol.

— Kevin Sheedy.

— QUEM PÔS A BOLA NA REDE INGLESA...

SHEEDY...

SHEEDY...
Deus do céu, foi demais; bom pra caralho. E o resto da partida foi uma agonia. Toda vez que um irlandês dominava a bola, gritavam de alegria e quando era um inglês, vaiavam; não que os ingleses tivessem muita chance com a bola; a Irlanda estava com toda força.
– O tal de Waddle, ele é um perna-de-pau, não acha?
– Ah, ele corre como uma galinha sem cabeça.
Um lateral para a Irlanda.
– MICK – MICK – MICK – MICK – MICK.
Todos fizeram uma algazarra quando viram Mick McCarthy chegando para fazer o arremesso. E Paddy gritando Mick-Mick-Mick quando há uma hora estava dizendo que Mick McCarthy era um risco para a Irlanda.
– OLÉ. OLÉ OLÉ OLÉ.
– OLÉ.
– OLÉ...
Dez minutos faltando.
– Oh, meu Deus, meu coração não agüenta!
– Não se preocupe, *compadre*.
Jimmy estava a uns dez metros de seu lugar quando Sheedy fez o gol. Não sabia como foi parar ali. Tentou voltar para a sua cerveja.
– Dá licença. Desculpe; obrigado. Licença. Sai da frente, seu gordo fodido.
Sua cerveja sumiu, no chão, ou talvez algum filho da puta a tenha roubado. Olhou para o bar. Nunca ia conseguir chegar até lá; estava entupido de gente. Mas também Leo, o garçom, estava ignorando todos os pedidos; olhava para a tela e rezava; é, rezava.
– Olhe – Jimmy chamou Bimbo para ver.
Leo estava com as mãos para céu, como as crianças fazem, palma contra palma, como numa capa de livro de catecismo, e seus lábios se moviam. Quando todo mundo gritava de alegria, Leo ficava só rezando.
– Quanto tempo falta?
– Cinco, eu acho.
– Caralho.
Olhou ao seu redor. Tinha um bando de garotas no pub. Não tinham prestado atenção à partida no começo, mas agora estavam. Uma delas, perto do bar, estava usando uma camiseta que deixava ver o sutiã por baixo e...

Um rugido enorme. Jimmy voltou sua atenção à partida.
– Que aconteceu?
– A bola é deles.
Gascoigne driblou dois irlandeses, entrou na pequena área e chutou – Jimmy agarrou o braço de Bimbo – mas a bola passou por cima do travessão.
Eles gritaram.
– Incompetente.
– Quanto tempo falta agora?
– Dois.
– Sem pressa, Packie!
– UM PACKIE BONNER.
SÓ TEM UM PACKIE BONNER...
– Suba a escada, Packie!
– Ah, ele é um goleiro do caralho.
– UM PACKIE BOHHH–NER...
– É muito religioso, sabia? Sempre traz um rosário na sua mochila.
– Devia usá-lo para estrangular o filho da puta do Lineker – gritou Jimmy, e o pessoal deu risada. – Quanto tempo, agora, Bimbo?
Antes que Bimbo respondesse, o reloginho Olivetti na tela foi mostrado dando a resposta; estavam entrando nos descontos.
Gritaram.
– Vamos, rapazes, vamos fazer outro!
– Ah, Morris, você é um incompetente.
– Vá se foder, você. Ele é incrível.
– UM GISTY MORRIS
SÓ TEM UM GISTY MORRIS...
– Use o apito, seu juiz filho da puta!
Eles riram.
Porra, o calor. Você tinha de brigar por uma golfada de ar; isso e o nervosismo. Não podia assistir; estava lhe matando.
– OLÉ. OLÉ OLÉ OLÉ...
Jimmy estava analisando uma das meninas de novo, quando foi atropelado pelos rapazes. Eles subiram nas mesas – o juiz tinha apitado – e ele ficou no chão. Mas se segurou em Bimbo e ficou ali. Todo mundo pulava para cima e para baixo, até mesmo Leo, fazendo o sinal da cruz. As bandeiras tricolores estavam no ar. Desejou ter uma para ele. Ia comprar uma para o resto dos jogos.
Bertie tinha subido na mesa dando uma de locutor norueguês.

– Maggie Thatcher! Winston Churchill!
– QUEM PÔS A BOLA NA REDE INGLESA...
– SHEEDY, SHEEDY...
– Rainha Elizabeth! Lawrence da Arábia! Elton John! Podem ir se foder todos.
Eles gritaram.
Jimmy estava apertado; não para ir ao banheiro, mas de amor. Abraçou Bimbo. Abraçou Bertie. Abraçou Paddy. Abraçou até mesmo Larry O'Rourke. Adorava todo mundo. Deu conta de Sharon. Foi até ela e a abraçou, assim como a todas as suas amigas.
– Não é incrível, papai?
– Ah, demais, caralho, demais!
– Adoro sua água de colônia, senhor Rabbitte.
– OLÉ. OLÉ OLÉ OLÉ...
– Deus do céu – disse Jimmy quando voltou para Bimbo. – E isso só porque a gente empatou. O que teria acontecido se tivéssemos ganhado?
Bimbo riu.
Todo mundo começou a cantar. Jimmy detestava aquela canção, mas não tinha importância.
– GIVE IT A LASH JACK
GIVE IT A LASH JACK
NEVER NEVER NEVER SAY NO
IRELIN' – IRELIN' – REPUB–LIC OF IRELIN'
REV IT UP AN' HERE WE GO.
– Demais esta canção, não é? – disse Bimbo.
– É – disse Jimmy.
Era um dia daqueles.
– É melhor a gente ir – disse Bimbo.
– É mesmo – disse Jimmy.
Ele estava pronto para começar.
– Alerta vermelho – gritou ele. – Alerta vermelho.
Saíram de uma só vez do pub, os dois. Jimmy deixou sair um grito daqueles.
– É isso aí!!
Sua camiseta fedia. Ah, foda-se, ele estava no céu.
Bimbo abriu a porta de trás e pulou para dentro; pulou mesmo; era demais.
Jimmy parou.

138

— Escute – disse ele.

Podiam ouvir os carros buzinando. E as pessoas na rua, dava para ouvir também.

Ele entrou no furgão. Bimbo brigava com o avental.

Estava ficando escuro. Tinham duas lanternas das grandes, daquelas que motoristas prevenidos sempre carregam no carro, no caso de ter de trocar um pneu furado. Jimmy acendeu-as.

— OLÉ. OLÉ OLÉ OLÉ. São demais, não são?

— Fantástico – disse Bimbo.

Bimbo já tinha ligado os botijões de gás na chapa quente e na frigideira. Os botijões ficavam do lado de fora, atrás, perto dos degraus, porque não tinha lugar dentro do furgão. Isso deixava Jimmy meio preocupado; não gostava disso. A molecada podia começar a fazer alguma coisa com eles, desligá-los, ou pior, cortar as mangueiras e daí, o furgão e metade de Barrytown iria pelos ares. Mas o negócio é que não tinha lugar lá dentro. Deu uma olhada rápida para fora; não tinha ninguém perto deles.

— OLÉ. OLÉ OLÉ OLÉ...

Jimmy pegou uma caixa de fósforos. Também não gostava disto. Pegou um fósforo e enfiou num tubo de caneta vazio. Ficou de joelhos em frente à chapa. Acendeu o fósforo, abriu o gás, apertou o botão e aproximou a caneta com o fósforo aceso embaixo da chapa. Ouviu o gás fazer ooosh e afastou a mão num relâmpago. Nunca tinha se acostumado com isto. O cheiro; merda, ele tinha queimado os cabelos de novo.

— Porra, como detesto fazer isto – disse ele.

Ligou a frigideira também, mas não precisou da caneta desta vez. Jogou uma fatia de gordura em cima da chapa e botou óleo de cozinha na frigideira; tudo em cima.

— SOMOS VERDE, SOMOS BRANCO
SOMOS PIOR QUE DINAMITE
LA LA LA LA, LA LA LA, LA

— Agora é só abrir a portinhola, não é? – disse ele.

— Vamos lá – concordou Bimbo.

Este era o momento que esperavam, mas fingiram que não era. Bimbo mergulhava as fatias de peixe na gordura quente por alguns segundos para fazer a massa grudar no peixe, uma coisa que aprenderam na última vez que foram a uma lanchonete; era pura lógica. Dava para empilhá-los e não fazia sujeira e o peixe estaria pronto para ser fritado na hora que alguém pedisse.

E isso era o que Bimbo estava fazendo, quando Jimmy destravou a portinhola, empurrou-a para a frente e pôs os dois canos embaixo como suporte e se certificou de que estava firme no lugar. Jimmy se concentrou no que fazia. Não queria olhar agora para ver quem estava lá fora esperando.

Não tinha ninguém.

Não disseram nada; continuaram fazendo o trabalho. Jimmy não tinha muito o que fazer. Espalhou a gordura na chapa. Usava um dos raspadores de tinta que tinha sobrado da limpeza do furgão. Mas tinha um buraco na chapa por onde a gordura estava pingando em cima das latas de refrigerantes e dos chocolates

– Oh, merda! – disse Jimmy quando viu aquilo.

Olhou ao redor procurando alguma coisa e pegou a tampa da garrafa térmica de Bimbo e pôs embaixo do buraco, em cima das latas. E funcionou. Jimmy empurrou um pouco da gordura para o buraco e checou para ver se ela caía dentro da tampa. E caía. Isso era bom.

Levantou-se; ainda ninguém lá fora. Não ouviam mais as buzinas. Era como uma cidade-fantasma.

Mesmo assim, ainda era cedo.

– Vá devagar com o peixe, Bimbo – disse ele. – Não seria bom ficarmos atolados com uma pilha de peixe no fim da noite.

Estava parecendo que iam ficar atolados com mais do que algumas fatias de bacalhau. O jeito era esperar –

– OLÉ. OLÉ OLÉ OLÉ...

Fazer com que o peixe ficasse dentro da massa era mais fácil dizer do que fazer. Bimbo pescou um pedaço de massa, sequinha e bonita; mas não tinha nada dentro. E teve de mexer na gordura para achar o peixe que ficou lá dentro.

Algumas pessoas, a maioria crianças, passaram por eles e ficaram olhando, mas continuaram caminhando, os filhos da mãe.

Jimmy checou a frigideira. Estava pronta e esperando. As batatas estavam na cesta. Pegou e sacudiu-as; certinhas. Pegou um hamburger e jogou na chapa, só para fazer alguma coisa. O barulho que fez no começo era como o grito de alguma coisa. Ele apertou com força com a espátula e ele gritou de novo; não era um grito de verdade, era mais como um chiado de água.

Voltou-se para dar uma olhada na portinhola e pegou Bimbo comendo um Mars.

– Jesus Cristo, Bimbo; não dava para esperar até a gente vender alguma coisa?

A cabeça de Bimbo balançou rapidamente.
— Ah, estava com fome.
— E não tem ali metade da cota de peixes da Irlanda todinha para você? Disse isto de brincadeira, mas de repente ficou irritado.
— Não queria tocar neles — disse Bimbo. — No caso...
— Ninguém mais quer a merda deles — disse Jimmy.
Estava tentando pensar em alguma coisa boa, alguma coisa legal para dizer, quando — Deus do céu! — um menino na portinhola. Dava para ver a coroa de seus cabelos.
Ele se debruçou para vê-lo melhor.
— Sim, meu filho?
— Um sorvete de chocolate — disse o menino.
Sharon subiu no furgão em tempo de ouvir seu pai.
— O quê? Vá passear ou eu vou...
Sharon começou a rir.
— Vocês não vendem sorvete? — perguntou o menino.
Bimbo olhou para o moleque. O pobre do menino não tinha nem dez anos ainda.
Jimmy se inclinou e apontou.
— O que é isto? — perguntou ao menino.
Estava apontando para o desenho.
— Um hamburger enorme — respondeu o menino.
— Certo — disse Jimmy — O que diz aí?
— Bimbo's Burgers — leu o menino. — A batata frita da hora.
— Muito bem — disse Jimmy. — Não diz nada sobre soverte, não é?
— Não.
— Não. Não diz, com certeza não diz. Agora, suma daqui, pirralho.
Jimmy voltou ao seu hamburger. Estava grudado na chapa.
— Caralho!
Bimbo se posicionou na portinhola.
— Não temos congelados — explicou ele ao menino.
— A gente compra sorvete e outras coisas nos outros furgões — contou o menino a Bimbo.
— É, eu sei — disse Bimbo; estava murmurando —, mas não temos congelador aqui. Não temos eletricidade.
Olhou para Jimmy. Ele estava tentando pôr um pouco de gordura embaixo do hamburger para desgrudá-lo da chapa.
— Aqui — disse ele ao menino.

E deu para o menino o resto de seu Mars, depois mandou-o embora.
– Obrigado, muito obrigado, moço.
– Shhhhh!
O pescoço de Jimmy ia se quebrar; era assim que se sentia. Ainda tinha pedaços de hamburger colados à chapa; o raspador ficava passando por cima deles, mas o merda não raspava nada! Mas ia limpá-lo mesmo se morresse!
– Iaaaah!
Sharon e Bimbo guardaram distância. E isto não era fácil no pequeno espaço que tinham, tão grande quanto dois guarda-roupas. Não dava para se virar sem um deles ter de dar passagem primeiro. Bimbo passou duas garrafas de água para Jimmy por cima da cabeça de Sharon.
– Mais tarde vamos precisar de mais – disse ele a Sharon.
Sharon não tinha entendido.
– Dê uma corridinha do outro lado da rua e encha as garrafas para a gente – disse Bimbo. – Rita Fleming, Dona Fleming. Sabe qual casa é?
– Sei.
Mas não se moveu ainda. Achava que tinham pedido para ela ir até a casa da Dona Fleming com as duas garrafas de leite e pedir para enchê-las, mas não tinha certeza.
– Pedi para ela hoje cedo. Não tem problema. Contanto que não seja muito tarde.
– Não posso correr até em casa...
– Faça o que foi pedido – disse Jimmy.
– E quem atiçou seu rabo? – perguntou Sharon.
– Fregueses! – gritou Bimbo. – Rápido, minha filha; vá, vá.
Disse ele isto no momento em que Jimmy conseguiu arrancar o último pedaço do hamburger da chapa; o momento não teria sido melhor.
– Ótimo – disse Jimmy.
Sharon olhou para a porta de trás e viu um bando de mulheres caminhando até o furgão, pegando o dinheiro de dentro das bolsas.
– Um monte – disse ela, e correu para o outro lado da rua até a casa dos Fleming.
Jimmy pegou a cesta de batatas – tinha esperado a noite inteira por isso – afundou-as na gordura fervendo e quase ficou cego.
– Ahhhh! Meu Deus! Meus...
Achou que estava cego. Pequenas gotas de gordura queimavam seu rosto inteiro; ele continuou com os olhos fechados.

– Está tudo bem?
Bimbo não parecia preocupado.
– Meus olhos – disse Jimmy.
– Oh, é terrível – disse Bimbo. – Aqui – disse ele. – Lave os olhos.
E passou uma garrafa de água para Jimmy.
– Jesus! – disse Jimmy.
Derramou um pouco de água na palma da mão e passou no rosto. Agora estava melhor. A sensação de queimadura tinha passado. Mas não foi brincadeira; ia ter de tomar mais cuidado. Não queria acabar fodido como o Fantasma da Ópera.
Estava pronto. Levantou a cesta e sacudiu o óleo, e pôs de volta com cuidado; não sabia por que se fazia isso, mas tinha visto fazerem assim sua vida inteira; talvez para ver se as batatas estavam prontas.
– Quase pronto, aqui – disse para Bimbo. – A postos, hein?
Sharon retornou com as garrafas, cheias.
– Boa menina – disse Jimmy. – Você não viu meu acidente.
– Elas estão demorando a vir – disse Sharon.
Estava falando sobre as mulheres lá fora, que caminhavam devagar para o furgão.
– Velhotas são sempre assim – disse Jimmy. – Você juraria que era casaco de pele que queriam comprar.
– O que faço agora? – perguntou Sharon.
– Ajude Bimbo com os pedidos – disse Jimmy. – Eu acho. Mas a gente espera para ver.
Ela quase o empurrou para cima da chapa quente tentando pegar seu avental, mas ele não disse nada.
– E como vão as senhoras? – perguntou Bimbo na portinhola, e Jimmy pôs a cara para fora para dar uma espiada na velharada.
Um monte delas, por certo, umas poucas libras de faturamento, se pelo menos elas decidissem o que queriam. Dava para ver; estavam voltando do bingo. Eram umas verdadeiras viciadas no negócio. Imagine ir ao bingo na noite em que a Irlanda jogava a primeira partida na Copa do Mundo, e contra a Inglaterra por cima.
– O que vão querer, garotas? – perguntou Jimmy.
Sem resultado; ainda estavam decidindo. Jimmy voltou para o seu posto. As batatas fritas estavam prontas. Deu uma sacudida do caralho na cesta, e depois mais uma vez só para completar, e derramou as batatas numa bandeja. Tinha uma outra cesta preparada com batatas pronta para

a fritura e ele botou-a na gordura, mas dessa vez guardou distância. Mas a coisa estava ficando muito quente ali.

Agora a mulherada se aproximara do balcão.

– Um bacalhau frito – gritou Sharon.

– Yahoo! – gritou Jimmy, e botou o bacalhau na gordura. Deus Meu! o barulho; como se seu ouvido estivesse grudado num motor de avião.

– Mais um.

– Um defumado – disse Bimbo.

Agora a coisa estava indo.

Mais cinco bacalhaus, três defumados, um hamburger na pimenta e um normal; agora era para valer.

– Só batatas – disse Sharon.

– Chegando.

Pegou a escumadeira e botou embaixo das batatas fritas, tirando uma porção grande e pondo no saquinho, encheu até a beira. Batatas boas, grandes, douradas na cor, a maioria delas; uma ou duas estavam ainda um pouco brancas e brilhantes de gordura.

– Aqui vai.

Deu o pacote para Sharon e ela o derrubou.

– Não ligue – disse ele.

Encheu um outro saquinho.

Bimbo ainda estava recebendo os pedidos.

– Três hamburgers na pimenta, dois bacalhaus defumados...

Jimmy cantava.

– AN'A PAR-TRIDGE IN A PEAR TREE.

A frigideira estava cheia agora. Alguns dos pedaços no topo quase não estavam dentro da gordura. Ele derrapou nas batatas que Sharon derrubou e quase caiu de bunda. Empurrou as batatas pela porta de trás, mas algumas tinham se grudado no chão. Um calor da porra, o suor pingando. Era muita coisa para um só fazer.

– Sharon, me dê uma mão aqui.

Sharon deixou Bimbo no balcão.

– Certo, Bimbo, grite os pedido de novo até a gente pô-los em ordem.

Ouviu Bimbo perguntar.

– O que foi que pediu, minha senhora?

– Já disse – falou uma das velhotas. – Um bacalhau e um saco pequeno de batatas.

— Certo — Jimmy gritou de trás. — Espero que a velhaca engasgue neles — disse ele a Sharon.

Sharon tomava conta das batatas e Jimmy tirava o resto das coisas da frigideira. Tinha um desses pegadores, mas tinha de tomar cuidado porque se ele segurasse com muita força, o peixe esfarelava e se não segurasse firme, o peixe caia na gordura de novo e você tinha de pular da frente rápido ou sofrer as conseqüências. Mas ele achou que tinha aprendido a lidar com ele. Punha o bacalhau em sacos impermeáveis e Sharon pegava e colocava num saco de embrulho, junto com as batatas. Trabalhavam bem juntos, Sharon e Jimmy. Não esbarravam um no outro. Era como se fossem duas partes da mesma máquina.

O único problema agora era Bimbo. Ele era legal com as velhotas, passava o sal e o vinagre como um profissional, mas o porra não sabia somar.

— Um bacalhau e um saco pequeno... Eh. É, eh...
— Uma libra e sessenta e cinco — gritava Sharon para ele.
— Muito bem, menina — disse Jimmy.

Estavam quase terminando com as velhotas; os pedidos acabaram. Mas agora o pub ia fechar e aí seria de arrasar, com um pouco de sorte.

— Uma libra e oitenta — gritou Sharon.

Era esperta, esta menina. Não precisava nem pensar antes.

Não podia decidir se o último hamburger na pimenta estava pronto ou não. Assoprou e apertou-o com o dedo; deixou uma marca.

— Ótimo.

Botou-o dentro do saco e passou para Sharon.

— Vou dar uma ajuda a Bimbo — disse ele.

A maioria das mulheres ainda estava lá fora, mas longe do balcão, encostadas no muro do estacionamento, comendo. Só tinha algumas no balcão.

— E o que vai querer? — perguntou ele a uma delas.
— Batatas e um hamburger na pimenta.

Era minúscula. Ele quase teve de subir no balcão para poder vê-la.

— Pequeno ou grande? — perguntou Jimmy.
— Grande — disse ela.
— E por que não? — disse Jimmy.

Era demais. Sharon passou o saco para ele.

— Completo?
— Oh, sim.

Pôs o sal primeiro, sacudiu o saco para fazê-lo misturar bem. Olhou para as mulheres. Eram mesmo viciadas no bingo; todas iguais, como um bando de vinte irmãs.

— Está bom — disse a velhinha.

Ele mostrou a garrafa de vinagre.

— Diga quando — disse ele.

Seu rosto era bonito, agora dava para ver.

— Pronto, dona — disse ele, e passou o pacote para ela pegar.

— Obrigada. Quanto é?

— Eh...

— Um e vinte e cinco — disse Sharon.

— Um e vinte e cinco — disse Jimmy.

Esperou um pouco para ela deixar as moedas de dez e vinte pence no balcão.

— Desculpe...

— Não, não — disse Jimmy. — Não tem pressa.

— Quero me livrar das moedas.

— Bem, está no lugar certo, minha senhora.

Uma brisa leve vindo de fora. Jimmy levantou os braços um pouco, não tanto para chamar a atenção.

Bimbo estava quase brigando com a última freguesa.

— Vocês não aceitam cupom de manteiga? — ela perguntou.

— Não — disse ele. — De jeito nenhum.

— Mas no jornaleiro aceitam — retrucou ela.

Dava pena. Com certeza ficou no fim da fila para as outras não ouvirem. Mesmo assim, ali não era uma casa de caridade.

— Só dinheiro vivo — disse Bimbo.

— Ou American Express — disse Jimmy e deu um cutucão em Bimbo. — A gente avisa quando começar a vender manteiga — disse ele à mulher, de brincadeira. Ela não riu, e ele se sentiu um canalha. Seu rosto esquentou e continuou esquentando. Mesmo assim, se ela podia ir ao bingo, então devia ter o suficiente para a comida também.

E foi isso. Foram todas servidas e agora estavam enchendo a barriga, algumas começando a ir embora. Jimmy, Sharon e Bimbo ficaram olhando.

— Foi demais — disse Bimbo. — Não foi?

— Dinheiro para o docinho — disse Jimmy.

Olharam ao redor. O lugar já estava aos pedaços.

— Vou fazer mais massa — disse Bimbo.

– Ótimo – disse Jimmy. – Mas agora faça uma massa mais reforçada, viu. Fica escorregando do peixe.

Sharon começou a limpar as batatas do chão. Uma das velhinhas do bingo voltou.

– Sim? – perguntou Jimmy.
– Vocês vendem doces? – queria saber ela.

Era uma do tipo molenga, redonda e vermelha.

– Só Mars ou Twix – respondeu Jimmy.
– Um Twix.
– Agora mesmo – disse ele.

Pegou o Twix embaixo da chapa quente e limpou a gordura com seu avental.

– Aqui está – disse ele. – Válido até abril de 92. Vai ter tempo à beça para comê-lo, não é?

Ela riu e aí Jimmy viu.

– Oh, porra, caralho.

Era uma explosão, isso era o que era; o pessoal saindo do Hikers.

– É melhor se apressar com a massa – disse ele a Bimbo.
– O que foi? – Bimbo perguntou e olhou para fora.
– Oh, minha Nossa Senhora!

Sharon olhou.

– Jesus – disse ela. – Estou com medo.

Jimmy deu o troco para a senhora.

– É melhor sair do caminho, dona – disse ele. – Senão vai ser atropelada.

A velha deu no pé.

Uma multidão sem tamanho saía do pub, se derramando do lugar, ainda gritando Olé olé olé. A maioria era jovem. De repente, havia uns duzentos deles no estacionamento. E aí um deles viu o furgão.

– É isso aí!

Pararam de gritar Olé e olharam para o furgão.

– Marche!
– Oh, caralho – disse Jimmy. – Alerta vermelho, alerta vermelho.

Era como Pearl Harbor. Jimmy não acabou de gritar Façam uma fila, quando atacaram o furgão.

– Oh, caralho!

O furgão sacudiu; levantaram as rodas do chão. Uma das barras de ferro se deslocou e Jimmy alcançou-a antes que ela decapitasse alguém lá fora.

— Um bacalhau e um saco grande.
— Batatas em curry, meu senhor.
— Ei, Sharon!
— OLÉ. OLÉ OLÉ OLÉ...
— Eu cheguei primeiro!
— Vocês são irlandeses ou italianos, hein?
— Ei, Sharon!
— Sharon; olhe somos os primeiros, certo?
— Me dá um B!
— Me dá um A!

Bimbo estava coberto de massa mole. Sharon tentava tirar a gordura dos sapatos.

— Me dá um T!

Era uma loucura lá fora; uma algazarra sem tamanho.

— Me dá um A!

Uma garota estava sendo empurrada contra o furgão. Seu pescoço estava sendo espremido contra o balcão.

Bimbo juntou-se a Jimmy na frente.

— Para trás! — gritou ele com toda força. — Para trás! Tem gente sendo estrangulada aqui na frente!

— Fodam-se!

Jimmy apontou para o moleque que disse.

— Está barrado!

Gritaram, mas ficaram quietos depois disso.

— Me dá um T!

A garota ficou alisando o pescoço, mas estava bem. Jimmy a serviu primeiro.

— O que vai querer?
— Me dá um A!

Jimmy olhou para a multidão.

— Querem parar com a porra do barulho?! — gritou para todo mundo ouvir.

— É isso aí!

Gritaram e bateram palmas, e Jimmy começou a se divertir. Levantou os braços e recebeu os aplausos — Obrigado, muito obrigado — e voltou ao trabalho.

— O que foi mesmo que pediu? — perguntou à garota.
— Batata frita em curry — disse ela, virando os olhos para o céu.

— Aqui não tem batata frita em curry — respondeu Jimmy.
— Por que não?
— Porque isto aqui não é um chinês — disse Jimmy. — Aqui é um furgão irlandês.
— Isso é idiotice — disse a garota.
— O próximo!
— Espere aí, espere aí! Um saco grande e... e...
— Depressa!
— Um hamburger na pimenta.
— Um grande e um na pimenta, Sharon, faz favor! — Jimmy gritou por cima dos ombros. — O próximo. Você aí com o cabelo todo penteado; o que vai querer?
— Paz para o mundo!
— Barrado. O próximo!
Sharon reclamou.
— Não dá pra eu fazer tudo sozinha aqui!
— Segure as pontas aí, Bimbo — pediu Jimmy, e foi dar uma mão a Sharon nos fundos.

Foi assim por uma hora ou mais. Acharam um ritmo de trabalho; Bimbo gritava os pedidos e Jimmy e Sharon preparavam a comida e Bimbo repetia o pedido em voz alta e Sharon dizia quanto custava, e assim deu certo. Mas, o calor; agora se arrependeram de ter pedido a Victor, o irmão de Bimbo, para lacrar a janela. Tinham de ir para a porta de vez em quando, Jimmy e Sharon — Bimbo não tinha problema; tinha a portinhola — para refrescar um pouco. E foi numa dessas saídas que Jimmy pegou um dos moleques tentando desligar o gás. Ele deu um chute tão grande que graças a Deus não acertou no menino, porque, se tivesse acertado, teria matado o coitado.

Quando a coisa apertava na frente, um deles ia para o balcão dar uma mão a Bimbo, e quando a coisa ficava feia no QG, um deles deixava a portinhola e voltava à fritura; faziam isto em turnos. O único problema era o calor: a garganta de Jimmy estava seca e ele não tinha tempo de pegar uma latinha de Seven-Up. Mesmo porque não havia lugar para beber em paz; podia receber uma cotovelada no pescoço. Jimmy tirou o avental, tirou a camiseta e pôs o avental de volta.

— Olhe, Sharon, devia fazer a mesma coisa.
— Ha ha.
Checou para ver se as cuecas estavam bem dentro das calças e então voltou ao trabalho, jogando hamburgers na chapa quente como se o mun-

do fosse acabar. Não funcionou, no entanto, ter tirado a camiseta; só abriu mais espaço para a gordura espirrar na pele.

Terminavam de servir duas pessoas e mais três saíam do pub. Era de matar. Mas foi por isso que esperavam. A grana estava rolando.

— Aqui! — gritou um rapaz do lado de fora. — Essas batatas estão cruas!

— Você não disse que queria as batatas cozidas! — disse Jimmy, e voltou para seus hamburgers.

Estavam se divertindo, todos os três.

Os caras mais velhos saíram mais tarde, Bertie e Paddy e os outros, e aí foi mais devagar, mais legal. Era quase uma da madrugada. Jimmy perdera alguns quilos, dava para ver. Pôs a mão na traseira das calças e tinha muito mais espaço do que o normal, mesmo sem a camisa ou a camiseta de baixo. Era como trabalhar dentro de uma sauna. Gostava da idéia de perder uns quilos. Não ia dizer nada a Veronica, pelo menos ainda não, ia esperar alguns dias. Ia dar um giro na sua frente e ver se ela notava.

O lugar estava um chiqueiro, e ficando perigoso. Sharon tinha escorregado e Bimbo queimou dois dedos. Bem merecido, para ele aprender a não pegar os hamburgers com a mão porque Jimmy estava usando o pegador.

— Boa noite, *compadres*.

— Boa noite, Bertie.

Não tinha mais ninguém. Jimmy fechou a portinhola. Podia ver um bando se aproximando da rua e não queria começar tudo de novo. Mesmo porque não sobrou quase nada. Algumas batatas no fundo do balde, mas já estavam meio encardidas. Tinha água por todo o chão. Ia ficar assim. Eles estavam quebrados demais para fazer qualquer limpeza. Abriram espaço entre as prateleiras e sentaram-se ou se encostaram ali.

— Porra — disse Jimmy.

— Olhe para os meus sapatos — disse Sharon.

— Compre um novo par.

— Com o quê?

— Aqui — disse Bimbo.

Ele segurou um maço de notas na mão e depois enfiou de volta na caixa. Mostrou a eles o resto do dinheiro na caixa. Teve de espremê-lo para não deixar cair; e não eram só as notas verdes de uma libra, havia marrons de dez também, e até mesmo algumas azuis de vinte.

— Que tal, hein?

Alguém bateu na portinhola.

Eles ignoraram e ficaram quietos.

Era bom, se sentir acabado, quebrado. Estavam muito cansados para rir. Os ouvidos de Jimmy estavam zunindo com o cansaço. Ele pegou uma lata de refrigerante debaixo da chapa quente e a lata deslizou da sua mão por causa da gordura; a caneca de plástico tinha voado para algum lugar.

— Merda!

Segurou a lata com seu avental, abriu-a e tomou um gole: estava quente e horrível.

— Merda!

Bimbo pegou uma lata e levantou no ar para fazer um brinde.

— Às batatas da hora.

Jimmy amassou um pedaço de batatinha com seu sapato.

— Falou — disse ele.

Tinha sido um dia daqueles.

No fim dessa semana — na próxima sexta — ele ia pôr o dinheiro na mesa em frente a Veronica e não ia dizer nada.

Foram para casa.

❖

— Olhe.

Sharon mostrou a Jimmy, Veronica e Darren as bolhinhas na sua bochecha esquerda subindo até o lado do olho, um monte delas. Tinha acabado de notar, no espelho do banheiro. E seu lado esquerdo estava muito mais vermelho do que o direito, horrível e cru; não sabia por quê. Queria chorar; podia sentir a coceira chegando.

— Meu Deus — disse Veronica, e chegou perto para olhar direito.

Darren estava meio encabulado.

Jimmy se inclinou na cadeira para ver.

— Deixe eu dar uma olhada — disse ele.

— Deve ser alguma alergia — disse Veronica. — Ou... ah, não sei.

— É demais — disse Jimmy. — Eu também estou com isso; olhe.

Ele mostrou o lado direito de seu rosto.

— Fiz a barba por cima deles —concluiu. — Mas ainda deve dar para ver.

Ele esfregou a bochecha.

— Ainda pode ver sim.

Veronica ficou confusa, mas Sharon começava a entender.

— Sabe o que é? — disse Jimmy — É a chapa quente; a gordura que espirra da chapa quente.

Ele fez como se estivesse virando um hamburger na chapa.
— Eu estava à direita e você à esquerda — disse para Sharon.
Ele riu.
— Coitado do Bimbo então, deve estar fodido — concluiu. — Porque estava no meio.
Darren riu.

❖

E quando a Irlanda jogou com o Egito, no domingo seguinte, eles já tinham acrescentado lingüiça no cardápio e Jimmy estava pondo muito menos gordura na chapa quente.
O negócio estava indo de vento em popa.
Na sexta, eles acamparam em frente ao Hikers mais cedo, às cinco da tarde, e puseram cartazes — a Jessica que fez — ao redor do furgão: Oferta £1 Batata Frita + qualquer coisa — 5 às 7h30. E funcionou; as ofertas de £1 foram um sucesso. As mulheres saindo do supermercado carregando as compras para o jantar paravam, liam os cartazes e diziam para si mesmas Que se foda o jantar; estava estampado na cara delas. Ou compravam batatas fritas com qualquer coisa ou iam para casa e mandavam um dos filhos comprar para elas.
Foi idéia de Maggie.
— Doze ofertas, por favor — disse um menino, e esse foi o recorde.
Lá pelas sete da noite, quando estavam descansando, Jimmy e Bimbo falavam seriamente em comprar um motor; e aí ninguém ia segurá-los. Iam ter de instalar um tubo de ventilação também. Mesmo com a portinhola e a porta abertas, a fumaça se concentrava nos fundos do furgão. Você notava quando ia lá pegar as batatas do balde; os olhos lacrimejavam. E o cheiro na roupa; não tinha sabão em pó e água no mundo que tirassem aquele cheiro.
— São as desvantagens da profissão — disse ele para Veronica.
Bolhas, cabelos queimados e roupas fedidas; Veronica disse que ele parecia ser um sobrevivente do holocausto.
— Ha, ha — fez Jimmy.

❖

— Um grande e um dunphy.

– O quê? – perguntou Jimmy.

Olhou para o freguês, um rapaz da idade de Jimmy Jr. com seus amigos.

– Um grande e um dunphy –repetiu.

Estava rindo.

– E o que é um dunphy? – queria saber Jimmy.

– Uma lingüiça – respondeu o rapaz.

– Lingüiça, grande! – gritou Jimmy para Bimbo.

Olhou de novo para o rapaz.

– Vai explicar para mim, ou não vai? – pediu ele.

– Uma lingüiça parece um pau-duro, certo?

– OK, certo.

– E Eamon Dunphy é um puta de um pau-duro sacana também – explicou o rapaz.

Lá pela quinta-feira da segunda semana, o dia do jogo da Irlanda contra a Holanda, a palavra lingüiça tinha desaparecido por completo de Barrytown. Todo mundo pedia um dunphy com batata frita, por favor, ou um eamon, um hamburger na pimenta e uma pequena. Alguns deles nem mesmo pediam para comer; compravam só para poder dizer a palavra, para tirar sarro. A rapaziada se sentava em frente ao telão no Hikers e sacudiam as lingüiças empanadas de Bimbo e Jimmy em vez dos balões em forma de banana.

❖

– Agora é que a Copa do Mundo começa de verdade – disse Paddy, quando se acalmaram depois do apito final.

– Ele tem razão – disse Jimmy. – Pela primeira vez.

A Irlanda tinha passado para a segunda fase, que era eliminatória.

Jimmy respirou fundo de novo.

– É do caralho, não é?

Todos concordaram.

– Depois desses anos todos, hein? – continuou ele.

– COME ON WITHO'
COME ON WITHIN
YOU'VE NOT SEEN NOTHIN' YET LIKE THE MIGHTY QUINN...

Bertie resumiu a campanha até ali.

— Derrotamos a Inglaterra por 1 x 1, perdemos para o Egito por 0 x 0 e empatamos com os holandeses. Não é mau, não?
— OOH AH...
PAUL MCGRATH
SAY OOH AH PAUL MCGRATH...
Jimmy se levantou.
— Pronto, Bimbo?
O furgão esperava por eles lá fora.
Era difícil deixar o pub depois de tudo aquilo, a partida e a algazarra: mas foram, Bimbo e Jimmy. Tinham de ser admirados por isto, pelo menos foi o que pensou Jimmy.

❖

No dia seguinte ao do jogo contra a Holanda, Maggie comprou umas camisetas com estampas que ela encomendou na cidade. Tinham a cabeça do Niall Quinn estampada na frente, e embaixo dela estava escrito A Mãe Dele Só Lhe Deu Bimbo's Burgers. Eram ótimas, mas depois de duas lavadas a cabeça do Niall Quinn desaparecia e a camiseta não fazia mais sentido.

❖

Era demais ter uma graninha no bolso de novo. Eles não contavam o dinheiro depois do turno e simplesmente dividiam em duas partes; eram mais organizados do que isso; afinal, aquilo era um negócio. Tinha o estoque a ser comprado, o dinheiro para o motor. Maggie tomava conta dos livros. Eles eram pagos com um salário, mas se o negócio ia bem, recebiam um bônus também, um incentivo, do mesmo jeito que os jogadores recebem um extra se ganham uma partida. Jimmy levou para casa cento e sessenta libras na primeira semana. E tinha o salário-desemprego também. Ele comprou uma camisa nova — Veronica tinha reclamado do cheiro na roupa dele —, uma camisa legal, com listras cinzas na vertical. Lera uma vez numa das revistas de Sharon que listras assim faziam a pessoa parecer mais magra, mas não foi por isso que comprou a camisa; gostara dela, só isso. Passava quase todo o dinheiro para Veronica.
— Não vá gastar tudo com comida, entendeu? Compre alguma coisa para você — disse ele.

— Sim, mestre — disse Veronica.

❖

O país tinha ficado maluco por futebol. Velhinhas explicando o que era impedimento para outras velhinhas; a garota no caixa do Makro disse a Jimmy que a Romênia não tinha nenhuma esperança já que Lacatus foi suspenso porque já tinha dois cartões amarelos. Era incrível. Bandeiras balançavam em quase todas as janelas de Barrytown. Era bom para o comércio também. Ninguém fazia jantar agora. Metade das mães em Barrytown assistia às partidas de tarde, e depois da prorrogação e dos pênaltis não havia tempo para fazer a comida antes do jogo seguinte. O bairro inteiro estava vivendo de batatas fritas.

— Porra, cara — disse Jimmy. — Se Kelly e Roche se derem bem no Tour de France a gente pode se aposentar no fim de julho.

Levou para casa duzentas e quarenta libras na segunda semana. Queriam comprar um vídeo.

— Tudo voltando ao normal, não é? — disse Jimmy.
— É — concordou Veronica.

Ela ia dizer mais alguma coisa, alguma coisa legal, mas a Alemanha conseguiu um pênalti contra a Tchecoslováquia e ela queria ver o Lothar Matthäus chutá-lo; era o seu favorito, ele e Berti, o italiano. Jimmy gostava de Schillaci; ele parecia com Leslie, os mesmos olhos.

❖

— Ah, meu bom Jesus — disse Jimmy.

Levantou-se do chão. Suas calças fediam, suas costas doíam. Estava limpando o chão do furgão com água e sabão e uma escova há meia hora e o chão ainda parecia da cor errada.

— É uma luta em vão, esta — disse ele a Bimbo.

Bimbo atacava os nacos de sebo e gordura na parede ao redor da chapa quente e da frigideira. Fazia progresso, mas parecia que os nacos de gordura estavam trepando e criando outros, estavam infestando a parede. Bimbo fez uma pausa. O negócio era que, mesmo se passassem o dia inteiro limpando — e foi isso que fizeram na primeira semana — a coisa voltava à sujeira normal no fim da noite.

— Olhe — disse Jimmy. — Aquela sujeira ali...

E apontou para o sebo acima da frigideira.

– É gordura fresca, porque não estava ali ontem, pois estava limpo ali quando comecei o turno à noite. Está me entendendo?

– Estou – disse Bimbo.

– Então – continuou Jimmy. – Não está fazendo mal nenhum. É fresca. Ficará assim por alguns dias. Daí começa a ficar ruim e aí precisamos nos livrar dela, porque é um perigo para a saúde, mas agora não faz porra de mal nenhum.

Bimbo não discordou.

– Então só temos de nos preocupar com o chão antes da gente começar – disse Jimmy. – Porque senão a gente escorrega e podemos nos machucar de verdade se não estiver limpo, mas é só isso e pronto.

Bimbo só queria checar uma coisa primeiro. Abriu a portinhola e saiu do furgão e foi para a frente e olhou para dentro para ver se via a sujeira dali. E não via.

– OK – disse ele. – Agora entendo o que quer dizer.

❖

Bimbo não podia assistir, mas Jimmy podia, sem problema; adorava. Zero-a-zero depois da prorrogação, agora iam para os pênaltis.

– Vamos aos pênaltis – disse Paddy, quando o árbitro deu o apito final.

– Caralho.

– Packie vai salvar pelo menos um, espere só para ver.

– Ele não salvou os nove contra Aberdeen umas semanas atrás, você se lembra?

– Agora é diferente.

– Diferente como?

– Não me amole.

Ficou um silêncio total. O coração de Jimmy estava pulando, mas ele não tirou os olhos da tela, a não ser quando uma mocinha gritou nas suas costas. Ela gritou depois que os romenos acertaram o primeiro pênalti. A mulherada tinha gritado durante toda a partida, mas esta aí se sobressaiu porque, quando a bola passou pelos dedos de Packie, houve uns duzentos gemidos, mas só um grito.

Bertie virou para a garota.

– Você é assim também na cama? – perguntou ele.

O pub inteiro explodiu, na hora em que Kevin Sheedy estava pondo a bola no lugar, como se ele já tivesse feito o gol. Agora, depois disso, não tinha jeito de falhar.

Ele afundou a bola na rede.

– ISSO AÍ!!

– Um-a-um, um-a-um, porra.

Houghton, Townsend, Tony Cascarino.

Quatro nos dois lados.

– Alguém vai desmaiar aqui.

– Que se foda.

Os olhos grudaram na tela para ver Packie se ajeitando no gol pela quinta vez.

– Vamos lá, Packie!

– ONE PACKIE BONNER...

– Cale a boca; espere.

– Ele tem um rosário na mochila, vocês sabiam? – disse um punheteiro.

– Vão pôr o rosário ao redor da garganta dele se ele perder esse – disse Jimmy.

Ninguém riu. Ninguém fez nada.

Packie mergulhou para a esquerda; mergulhou e defendeu a porra da bola.

A tela desapareceu enquanto o pub todo pulava. Tudo o que Jimmy podia ver eram as costas das pessoas e as bandeiras e os dunphies. Olhou para Bimbo e abraçou-o. Assistiram ao pênalti de novo em câmera lenta. A melhor parte foi quando Packie se levantou e pulou no ar. Parecia que ficava no ar por um tempão. Gritaram tudo de novo.

– Shhh! Shhh!

– Shhh!

– Shhh!

Alguém tinha de cobrar o último pênalti para a Irlanda.

– Quem é?

– O'Leary.

– O'Leary?

Jimmy não sabia que O'Leary estava jogando. Devia ter entrado quando Jimmy estava no banheiro.

– Ele será o máximo – disse alguém. – É ele quem cobra todos os pênaltis para o Arsenal.

– Ele cobra uma merda – disse um torcedor do Arsenal. – Nunca cobrou um pênalti na vida.

— Ele vai dar mancada — disse Paddy. — Espere só para ver.
Jimmy quase não podia olhar, mas ficou fixo na tela.
— YEH!
David O'Leary botou a bola na rede como se estivesse jogando com seus filhos na praia.
— SIMMMMM!
Jimmy olhou atento para se certificar de que tinha visto certo. A rede se sacudindo e O'Leary coberto de irlandeses. Queria ver de novo, porém. Talvez eles estivessem apenas enchendo O'Leary de porradas por ter errado. Não, não; ele fez o gol, sim. A Irlanda agora ia para as quartas-de-final e Jimmy começou a chorar.
E não era o único. Bertie também. Eles se abraçaram. Bertie estava um pouco mais gordo. Jimmy se sentiu ainda melhor.
— Que time, hein! Que porra de time bom que...
Não conseguiu terminar; um soluço atrapalhou sua sentença.
— *Si* — disse Bertie.
Mostraram o pênalti de novo em câmera lenta.
— Para a direita; perfeito.
— Uma conversão excelente — disse um filho da puta.
Onde estava Bimbo?
Lá estava ele, se ensopando em lágrimas. Um sorriso enorme, idiota, mas lindo, tinha partido seu rosto ao meio.
— OLÉ. OLÉ OLÉ OLÉ...
OLÉ...
OLÉ...
Jimmy correu e pulou para Bimbo e Bimbo o agarrou.
— UM DAVE O'LEARY...
— OLÉ. OLÉ OLÉ OLÉ...
— SÓ TEM UM DAVE O'LEARY...
Ficaram parados de braços dados olhando para a tela, para o pênalti de O'Leary de novo e de novo e de novo.
— Uma coisa eu digo — falou Larry O'Rourke. — David O'Leary virou homem hoje.
Jimmy amava todo mundo, mas isto era a coisa mais idiota que já ouvira na vida.
— O porra tem trinta e dois anos! — disse ele. — Virou homem uma porra.
— UM DAVE O'LEEEARY...

Abraçou Bimbo de novo e Bertie e Paddy e depois foi até Sharon e abraçou-a também. Ela também estava chorando e os dois riram. Abraçou todas as amigas dela. Todas elas estavam vestidas de verde, com laços, fitas, tudo. Jimmy queria abraçar a melhor amiga de Sharon, Jackie, mas não conseguia alcançá-la. Ela estava rodopiando pelo pub, gritando "Olé Olé Olé", não estava cantando mais, não tinha mais garganta.

Lá estava Mickah Wallace, amigo de Jimmy Jr., parado sozinho com seu cachecol de três cores na cabeça, como uma Virgem Maria irlandesa. Ele deixou Jimmy abraçá-lo.

– Esperei vinte anos por isso, senhor Rabbitte – disse para Jimmy. Ele estava chorando também.

– Vinte anos fodidos.

Engoliu o catarro.

– O primeiro disco que ganhei foi o *Back Home*, o disco da Copa do Mundo da Inglaterra – disse ele. – Em 1970. Lembra-se dele?

– Lembro, sim.

– Só tinha cinco anos. Não comprei o disco – disse Mickah. – Roubei. 25 longos anos.

Jimmy sabia que ele estava contando alguma coisa muito importante, mas não sabia o quê.

– Ainda tem?

– O quê?

– O *Back Home*.

– Não – disse Mickah. – Porra. Vendi. Fiz um menino me comprar.

Jimmy Jr. veio para salvar seu pai.

– Pai!

– Jimmy!

Jimmy estava usando a camisa do Celtic, com uma mancha molhada na frente. Ele mostrou a porta do banheiro.

– É loucura total ali.

Ficaram parados.

– CEAUSESCU ERA UM PUNHETEIRO
CEAUSESCU ERA UM PUNHETEIRO
LA LA LA LA
LA LA LA – LA.

– Foi de matar, não?

– Incrível. Incrível.

Começaram a rir e se abraçaram até os braços doerem. Enxugaram os olhos e riram e se abraçaram de novo.

— Amo você, meu filho — disse Jimmy, quando se separaram.

Agora podia dizer isto, ninguém podia ouvir, só Jimmy Jr., por causa da algazarra e do barulho dos copos quebrando.

— Acho você demais — disse Jimmy.

— Ah, não amole — disse Jimmy Jr. — Packie é quem salvou o pênalti e não eu.

Mas ele gostou do que ouviu, Jimmy podia ver. Jimmy Jr. deu um soco no estômago dele, de brincadeira.

— Você também não é totalmente imprestável, sabe? — disse ele.

Larry O'Rourke subiu numa mesa.

— WHEN BOUHOOD'S FIRE WAS IH–IN MY BLOOD
I DREAMT OF ANCIE–HENT FREEMEN.

— Ah, alguém cala a boca desse imbecil!

Jimmy apontou para Mickah. Jimmy Jr. olhou para ele.

— Vai melhorar daqui a pouco — disse ele. — Este é um momento grande para ele, você sabe.

Bimbo bateu no ombro de Jimmy.

— É melhor a gente ir — disse ele.

Era uma pena.

— OK — disse Jimmy. — O dever nos chama — comentou ele com Jimmy Jr.

— Como vai o negócio?

— Incrível. Bom demais.

— Legal.

— É, legal mesmo. O McDonalds que vá tomar no cu. Tchau. Boa sorte, Mickah.

Mas Mickah não respondeu. Não ouviu nada. Era o único cara com bastante espaço no pub inteiro.

— Até mais.

— Boa sorte.

— A NAAY–SHUN ONCE AGAIN
A NAAY–SHUN ONCE AGAIN.

Bimbo levou Jimmy para o furgão nas costas dele. Havia mulheres e crianças na rua, balançando as bandeiras e jogando os ursinhos de pelúcia no ar. Um carro passou com três caras no teto. Dava para ouvir as buzinadas à distância.

Era o melhor dia da vida de Jimmy. As pessoas que ele serviu naquela noite receberam mais batatas do que tinham pago. E mesmo assim ainda fizeram uma pequena fortuna, venderam tudo. Não tinham nem mesmo uma barra de chocolate para vender. Fecharam às dez, cedinho, e tomaram uma cerveja com calma; a cantoria tinha chegado ao fim. E quando foram para casa Veronica estava na cozinha e preparou ovo frito, bacon e salsicha. Ele chorou de novo contando a ela sobre a partida, sobre o pub e sobre o encontro com Jimmy Jr. E ela o chamou de babaca. Foi o melhor dia da sua vida.

❖

Depois eles perderam para a Itália e foi o fim da festa.

❖

Entraram. Bimbo pôs a chave no contato.
O furgão estava de motor novo.
– Agora vamos.
E pegou de primeira.
– Viva!
Foram para Howth.
– Talvez pudéssemos pôr uma musiquinha – disse Jimmy quando passavam por Sutton. O furgão engasgou no farol, mas agora estava tudo bem, pegando velocidade.
– Como um furgão de vender sorvete.
– Será que o pessoal não ficaria confuso?
– Como assim?
– Bem – disse Bimbo. – Podem sair correndo de casa para comprar sorvete e só teríamos batata frita para vender.
Jimmy pensou um pouco.
– E não tem uma musiquinha para as batatas fritas? – perguntou ele. – Cuidado com aquela puta velha ali. Vai abrir a porta ali mesmo, olhe.
– O que quer dizer? – perguntou Bimbo.
Não deixou Jimmy usar a buzina.
– Você deveria ter arrancado a porta do carro dela e continuar dirigindo – disse Jimmy.
– A música – disse Bimbo.
– É – continuou Jimmy. – *The Teddy Bears' Picnic* é a musiquinha do furgão do sorvete, certo. E não tem uma para vender batata frita?

– Não – disse Bimbo. – Eu... Não, não acho...
– Olhe o cara ali; não deixe ele lhe passar! Ah, porra. Eu é que vou dirigir na volta, certo?

Passaram pelo bairro de Howth e continuaram até o topo para ver como o furgão se comportaria na subida. Viraram antes de chegar no topo. Tiveram de voltar.

– A gente também nunca teria de subir até lá mesmo – disse Jimmy. O furgão descia como louco.

– De jeito nenhum – concordou Bimbo.
– Ninguém come batata frita lá – disse Jimmy.
– Você tem razão – disse Bimbo.

Atropelaram um cachorro em frente à Abbey Tavern, mas não pararam.

– Não se dê o trabalho – disse Jimmy, quando viu que Bimbo ia frear. – A gente manda uma coroa de flores. Ninguém viu a gente.

Bimbo não disse nada até chegarem à rua Harbour. Olhou para trás – não tinham um espelho retrovisor, é claro – mas não havia nada além da traseira do furgão.

Daí ele falou.

– Que raça de cachorro era ele?
– Um Jack Russel.
– Ah, Deus o abençoe.

E Jimmy começou a rir e não conseguiu parar até chegarem ao Green Dolphin em Raheny e então entraram no pub para uma cerveja, porque Bimbo ainda tremia.

– Ele mereceu. Por que tinha de mijar no meio da rua? – disse Jimmy. Pagou as cervejas.

– Posso dirigir pelo resto do caminho? – perguntou.
– Claro que pode – disse Bimbo.
– Obrigado – disse Jimmy, mas não sabia por que agradeceu; o motor era tanto seu quanto de Bimbo. – Legal.

❖

Maggie alugou o ponto em Dollymount, perto da praia, para o verão; ela descobriu que era possível alugar os pontos através da Cooperativa, foi lá e alugou um. Era uma idéia incrível, um ponto sensacional; pertinho da praia, no topo de uma rua de movimento, onde tinha os pontos finais dos ônibus. Não poderia ter escolhido melhor. Havia um vão nas dunas, em dias ensolarados milhares de pessoas passavam por ali no fim do dia, queimados de sol e morrendo de vontade de beber uma Coca-Cola e comer umas batatinhas fritas. O problema era que faltava um dia ensolarado.

– Efeito estufa de merda – disse Jimmy.

Não tiveram nem meio dia que se pudesse chamar de decente.

Subiram no topo de uma das dunas para dar uma espiada e não havia um pecador na ilha inteira, a não ser eles mesmos e uns gorduchos velhos jogando golfe à distância e alguns motoristas aprendendo a dirigir na areia dura e dois rapazes a cavalo. Era inútil. Voltaram ao furgão para fazer alguma comida e foram os únicos fregueses que tiveram o dia inteiro. Era dinheiro jogado fora. Até mesmo no furgão fazia frio.

– Estamos no começo ainda – disse Bimbo. – O tempo vai melhorar, você vai ver.

Ele só estava dizendo aquilo porque Maggie tinha organizado a coisa; Jimmy sabia.

– Este é o pior verão de que se pode lembrar – disse ele.

– E quem disse isto? – queria saber Bimbo.

– Eu – disse Jimmy. – Estou congelando.

– Mas é só julho ainda – disse Bimbo. – Temos agosto e setembro para vir.

Um dos moleques a cavalo apareceu na portinhola, em cima de seu cavalo malhado.

– O senhor tem alguns estragos? – perguntou.

– O quê? – Jimmy não entendeu.

– Estragos.

Jimmy virou-se para Bimbo.

– O que o cara está querendo?

O rapaz explicou.

– Batatas estragadas – disse ele. – Para o meu cavalo.

– Vá se foder – disse Jimmy. – Não tem nada estragado nesse estabelecimento, Tonto sem Zorro.

– Só estava perguntando – disse o rapaz.

Jimmy e Bimbo olharam para o cavalo. Não era um cavalo de verdade, era mais como um pônei; ou um cachorro gigante.

– Quanto custou? – perguntou Jimmy.

– Cem – disse o moleque.

– Só isso?

– O senhor pode ficar com ele por cento e cinqüenta – ofereceu o moleque.

Eles riram.

O moleque acariciou a cabeça do cavalo.

– O senhor ganharia seu dinheiro de volta, sem problema – disse ele. – Mato ele para o senhor, se quiser.

Eles riram de novo.

– Ele gosta de Twix? – perguntou Jimmy ao moleque.

– Gosta, sim – respondeu. – E eu também.

– Tome aqui.

Ele tirou dois Twixes e o moleque se aproximou da portinhola para poder pegar o chocolate.

– Ele também gosta de Coca-Cola – disse ele.

– Então ele pode ir na loja da esquina e comprar uma – disse Jimmy.

O amigo do moleque passou galopando na sua mula e o moleque se preparou para ir atrás dele. Enfiou os Twixes no bolso e se ajeitou no cavalo do jeito que eles fazem nos filmes, só que o moleque não tinha esporas, nem sela.

– O seu caralho não fica esfarelado em cima do cavalo assim? – queria saber Jimmy.

– Não – respondeu. – A gente se acostuma.

– Você talvez – disse Jimmy. – Mas eu não.

– Iaaup! – gritou o moleque, e se foi, pela rua; eles ficaram olhando para o moleque, os pés quase tocando o chão.

E isto foi o evento maior do dia.

– Ele é um moleque bonzinho – comentou Bimbo.

– É – concluiu Jimmy.

❖

Este era o maior problema que tinham: a molecada. Jimmy gostava de crianças, sempre gostou; Bimbo adorava a criançada também, mas, pelo amor de Jesus, estavam mudando de idéia, e rápido. Todo mundo gosta de criança independente. Elas são engraçadas. Não tinha nada mais engraçado do que ouvir um molequinho de três anos dizer "Foda". Mas esse bando não era engraçado, não. Eram uns filhos da puta, uns filhinhos da puta mesmo; e perigosos também.

Tinha um bando que vadiava pelo estacionamento do Hikers, molecada jovem, de quatorze a talvez até uns dezenove anos. Até mesmo em dia de chuva, eles ficavam por lá. Só colocavam o capuz na cabeça. Alguns deles nunca tiravam o capuz da cabeça. Eram pequenos e magricelas mas tinham alguma coisa de perigoso no jeito. Pela maneira de se comportarem, dava para ver que não davam a mínima para nada no mundo. Quando alguém estacionava para ir ao pub, eles iam e começavam a mexer no carro antes mesmo do dono entrar no pub; não ligavam a mínima de serem vistos pelo cara. Jimmy uma vez viu um deles mijando contra a vitrina de uma loja 24 h, em plena luz do dia, sem um pingo de vergonha. Às vezes traziam uma garrafa ou latas de cerveja e passavam entre eles, bebendo na frente de todo mundo que ia e vinha do Crazy Prices, caras que moravam do lado da casa dos pais deles. Era triste. Quando caminhavam, sempre juntos como um bando, sempre tinham o mesmo jeito de caminhar, homens duros, com as cuecas apertadas. Mas isto devia ser natural, achava. O pior de tudo é que não riam. Toda criança passa por uma fase em que faz malandragem, coisas que não deve fazer; fumar, beber, mostrar a bunda para as velhinhas da janela de trás do ônibus. Mas sempre faz isso para se divertir. Este era o objetivo. Era parte do crescimento, Jimmy compreendia isso; sempre compreendeu. Tinha visto seus próprios filhos passarem por isso. E se você tem sorte, sempre fica um pouco disso com você; um pouco da criança dentro do adulto que você se torna. Mas essa molecada era diferente; não fazia nada por divertimento. Pelo menos Jimmy não via assim. Os moleques eram como zumbis. Quando Jimmy os via, principalmente quando chovia, sempre pensava a mesma coisa: vão estar mortos antes de chegar aos vinte. Graças a Deus, graças a Deus, graças a Deus nenhum de seus filhos era assim. Jimmy Jr., Sharon, Darren — não podia ter filhos melhores. Leslie, Leslie tinha sido um pouco assim, mas — não.

Os mortos-vivos, assim Bertie os chamava.

Ele mesmo e Vera tiveram problemas por um tempo com o filho mais novo, Trevor, mas Bertie o tinha posto nos trilhos.

— Como?

— Fácil. Prometi a ele que lhe dava uma motocicleta se ele passasse nos exames finais.

— Só isso?

— *Si* — disse Bertie. — Demais, não é? Estávamos preocupados demais com ele; Vera, então, nem se fala. Ele era — ah, estava ficando alto e nunca se lavava, seus cabelos, sabe como é. Parecia um drogado, sabe.

Jimmy balançou a cabeça.

— E tudo o que fazia o dia inteiro era ouvir a merda de rock pauleira. Megadeath era um deles, e Anthrax. Cuspo neles. Aí eu falei para Vera não se preocupar e tentei conversar com ele, sabe como é...

Ele levantou os olhos.
— Homem para homem. Uma merda. Eu mesmo não estava assim tão preocupado, mas ele era muito jovem para essas coisas, foi o que pensei.
— E aí você prometeu uma motocicleta para ele.
— *Si*. E agora ele quer ficar na escola e fazer os exames. O primeiro na família. É como o pai — disse Bertie. — Um sacana mercenário.
Eles riram.
— Ele vai longe — disse Bimbo.
— Com certeza— disse Bertie. — Com o Trevor não há limites.
— Leslie passou nos exames também — disse Jimmy.
— É verdade.
— Notas boas — disse Jimmy. — De verdade.
Bem, os mortos-vivos davam a Jimmy e Bimbo um tormento dos diabos. Era como naquele filme, *Trovão das Ruas*, e o furgão era o Pavilhão 13. Não era tão ruim como no filme, mas era a mesma coisa, Jimmy e Bimbo não podiam relaxar. Os mortos-vivos sacudiam o furgão, três ou quatro deles de cada lado. O óleo derramava da frigideira, as coisas caíam no chão, a caneca de plástico embaixo do buraco na chapa quente virava e a gordura se espalhava em cima das barras de chocolate. Era difícil sair do furgão quando estava sacudindo assim e dava um medo do caralho. Não havia muito peso no furgão; eles poderiam virá-lo sem problema. A segunda vez que fizeram isso, Jimmy pegou um deles e deu-lhe uma surra das boas, ali mesmo contra a parede do furgão, deu porrada em tudo quanto era canto de seu corpo. Achava que estava lhe dando uma lição, mas quando acabou o porrinha simplesmente cuspiu na cara de Jimmy. E depois se juntou aos outros. Não davam a mínima em serem flagrados. Não disseram nada, ou gritaram; só ficaram olhando para ele por baixo do capuz. Ele não estava com raiva quando voltou para dentro do furgão, estava com medo; não de que eles fizessem aquilo de novo, não era isso — mas porque não tinha nada que pudesse detê-los. E, Deus do céu, eram apenas crianças. Por que não riram ou chamaram Jimmy de gordo fodido ou qualquer coisa assim?
Eles acendiam fogo embaixo do furgão; roubavam as barras de ferro que suportavam a portinhola; cortavam as mangueiras do gás; tiravam os tijolos debaixo das rodas.
Jimmy estava olhando pela portinhola, vendo as casas passarem, quando se lembrou de que as casas não deveriam estar indo a lugar nenhum. A porra do furgão é que estava se movendo! Isso foi antes de botarem

um motor. Ele mesmo e Bimbo pularam pela porta de trás, mas Sharon não conseguiu pular. O furgão não bateu em nada, não era uma subida de verdade. Ele apenas parou. Os mortos-vivos tinham tirado os tijolos de trás das rodas, foi isto que aconteceu. É engraçado agora, mas na hora não foi.

Jimmy conhecia todos, isto é que era o pior. A última vez que atravessou a Ponte O'Connel ele viu um menino, um molequinho de nada, agachado contra o granito, sozinho, com um saco de plástico na cabeça. Estava cheirando cola. Era terrível – como os pais deixavam ele fazer aquilo? –, mas pelo menos não conhecia o moleque. Era como quando ele ficou sabendo que o bebê da irmã da cunhada de Veronica tinha sido achado morto no berço quando eles acordaram de manhã; era muito triste, mas ele não conhecia as pessoas, por isso era como se fosse qualquer bebê que tivesse morrido, apenas muito triste. Mas ele sabia o nome de todos os meninos. O filho de Larry O'Rourke, por exemplo, Laurence, era um deles. Isso o deixava deprimido, muito deprimido. Graças a Deus Leslie tinha ido embora e estava trabalhando em algum lugar.

A molecada normal, os meninos mais normais, estavam sempre fazendo coisa que não deviam ao redor do furgão também. Mas pelo menos dava para vê-los rindo, mesmo que não os deixassem em paz. Um deles – Jimmy não sabia quem era, mas gostava dele – disse para Bimbo lhe dar cinco libras ou ele ia fingir que vomitava em frente do furgão cada vez que alguém chegasse perto. E fez. Tinha uma mulher se aproximando, ainda incerta do que queria, e o tal do moleque se agachou e fez barulho e tinha alguma coisa na boca, que deixou cair na rua, batatinhas amassadas ou alguma coisa assim. E isso fez com que a mulher nem chegasse perto do furgão. Jimmy correu atrás dele com uma das barras de ferro, mas não estava interessado em pegá-lo. Os moleques comuns roubavam as barras de ferro da portinhola, mexiam com o gás e sacudiam o furgão também, mas era diferente. Quando davam no pé, quase não conseguiam correr de tanto que riam. Jimmy e Bimbo quase gostavam disso. Essa molecada também paquerava Sharon e vinha só para vê-la. Teria sido bom para o comércio, só que a maioria nunca tinha porra nenhuma de grana. Algumas vezes, especialmente nas sextas-feiras, estavam bêbados. Ele não gostava disso. Ficavam cambaleando pelos cantos, empurrando um ao outro na rua. Eram muito jovens para isto. Compravam sidra em lata na loja 24h duas estações adiante no trem; Darren contou a ele. Jimmy ia ligar para a polícia para denunciar a loja, mas nunca se deu ao trabalho de fazer isso.

Uma noite, a molecada foi muito longe. Eles começaram a jogar pedras no furgão; para valer. Bimbo, Jimmy e Sharon levaram um susto da porra quando ouviram a primeira pedrada, até adivinhar o que estava acontecendo. Estavam jogando as pedras para acertar a chapa quente. Quando viu as marcas que as pedras faziam na chapa, marcas enormes, como bolhas, Jimmy quase explodiu. Isso era dano real que estavam fazendo. Pegou uma das barras de ferro e deu um berro no topo de seus pulmões quando pulou para fora do furgão. Não iam jogar pedras nele, disto ele sabia; era só por causa do barulho que estavam fazendo aquilo. Por isso ele sabia que não estava pulando para a morte certa, mas ainda assim sentiu uma pontinha de orgulho quando pôs os pés no chão e viu o olhar de terror no rosto deles. Daí foi atrás deles. Deram no pé, mas Jimmy continuou na cola. Um chute na bunda ia dar-lhes uma lição. Não eram como os mortos-vivos. Eram cinco deles e quando viraram e chegaram no Green, havia mais, uma mistura de meninos e garotas, meninos mais novos defendendo os irmãos mais velhos. Jimmy não estava mais com raiva. Ia continuar até chegar no meio do Green, talvez pegar um dos menores ou uma das namoradas e levá-los como refém. Estava chegando perto de um dos menores que estava segurando as calças do agasalho para não cair. Jimmy podia ouvir a respiração dele. Ele mesmo só tinha ar suficiente para agarrá-lo, e daí era o fim.

Foi então que as viu.

Parou e quase caiu.

As gêmeas. Quase não viu Linda, mas era Tracy com certeza, quase caindo numa ruazinha perto da clínica. Segurando na camisa de um dos rapazes para ficar de pé. E aí ela sumiu, mas ele tinha visto o suficiente.

As putinhas traiçoeiras. Espere até ele contar a Sharon.

Virou-se para voltar ao furgão. Achou a barra de ferro onde a tinha deixado cair.

Suas próprias filhas, mandando moleques jogar pedras no seu pai. Com o corte de cabelo que ele tinha pago no último sábado.

Ia escalpelar as filhas de uma mãe.

❖

— Você não tem prova — disse Linda.
— Vi vocês — disse Jimmy, de novo.
— Não tem testemunhas.
— Mas vi vocês.

— Bom, não era eu – disse Tracy.
— Nem eu – disse Linda.
— Eram vocês, sim – disse Jimmy. – E se eu escutar mais um pio de suas bocas mentirosas, vou arrancar os cabelos de suas cabeças. E uma outra coisa: se desaparecerem antes de deixar este lugar brilhando – brilhando, certo – vão ficar de castigo.
E saiu do furgão.
— O chão e as paredes, certo. E se fizerem um trabalho bem feito, pode até ser que deixe o teto pra lá.
Olhou para elas.
— Isto é para vocês aprenderem a não andar com gângsteres.
Linda cruzou os braços e olhou nos olhos dele.
— Não gastei uma fortuna com o corte de cabelo de vocês só para saírem por aí dando bola para a molecada de esquina.
Adorava ver as gêmeas com raiva; eram demais.
— A próxima vez que estiverem procurando um namorado, vão para o lado das casas ricas e achem um rapaz decente e bom para vocês.
— Escute só o que ele diz – ouviu Linda dizer a Tracy.
— Está por fora – disse Tracy.
— Certo – disse Jimmy. – Chega de conversa. Quanto mais cedo vocês começarem, mais cedo vão acabar. E cuidado para não sujar as suas calças boca-de-sino.
— Não são boca-de-sino, certo? São *baggies*.
Ele fechou a porta atrás delas.
Iam fazer um trabalho de merda, ele sabia disto. Mas mereciam; isso ia fazê-las pensar um pouco, isso e a surra que Sharon deu nelas ontem à noite. Veronica teve de ir até o quarto para apartá-las.
Colou o ouvido na porta. Segurou a maçaneta. Não ouviu nada. Abriu a porta rápido.
Linda estava limpando as paredes, sem muito entusiasmo. Tracy estava esfregando um pano no chão com seu pé.
— Façam uma coisa bem feita!
— Eu estou!
— COM GOSTO!
— Jesus! Não precisa gritar desse jeito.
— Vou...
— Podemos ir buscar o rádio? – pediu Linda.
— Não!

— Ah, Deus do céu...
Jimmy fechou a porta.

❖

O tempo continuou uma merda quase julho inteiro. Mas não tinha problema; o ponto em Dollymount fora um investimento de longo prazo, explicou Maggie. Eles relaxaram um pouco; só abriam o furgão à noite, a não ser nas sextas, na hora do jantar, quando ofereciam os especiais de £1. Ainda tinham tempo para o jogo de golfe de vez em quando, e a falta de prática não comprometera muito o nível do jogo deles. Jimmy sempre ganhava.

Faziam o comércio ao redor de Barrytown, mas ficavam de olho nos jornais para ver se tinha algum evento interessante para o negócio. Maggie passava a limpo o *Independent* de manhã e o *Herald* mais tarde para ver se achava algum concerto grande, ou alguma partida de futebol. Iam trazer o furgão o mais perto possível de Croke Park para a *Leinster Final* entre Dublim e Meath. Tinham de chegar lá antes do início do jogo, porque todos os torcedores do Meath iam vir do interior sem ter jantado. E assim, aquele domingo estava marcado a lápis; Maggie foi quem preparou a tabela. Também havia o *Horse Show*, mas eles não se importavam com ele; os participantes desses shows não comiam batata frita.

— Eles comem a porra do caviar e este tipo de merda — disse Jimmy.
— E tetraz e faisão — acrescentou Bimbo.
— Isso mesmo — disse Jimmy. — A gente ia ficar o dia inteiro tentando fazer a massa mole grudar no faisão.

Havia vários concertos importantes chegando também.

— Darren me contou que eles se chamam gigs — disse Jimmy a Bimbo e Maggie.

Maggie segurou a caneta em cima da tabela.

— Que tal este aqui no sábado? — perguntou.
— Quem são eles? — perguntou Bimbo.
— The The — disse Maggie.
— É esse o nome mesmo? — disse Bimbo. — The The, só isso?
— É o que está escrito aqui — confirmou Maggie.

Estava com o *Herald* aberto na mesa da cozinha.

— Então?
— Darren diz que eles são muito bons — disse Jimmy. — Diz também que são importantes.

— Vai ter muita gente lá?
— Isso ele não sabe. Acha que sim, mas não tem certeza.
— Então...
— Acho que a gente deve tentar, só para ver — disse Jimmy.
— É, mas...
Maggie interrompeu Bimbo.
— A gente vai decepcionar os regulares.
— É, também tem isso a se considerar — disse Bimbo. — É verdade.
— O que quer dizer? — queria saber Jimmy.
— É num sábado à noite — disse Maggie. — A gente sempre faz uma grana em frente ao Hikers nos sábados à noite.

O que ela queria dizer com a gente? Nunca botou os pés dentro do furgão na sua...

— Entendo o que quer dizer — disse Jimmy. — Mas pode ser que haja uma multidão neste concerto.
— É arriscado, não é? — disse Bimbo.
— Bom — disse Maggie — Fica por conta de vocês...

Jimmy não queria um argumento; e de qualquer jeito eles até que poderiam ter razão. Decidiram então só fazer os concertos de meio de semana e deixar o fim-de-semana para o mercado da hora de fechamento dos pubs.

— Tem um festival em Thurles — disse Maggie.
— E pode continuar lá — disse Jimmy.

Por essa, ia brigar; ninguém ia fazê-lo dirigir até Tipperary só para vender umas míseras batatas fritas. Mas estava tudo em cima; Bimbo quase caiu da cadeira quando Maggie mencionou Thurles.

— Ah, não — disse Bimbo.
— Só uma idéia — disse Maggie.
— A gente fica por Dublin, e só — disse Bimbo. — Não é, Jimmy?
— Definitivamente.

Jimmy se sentiu bem depois disso. Tinha começado a achar que Bimbo e Maggie ensaiavam essas reuniões.

❖

Sharon começara a namorar um sujeito chamado Barry, um cara legal — trabalhava com seguros; ela já tinha brigado e separado duas vezes e ele, uma, mas agora estavam juntos de novo e perdidamente apaixonados, a julgar pelo tamanho das chupadas que Jimmy tinha visto no pescoço de Barry a última vez que esteve em casa. Por isso, Sharon não estava mais a fim de trabalhar à noite. Tentaram tocar a coisa algumas noites sem ela, só os dois, mas não tinha sido moleza. Por isso Jimmy disse que ia recrutar Darren – antes de Maggie sair com uma de suas idéias brilhantes. Darren já tinha o emprego no Hikers, mas era só por duas noites por semana, por isso Jimmy achou que ele ia ficar feliz da vida com a chance de fazer umas libras extras. Mas...

– Sou vegetariano – Darren contou.
– O quê?
Darren deu de ombros.
– Você também? – exclamou Jimmy. – Jesus! Mas espere aí...
Tinha observado Darren comer seu almoço e seu jantar desde bebê.
– Desde quando?
– Oh, terça-feira.
– Ah, agora...
– Estive pensando sobre isto por muito tempo e só agora decidi, eh...
– OK – disse Jimmy. – OK.
Ele levantou as mãos.
– Boa sorte para você. E vegetarianos comem peixe?
– Sim, alguns comem.
– E você?
– Sim.
– Então está resolvido – disse Jimmy. – Você pode fazer o peixe e Bimbo e eu tomamos conta do resto. O que você diz?
Darren era um vegetariano sem grana.
– OK – disse ele. – É, OK.
– Ótimo – disse Jimmy.
Selaram com um aperto de mãos. Era demais. Seria incrível ter Darren trabalhando ao seu lado, bom para cacete.
– E que tal os hamburgers? – perguntou Jimmy.
Darren ficou irritado.
– Quase não tem um traço de carne neles – assegurou Jimmy.
– Não.
– Está bem – disse Jimmy.
Gostou do jeito que Darren disse não.
– Só estava jogando verde para colher maduro – disse ele. – E como está Miranda?

– OK – disse Darren.
– Ótimo – disse Jimmy. – Ela é uma garota linda.
Darren queria escapar, mas seu pai disse que queria ouvir uma resposta.
– Obrigado – disse ele. – É, ela está legal. Alguém atropelou o cachorro dela umas semanas atrás, e ela ficou um pouco..., mas agora está tudo bem.
– Onde foi que aconteceu? – perguntou Jimmy.
– Howth.
– Um Jack Russel?
– Eh, é. Como é que você sabe?
– Não sabia – disse Jimmy. – É só que parece que todos os cachorros que a gente vê mortos na rua parecem ser Jack Russels. Você já notou isso?
– Não.
– Fique de olho e vai ver o que estou dizendo.

❖

O tempo melhorou. Houve uns dias bons, de sol, dias seguidos, e de repente todo mundo andava por aí meio queimado.
– Os Thunderbirds estão a caminho – disse Jimmy.
Chegaram em Dollymount às três e meia. Sharon estava com eles. Tinha um Mister Whippy no ponto deles. Bimbo tinha uma fotocópia da licença da Cooperativa no seu bolso de trás. Jimmy pegou-a e foi resolver com o Mister Whippy. Entrou na fila, com Sharon. Bimbo ficou no furgão. Um moleque na sua frente pegou o sorvete e correu de volta para a praia, para chegar lá antes do sorvete derreter. Agora era a vez de Jimmy.
– Sim? – disse Mister Whippy. Jimmy olhou para ele.
– O que você quer? – perguntou Mister Whippy.
– Justiça – disse Jimmy.
E mostrou a licença e balançou-a no ar.
– Dê uma olhada aqui – ele pediu.
Mister Whippy, um rapaz cheio de espinhas na cara, parecia com medo.
– O que é isso? – perguntou.
– Não sabe ler? – disse Jimmy.
– É uma licença – disse Sharon.
– Isso mesmo – disse Jimmy. – Minha assistente maravilhosa, Sharon, está correta nesse ponto.
O jovem Mister Whippy ainda estava perdido, mas fez pose.

— E daí? — disse ele.
— Daí que você tem de cair fora daqui.
Pegou a licença.
— É nosso — disse. — Pagamos pelo ponto bem aqui, onde você está. Nós pagamos, você, não. Não tem o direito de estar aqui, por isso dá no pé; vamos.
Mister Whippy não decidia o que fazer.
— Vamos — disse Jimmy. — Pode acampar do outro lado do cruzamento.
— Mas ninguém vai me ver lá.
— Bom, então, a gente fala para os fregueses que você está lá — disse Jimmy. — Não falamos?
— Falamos — disse Sharon.
— E de qualquer jeito — continuou Jimmy — pode tocar sua musiquinha e eles vão te ouvir.
Mister Whippy ainda não parecia decidido.
— Ouça aqui, meu rapaz — ameaçou Jimmy. — Retire-se daqui antes que a gente quebre o seu furgão.
Deu um passo para o lado e gritou.
— Ligue o motor, Bimbo!
Bimbo virou a chave e Mister Whippy sentou-se na direção e dirigiu para o outro lado do cruzamento, longe das dunas.
— Tchau — disse Sharon, e acenou para ele.
Bimbo trouxe o furgão para o ponto.
Mister Whippy botou a musiquinha do sorvete.
— Estão tocando a nossa canção — disse Jimmy a Bimbo.
Durante uma semana o tempo ficou assim, quente e gostoso, sem um sinal de nuvem. Chegavam em Dollier às três e meia e ficavam até às seis e meia e depois iam para casa com um monte de novas moedas de uma libra tilitando na caixa de dinheiro. Era moleza; não ficava cheio até as cinco. Sharon ia para a praia e se bronzeava e Jimmy e Bimbo relaxavam perto do furgão espiando o mundo passar. Então chegava a hora do pessoal debandar e eles voltavam à fornalha. A multidão subia pelas dunas e o cheiro atacava, e ninguém conseguia resistir ao cheiro de batata frita.

A única coisa ruim era ficar olhando para os rostos descascados encarando você do lado de fora do furgão. Narizes, braços, testas; era repugnante. As garotas vermelhas dos pés à cabeça, com pernas trêmulas, pegavam a comida e pagavam e se viravam para ir embora, as costas e o resto branco como neve. Sharon não era assim; era mais sensata. Ela se bronzeava de frente, nas costas e dos lados também.

— Como um hamburger bem passado — disse Jimmy a ela.
— Que coisa!
— Estou elogiando, estou elogiando.
— Que tipo de elogio é esse?!

A outra coisa ruim sobre o comércio da praia era a areia. Entrava em tudo. Até mesmo quando não tinha vento, eles achavam uma camada de areia no balcão, ou nas prateleiras, grãos flutuando em cima do óleo de fritura, antes mesmo deles ligarem o gás; em todo lugar. Jimmy assou um hamburger para ele mesmo e quando o mordeu, antes mesmo dos dentes se encontrarem, sentiu a areia no pão. Mastigou com muito cuidado. Quando chegavam com o furgão na casa de Bimbo, tinham de pegar panos molhados e passar por cima de tudo, para tirar a areia, mas nunca limpavam tudo. Jimmy sempre tomava um banho antes de sair de novo para o turno da noite e seu cu tinha tanta areia acumulada que podiam construir um prédio de apartamentos com ela. Não conseguia entender, porque nunca ia até a praia, a não ser uma ou duas vezes para ver se havia alguma coisa interessante para ver; e nunca havia nada, quase nunca. Ficava com os olhos no chão até alcançar a praia e então levantava-os e olhava ao redor, esperançoso, e tudo o que via eram bagulhos queimados queimando-se ainda mais. E a linha branca onde a alça do sutiã deixava uma marca. Dollier por certo não era um ponto de veraneio como alguma ilha grega ou um lugar que ele tinha visto num vídeo pornô que Bertie lhe emprestara alguns anos atrás; porra, a mulherada daquele lugar! Saindo da piscina com uma teta apertadinha contra a outra; inclinando-se podia se ver a água escorrendo dos pêlos da buceta. Não tinha mulher assim em Dollymount. A maioria eram mães com seus filhos. Mesmo assim, era bom para o negócio. Não tinha nada melhor do que uma criança berrando para abrir a carteira de uma mãe. Não conseguia ver as boazudas daquele vídeo ficando doidas por batatas fritas; e, se quisessem, não iam querer pagar nada por elas.

❖

Estava lotado de gente, escurecendo; os mortos-vivos estavam por ali em algum lugar. Bimbo teve de correr para casa para cagar, por isso Jimmy estava sozinho no balcão pegando os pedidos, com três hamburgers assando na chapa, e pediu a Darren para virá-los para ele, mas Darren não virava.

— Não estou pedindo para comê-los — disse Jimmy, tentando não parecer irritado na frente dos fregueses. — Só pedi para virá-los, porra.

Darren não disse nada, mas também não fez nada.

— Darren? — chamou Jimmy.

Mas Darren apenas começou a encher os saquinhos com batatas fritas.

— Foda-se — disse Jimmy, e voltou para a chapa quente e apanhou o pegador do chão.

Os hamburgers estavam grudados na chapa; tinham se tornado parte da chapa.

— Olhe só o que você aprontou — disse Jimmy.

Darren não disse nada.

Um dos fregueses falou pela portinhola.

— Se este hamburger aí é o meu, não vou querer não — avisou a Jimmy.

Jimmy estava de saco cheio.

— Certo — exclamou. — Vá se foder, então. E vá comprar seus hamburgers noutro lugar. Alguém mais quer reclamar?

Mas Bimbo voltou e tomou seu posto no balcão. E com Bimbo atrapalhando a visão dos fregueses, Jimmy pôde tirar os hamburgers da chapa e pôr dentro do pão sem causar muito dano. Antes de pô-los no pão, mergulhou-os no óleo da frigideira para amaciá-los um pouco e depois os encurralou entre o pão cortado antes que esfarelassem ou pingassem.

— É isso aí — disse ele. — Sem ajuda mesmo.

Darren não disse nada.

Os dunphies também não tinham nada a ver com Darren e eram fritados na frigideira junto com o peixe, por isso Darren se afastava para dar lugar a Jimmy ou Bimbo enquanto eles pescavam os dunphies. Era idiotice. Mesmo assim, tinham de respeitar a escolha de Darren. Jimmy disse isso para Maggie depois que Bimbo lhe contou sobre Darren e seu vegetarianismo.

— Pelo menos ele tem coragem de mostrar sua convicção — concluiu Jimmy.

Não tinha certeza do significado, mas isso fez Maggie se calar. Não é que ela estivesse reclamando; só achou engraçado que alguém chamado Rabbitte fosse vegetariano. Jimmy não achava nada engraçado naquilo.

Uma vez Darren saiu da linha — totalmente, mas só uma vez; foi quando reclamou dos dunphies sendo fritos no mesmo óleo do peixe.

— O quê?

— Parte da carne fica no óleo.

— E daí?

— E passa para o peixe.

— Passa uma merda. Nada pode passar pela massa mole. Foi Bimbo quem fez.

Darren riu, mas ficou a noite inteira falando sobre a contaminação do óleo e fazia cara feia toda vez que Jimmy botava um dunphy dentro da frigideira; Jimmy já estava ficando de saco cheio.

Ninguém pediu um dunphy; mas pôs uma para fritar só para irritar Darren; ele merecia.

— Licença, Darren, preciso mergulhar isso aqui no óleo sagrado.

E abençoou o dunphy ao vê-lo afundar no óleo e voltar à superfície entre duas postas de bacalhau.

— É melhor tomar cuidado para eles não se tocarem — disse Jimmy. — Não queremos que alguns farelos de peixe contaminem o dunphy. Pode envenenar alguém.

Darren tentou pela última vez explicar o que era osmose para Jimmy. Estava no meio da explicação quando Jimmy se virou para ele.

— Guarde o seu sermão para outro e faça a porra de seu trabalho.

Jogou um dunphy na frigideira fazendo com que o óleo espirrasse na direção de Darren. O óleo atingiu o braço de Darren. Ele não disse nada, mas saiu do furgão.

Os ouvidos de Jimmy zuniam enquanto ele esperava que Darren voltasse. Rezou para Darren voltar, mas não foi até a porta para ver; nem mesmo olhava para a porta.

Sentiu Darren passando por ele, quando entrou e foi para o lado da frigideira.

— Desculpe — disse ele.

Ele olhou para Darren. Darren parecia normal.

— OK? — disse Jimmy.

— OK.

— Ótimo. Desculpe.

❖

Estavam prontos para ir. Devia ser o dia mais quente até agora, achava Jimmy. Só estava esperando por Sharon.

— Onde ela se enfiou? — queria saber Jimmy. — Minha nossa, essa agora.

Estava com Gina, no carrinho.

— Mamãe não pode ficar com ela — disse, sem dar tempo de Jimmy perguntar. — E as gêmeas não querem.
— Não pode trazer a menina...
— Ajude aqui — pediu Sharon.
Deu a volta no furgão e abriu a porta de trás. E entrou no furgão.
— Jesus Cristo!
Sentiu o calor lá dentro.
Jimmy pegou o carrinho com Gina e passou-o para Sharon.
— É perigoso — disse ele.
Gina olhou ao redor. Gostou do que viu. Tentou se libertar. Sharon sentou-se no balcão e pôs o carrinho entre as pernas.
— Não sei — disse Jimmy.
Fechou a porta.
Bimbo dirigiu com cuidado. Um velho de muletas teria ido mais rápido.
— Vai estar escuro quando a gente chegar lá se continuarmos nessa porra de velocidade — disse Jimmy.
— Não quero ser responsável por um acidente — disse Bimbo. — Especialmente com a neném lá atrás.
Mas chegaram. Jimmy sentou Gina no balcão e deu uma barra de chocolate para mantê-la quieta e Sharon desarmou o carrinho e pôs no banco da frente. Não era tão ruim assim. Bimbo mostrou a Gina como se fazia a massa e pegou-a nos braços e deixou que ela mergulhasse uma posta de bacalhau na massa pronta. Isto foi um erro, porque agora ela queria pôr de tudo dentro da massa, incluindo ela mesma. Mas era legal tê-la no furgão; era excitante, como se estivessem fazendo um show para ela. Bimbo voltou a sentá-la na prateleira, longe do perigo, e Jimmy lhe deu mais um pedaço de chocolate.
Mas ela quase caiu dentro da frigideira. Engatinhou para perto e se inclinou para olhar as bolhas e a fumaça, e quando Jimmy a viu, voou e pegou-a em tempo. Ele não a salvou de verdade, pois ela não estava caindo, mas ele disse para Sharon que estava. A coitadinha estava molhada de suor, por isso Jimmy a pôs no balcão para refrescá-la. Ela jogou o sal e a pimenta e um monte de saquinhos no chão da rua. Um bando de garotas a viu e se aproximou para ver e brincar com ela, mas não compraram nada. Claro.
— Dá para apanhar o sal e a pimenta para mim, por favor — pediu ele.
— Apanhe você mesmo — disse uma delas.

E continuaram caminhando, dando risadas.

– Espero que vocês peguem câncer de pele! – gritou Jimmy para elas.

– Deus do céu, pai!
– Putas.
– Puts! – repetiu Gina.
– Isso mesmo, menina – disse Jimmy.

Não podiam ficar com ela no balcão, porque atrapalhava e podia muito bem cair, por isso Jimmy foi até as dunas e pegou um pedaço de pau. Voltou para o furgão e limpou-o bem, usando quase uma garrafa inteira de água. Era do tamanho certo para ser colocado em cima do balde de batatas e formar um banquinho para Gina, longe do perigo. Ela reclamou um pouquinho; a madeira estava molhada. Bimbo colocou um pano embaixo dela.

O serviço era mais fácil do que à noite na hora do fechamento dos pubs, porque não era uma multidão de uma só vez. Era um fluxo bom, regular, de fregueses. Jimmy gostava assim. Era um jeito bom de começar o batente.

– O senhor tem hamburger na pimenta?
– Está no cardápio – disse Jimmy, mas não de um jeito bravo.
– Ah, é – disse o menino. – E quanto custa?

Jimmy mostrou o preço na tabela.

– Ali, olhe.
– Ah, sim.

O moleque era meio devagar da cabeça, dava para ver, do jeito que a boca ficava aberta.

– Quer batata frita também? – perguntou Jimmy.
– Sim.
– Você tem grana para pagar?
– Minha mãe está vindo – disse o moleque.
– Certo – disse Jimmy. – Acha que ela também vai querer alguma coisa?
– O quê?
– Ela vai demorar?
– Está vindo.
– Certo – disse Jimmy.

Coitado; atenderia o menino mesmo se a mãe não aparecesse. Voltou-se para pegar o hamburger na pimenta.

– Porra...

– O quê?
– Não pode fazer isto aqui dentro!
Sharon estava trocando a fralda de Gina.

Jesus Cristo!, se um inspetor de saúde estivesse passando por ali e visse a bundinha da neném apontando para ele, estariam fodidos para valer. Ou o Mister Whippy do outro lado do cruzamento, se visse o que Sharon estava fazendo, ia direto para a delegacia de polícia de Raheny e entregava a gente e tocaria o Teddy Bear's Picnic até não querer mais.

Num segundo, Jimmy fechou a portinhola.

– Espere um pouquinho aí – disse ele ao garoto que estava esperando lá fora.

– Depressa! – disse ele. – Depressa. E cuidado para não derrubar nada nas batatas.

Sharon riu. Bimbo fazia a massa mole. Não estava escuro de verdade, dava para ver tudo. Era gostoso assim.

– Já terminou? – perguntou Jimmy.
– Quase.

Sharon pôs a fralda suja num saquinho de plástico e enfiou o saquinho dentro de sua bolsa.

– Tenho pena do coitado do filho da puta que roubar sua bolsa – disse Jimmy.

Eles riram, e Jimmy abriu a portinhola. O garoto ainda estava lá.

– Ainda está aí – disse Jimmy.
– Minha mãe está vindo – disse o garoto.

Jimmy deslizou o hamburger na pimenta no óleo de fritura.

– Agora.

Pôs umas batatas fritas no saquinho, das grandes, e passou o saquinho para o menino.

– Experimente enquanto espera – disse ele.
– Quero um desse e um daquele, por favor.

Jimmy se virou para ver quem tinha dito aquilo. Era um homem da sua idade, com uma camiseta do *Havaí 5-0* e um penteado de Bobby Charlton. Bimbo afundou o bacalhau na frigideira.

– Mais um dia bonito – comentou Jimmy.
– Estamos sendo abençoados – disse o homem.
– Como está a água hoje? – perguntou Jimmy.
– Um horror – disse o homem. – Suja demais, isso sim. Não aconselharia o meu pior inimigo a nadar nela.

– Eu faria – disse Jimmy. – Quase pronto agora.
– Não tem pressa.
Sharon entregou o hamburger na pimenta e as batatas fritas ao garoto. Ele não pegou.
– Minha mãe está vindo – disse ele.
– Está certo – disse Jimmy – Pode pegar. Sua mãe nos paga quando chegar, não tem problema.
Gina começou a cantar.
– OLÉ. OLÉ OLÉ OLÉ...
Eles a acompanharam.
Jimmy pegou o bacalhau da frigideira, sacudiu o óleo e pôs num saco apropriado e depois colocou em outro, marrom; uma posta daquelas grandes. Sharon lhe entregou o saco com batatas fritas e ele pôs dentro do outro junto com o bacalhau.
– OLÉ. OLÉ OLÉ OLÉ... Vai tudo? – perguntou ao homem.
Segurou o sal em cima do saco.
– Manda ver – disse o homem.
– Muito bem – disse Jimmy. – Diga quando estiver bom.
O homem pegou o saco. Ele tirou duas moedas de uma libra e estendeu-as para Jimmy, mas quando Jimmy ia pegar, ele retirou a mão.
– Minha mãe está vindo – disse ele.
Riram e ele passou o dinheiro. Jimmy lhe deu o troco e pronto.
– Boa sorte – falou Jimmy. – E bom apetite.
– Tchau – disse o homem.
Jimmy viu o homem tentando comer as batatas e pedalar a bicicleta ao mesmo tempo. Agora tinha uma mulher em frente à portinhola, tentando fazer um bando de crianças decidir o que queriam.
– Milkshake! – disse uma delas.
Estavam se agarrando a ela; era difícil contar quantas eram; seis, e mais uma a caminho, Jimmy notou, agora que olhou bem para elas.
– Aqui não é McDonalds – disse ela ao menino que pediu milkshake.
– E o que é? – perguntou ele.
– É um caminhão! – disse a sua irmã, e lhe deu um tapa na boca e correu.
– Venha ver – disse ele a Sharon.
– Seis simples – disse a mulher, quando conseguiu chegar ao balcão. – Não; sete. Para mim também.
– Não quero batata frita – disse um dos garotos.

— Vai ter de querer, pois é só o que tem! — disse a mulher. — E você nem é um dos meus, por isso tem mais é que agradecer.

A mulher olhou para Sharon.

— Os meus são só três — disse ela.

E foi tudo.

Ela dava a entender que se a deixassem deitar embaixo do furgão, cairia no sono na hora, e talvez não acordasse mais.

— Nunca mais — disse ela.

— Eles são lindos — disse Sharon.

— São uns monstros — disse a mulher. — Cada um desses pestinhas.

Parecia que ela se sentiu melhor depois de dizer isto e se endireitou. Alisou a enorme barriga.

— Este vai ser o último — disse. — Depois desse, ele pode enfiar numa garrafa de leite, se quiser.

Sharon ficou chocada. Nunca tinha visto a mulher na vida.

Daí, um grito; um deles estava derramando um balde de água, caranguejos e pedras dentro do calção do outro, o menorzinho. A mulher massageou a barriga novamente.

— Com um pouco de sorte este será surdo e mudo.

Não sorriu: disse para valer.

— Certo! — gritou Jimmy. — Façam fila para receber as batatas!

— Eu!!

— Sua mãe primeiro! — disse Jimmy — Para trás.

— Ela é sempre a primeira!

— Para trás!

— Não é justo...

— Entre na fila — disse Jimmy. — Ou vou derrubar sua batata frita na areia.

Levantou o saquinho no ar, pronto para jogá-lo.

— Uma fila reta. Sal e vinagre, dona?

— Um monte.

E foi aí que Bobby Charlton voltou. Jogou a bicicleta contra a parede do furgão.

— Venha cá...!!

Jimmy derrubou o sal.

— Merda!

A mulher gritou.

— Venha cá! — gritou o homem de novo.

A bicicleta escorregou para o chão e ele tentou pegá-la, mas sua perna ficou do lado errado do guidão e ele só tinha uma mão livre, porque a outra estava segurando o saquinho com as batatas fritas. Desistiu de levantar a bicicleta e pulou, quase caiu. Segurou-se na parede do furgão.

E isso deu tempo para Jimmy se recuperar.

– Qual é o problema? – perguntou.

– Vou dizer...

– Estou atendendo uma freguesa agora – falou Jimmy. – Vai ter de esperar a sua vez.

O homem se aproximou da portinhola, como se fosse subir pelo balcão.

– Vou lhe dizer qual é o meu problema – começou o homem.

– Entre na fila – disse a mulher.

– Não vai ter fila nenhuma quando eu acabar com ele – disse o homem.

Jimmy, Sharon e Bimbo estavam no balcão. Jimmy passou as batatas fritas para a mulher e ela passou-as para as crianças.

– Dá licença! – disse o homem.

– Fique calmo – disse Bimbo. – Fique calmo.

– Babaca – disse Sharon, mas baixinho.

– Três e oitenta e cinco – disse Sharon para a mulher quando ela olhou para cima.

– Tenha cuidado quando comê-las – disse o homem à mulher.

Agora isto não estava cheirando bem.

– Oh, meu Deus – murmurou Bimbo.

E olhou para a frigideira.

– Vamos lá – disse Jimmy, quando Sharon passou o troco para a mulher. – Qual é o seu problema?

Estava pensando o tempo todo; não tinha idéia do que ia acontecer. Olhou para o homem de novo.

– O problema é seu – disse o homem.

– E o que é?

– Isto.

Levantou o saco, mas com bastante distância para não ser tomado dele. Jimmy se inclinou para ver.

– As batatas?

– Não!

– O peixe?

O homem parecia raivoso.

– Peixe! – gritou.
– É fresco – Bimbo tentou acalmá-lo. – Estava duro e fresco quando saiu do...
– Fresco! – berrou o homem.
Jimmy podia falar de novo.
– Qual é o problema?
– Pode olhar.
Mas ele ainda não havia levado a mão para perto da portinhola.
– Não vejo porra nenhuma – disse Jimmy. – O que quer que seja... Talvez fossem larvas.
– Mordi – disse o homem.
– Mas é isso mesmo que se deve fazer – disse Jimmy.
O cara era de morte.
– O que você acha que se faz com ele; trepar?
Agora o homem chegou mais perto; deu batidas no furgão.
– Oh, Jesus – disse Sharon.
Voltou para dentro e pegou Gina.
A boca do homem estava envergada. Agora ele parecia mesmo um louco. Agora podiam ver dentro do saco.
– Não é peixe – disse Bimbo.
– Porra... Então o que é?
Espere aí.
– É branco – disse Jimmy.
– É uma fralda descartável! – disse o homem.
– O quê! Vá se foder, certo?
– Ele está certo, Jimmy – concluiu Bimbo. – É uma fralda mesmo; dobrada. Meu Deus, é chocante.
– Cale a boca! – Jimmy falou entre os dentes.
– Devo ter passado na massa...
– Cale a boca!
– O que é? – perguntou Sharon.
O homem não tinha a aparência de cão raivoso agora; parecia que queria ser confortado.
– A fralda é usada? – perguntou Jimmy, e cruzou os dedos.
– Não!
– Ah, então – disse Jimmy. – Está tudo bem, certo?
– Foi o seguinte – disse Bimbo. – Parece uma posta de bacalhau, certo? Assim, dobrada. Ah, é demais.

— Desculpe — disse Jimmy ao homem. — A gente devolve o dinheiro e lhe damos uma lata de coca-cola; que tal? E a batata frita estava boa?

O homem não estava satisfeito. Dobrou o saquinho num pacote bem arrumado e pôs embaixo do braço.

— Vou à polícia — disse ele.

— Ah, não é preciso tanto...

— Esta é a prova — o homem interrompeu Bimbo.

Certificou-se de que o pacote ainda estava embaixo do braço.

— Vocês ainda terão notícias disso — falou. — Nunca mais vou me recuperar de um choque desses.

— Que tal uma nota de dez — arriscou Jimmy. — Vamos, o que acha?

— Qual é o seu nome? — perguntou ele.

— Não tenho de dizer para você — respondeu Jimmy.

— Não importa — disse o homem. — Tenho a prova aqui.

— Vinte — disse Jimmy. — Oferta final; vamos lá.

— Estou com a prova.

— Enfie essa prova no cu. Não tem nada a ver com a gente.

— Você não vai me comprar — disse o homem.

— É para os fornecedores que você tem de reclamar, e não para nós. Não sei nada sobre fraldas.

Gina começou a cantar de novo. Sharon pôs a mão na boca dela, mas o homem não ouviu. Estava olhando para o desenho no furgão.

— Qual de vocês é Bimbo? — perguntou.

— Pergunte ao meu cu — disse Jimmy.

Puxou Bimbo para o seu lado.

— Vá para a frente e dê a partida.

— Mas...

— Faça o que estou mandando, porra!

Bimbo saiu pela porta de trás.

— Entre pelo outro lado — falou Jimmy.

Lembrou uma coisa.

— O gás!

Bimbo levantou o botijão de gás e empurrou para dentro do furgão. Fechou os olhos quando o botijão arranhou o chão. Jimmy distraiu o homem.

— Deve ser terrível ser careca com um solzão desses — disse ele. — Não é?

Bimbo entrou no furgão pelo outro lado, sem ser visto pelo homem. Tirou o carrinho do assento e sentou-se.

— Estou gravando tudo isso — o homem falou para Jimmy.

— Muito bem — disse.
Tirou as barras da portinhola quando ouviu o motor.
— Tchau, Carecão Impecável — disse ele. — Até nunca mais.
E desceu a portinhola. O sal e o vinagre caíram na rua. Fechou a porta de trás.
— Pau na máquina, pau na máquina!
O furgão deu um solavanco; Jimmy caiu para frente e segurou numa prateleira. O furgão sacudiu de novo e aí acelerou.
Jimmy ficou em pé. Apoiou-se no balcão.
— Caramba...
— Ele vai anotar o número da placa — disse Sharon.
— Não, isso não vai — disse Jimmy.
— Por que não?
— Não temos placa. Está no galpão na casa de Bimbo. Esquecemos de colocar. Ainda bem, não é?
— Ele pode estar nos seguindo — disse Sharon.
Era uma possibilidade.
Jimmy abriu a porta de trás. Ainda estavam na mesma rua e lá vinha o tal do homem atrás do furgão, pedalando feito um condenado.
— Vou dar um jeito naquele cornudo — disse Jimmy.
Olhou ao redor. Foi até a chapa quente e pegou uma lata de coca da caixa que ficava em baixo. O furgão passou por um buraco ou uma tampa de esgoto quando ele estava agachado para pegar a lata. A chapa quente e a frigideira ainda estavam ligadas.
— Jesus Cristo! Quase fui assado.
Pegou o botijão e desligou o gás.
Mediu o peso da lata na mão e limpou a gordura na camisa.
— Vai matá-lo — disse Sharon.
E com certeza tinha razão. A lata era pesada quando estava cheia. Pegou algumas postas de bacalhau. Ainda estavam duras.
Bimbo virou à esquerda, em vez de à direita, no fim da rua.
— Que porra que está fazendo?
— Assim o tal lá não segue a gente até em casa — disse Sharon.
— É, bem pensado.
Abriu a porta de novo e o homem ainda estava na cola deles, mas muito mais distante; as pernas dele não agüentavam. Jimmy jogou uma posta de peixe só para testar a distância. Viu quando o peixe bateu no chão, não muito longe do homem.

– Aqui vai mais uma prova para você!

Fechou a porta.

Bimbo foi até Clontarf, depois para a rua Lawrence, para a rua Howth. Pegou a avenida Collins em Killester e depois a rua Malahide.

Jimmy olhou de novo e podia ver a fábrica da Cadbury's em Coolock.

– Desse jeito a gente vai acabar em Galway – disse.

Ele jogou Gina para cima e pegou de novo, mas não tão alto, porque ela já tinha batido a cabeça no teto e agora ele estava fazendo só para ela esquecer.

Chegaram em casa. Jimmy e Sharon estavam derretendo quando saíram pela porta de trás. Jimmy teve de ficar em pé na frente da geladeira aberta.

– A gente não dá as caras em Dollier por um bom tempo.

– É – disse Bimbo.

Ele estava com raiva.

– Não teria acontecido se ela não...

– Cale a boca – disse Jimmy.

❖

Maggie tinha uma cabeça cheia de idéias; Jimmy não negava. Ela mandou imprimir folhetos e pediu que Wayne e Jessica colocassem nas portas das casas da vizinhança. Linda e Tracy também ajudaram, até quando Darren as viu botando centenas de folhetos na caixa do correio em frente à loja Gem.

BIMBO'S BURGERS
A BATATA FRITA DA HORA
Aniversário de Casamento? Aniversário? Ou apenas preguiça?
Descanse e deixe a gente fazer seu jantar para você
Ligue para Maggie 374693

Isto era o que estava escrito, num papel azul bonito.

– Jantar de quatro pratos? – perguntou Jimmy, quando ela contou a eles. – Caralho, como a gente vai se virar?

– Fácil – disse Maggie.

Ela deixaria o melão na geladeira durante a tarde, assim ele ainda estaria frio e fresco à noite quando Bimbo e Jimmy fizessem a entrega. Usariam uma garrafa térmica se fosse sopa; só poriam a sopa nas tigelinhas quando fossem servir. Assim ainda estaria quente quando chegasse à mesa do freguês. O prato principal não tinha problema, porque era o que eles já faziam mesmo.

– E a sobremesa, então? – disse Jimmy. – O sorvete já teria virado água quando terminassem com o resto da refeição.

Não era contra a idéia; estava apenas vendo os obstáculos.

– Bem – disse Maggie. – A gente pode pôr o sorvete numa garrafa térmica também...

– Como? Junto com a sopa?

– Com certeza faríamos confusão, mais cedo ou mais tarde – disse Bimbo.

O que decidiram foi que: um deles correria para casa para pegar o sorvete da geladeira, enquanto o freguês engolia o prato principal. Isso ficou por conta de Darren. Ele não ligava; os seus amigos todos não paravam de tirar sarro da cara dele, quando o viram correndo através do Green com uma tijelinha de gelatina e sorvete em cada mão, mas era melhor do que ficar servindo gente dentro de casa, como uma porra de garçom. Isto ficou para Bimbo.

Jimmy agitou a garrafa térmica em cima da tigela e os últimos pedaços de batata cozida deslizaram para dentro da sopa.

– Pronto!

Nada como uns pedaços grandes de legumes para fazer uma sopa instantânea em pó parecer sopa de verdade.

– Uma sopa muito apetitosa – disse Jimmy. – Que tal, hein?

– Muito boa – disse Bimbo.

– Aqueles chifrudos não merecem.

– Ei, assim não – disse Bimbo.

Estava alimentando os O'Rourke hoje, Larry e Mona; vigésimo-terceiro aniversário de casamento deles.

– A gente devia fazê-los passar a grana antes de entregarmos a bóia – disse Jimmy. – O cornudo do Larry não lhe daria o vapor de seu mijo, mesmo se você estivesse morrendo de desidratação.

Pegou dois galhinhos de cheiro-verde de um saquinho plástico que Maggie tinha lhe dado e depositou-os no meio de cada tigela.

– Um toque especial – disse ele.

Bimbo pôs a jaqueta.

– Como estão as costas, Darren? – perguntou.

Darren alisou as costas da jaqueta, tirando as rugas do tecido.

Bimbo ajeitou uma toalha de prato em cima do braço.

A jaqueta que Maggie comprou para Bimbo era a coisa mais estúpida que Jimmy já tinha visto. Ele se sentiu humilhado só de ver Bimbo vestido nela. Era branca, com botões dourados, e as mangas eram muito compridas. Mas não perturbava Bimbo. Ele até achava que era o porra do Lord Muck – o homem em comando.

– Vamos lá – disse Bimbo.

Olhou para o relógio de novo.

– É – disse ele. – Pedimos para prepararem a mesa para as sete e meia.

Pegou as tigelas, cobrindo os dedos com os punhos da camisa para não queimá-los.

– Toque a campainha para mim, Darren.

– OK.

– Muito bem. Traga as velas também, por favor.

– Ah, merda...

– Vamos, Darren – disse Jimmy. – Está tudo em ordem, as velas são vegetarianas também.

– Não tem graça – disse Darren.

Bimbo desceu do furgão com cuidado.

– Volte depressa com o pedido do prato principal – Jimmy disse.

– Está certo.

Batatas fritas era certeza, por isso Jimmy mergulhou a cesta no óleo quente. Larry e Mona não demorariam a engolir a sopa. Pensando bem, talvez não soubessem o que era. Naquela casa, põem água nos sucrilhos; isto é o que todo mundo fala.

Bimbo e Darren voltaram.

– Como foi?

– Um pouco embaraçoso – disse Darren.

– Como assim? – queria saber Jimmy.

– Ele começou a cantar.

– Ele sempre canta.

Bimbo continuou.

– Na hora em que viu as velas, começou a cantar para Mona. Aquela, como é, *I Can't Help Falling In Love With You.*

– O quê? WISE MEN SAY ONLY FOOLS RUSH IN... Essa?

– É.

– Porra. Ele está ficando pior. Gostaram da sopa?

– Gostaram?! – exclamou Bimbo. – As colheres fizeram um barulho danado. Ele tomava a sopa e cantava ao mesmo tempo.

– Não acharam muita graça no cheiro verde – Darren contou ao pai.

– Não me surpreende nada – disse Jimmy.

– Disse que se quisesse grama na comida, teria arrancado do seu próprio quintal.

– Para essa gente baixa este tipo de coisa é uma perda de tempo – disse Jimmy.

Ao trabalho.

– Qual é o prato principal?

– Bacalhau defumado para Larry e o mesmo para Mona – disse Bimbo. – E os dois querem uma rodela de abacaxi empanado.

– E cebola empanada – lembrou Darren.

– É mesmo. Mona disse que quer umas rodelas de cebola empanada também.

– Puxa vida – disse Jimmy. – Se o Larry não a mantiver a noite inteira acordada, a cebola vai.

Pôs o pedido na frigideira, com exceção do abacaxi; este ficava pronto em um segundo. Mais tempo na frigideira e virava purê.

– Querem vinho? – perguntou Jimmy, quando o resto estava sob controle.

– Querem, sim – disse Darren.

– Black ou Blue?

– Blue.

Jimmy se agachou e pegou uma garrafa de Blue Nun debaixo da chapa.

– Faça o necessário – disse ele ao Darren, e esticou a garrafa para ele.

– É melhor eu ir buscar a sobremesa – disse Darren.

Jimmy virou-se para Bimbo.

– Aqui – entregou a garrafa. – Puxe a rolha para fora.

Bimbo ocupou-se da garrafa com o abridor e Jimmy pôs dois pratos no balcão e colocou um monte de batatas fritas em cada um.

– Pelo menos não vai haver reclamação quanto à quantidade, hein? – comentou Jimmy. – É só alguém achar que está recebendo mais do que devia e você terá um amigo para sempre.

– Porque sabem que fazemos a grana deles render – disse Bimbo.

– Porque sabem que somos idiotas – disse Jimmy.

– A rolha parece que vai quebrar – disse Bimbo.

Os pratos estavam cheios, prontos, cheios demais. Jimmy tirou umas batatas de cima e apertou o peixe por baixo das batatas.

— Pronto — disse. — Conseguiu?
— Claro — disse Bimbo. — Mas tenho de voltar para buscar o vinho.
— Levo a garrafa até a porta para você — disse Jimmy.
— Obrigado.
Sabia que Bimbo pensou que era a porta dos O'Rourke, mas ele ia levar até a porta do furgão, só de sarro.
Bimbo não achou engraçado quando voltou.
— Muito engraçado — disse.
— Ah, relaxa, cara — disse Jimmy.
Eles não disseram nada por um tempo. Depois...
— Estão brigando lá dentro — contou Bimbo a Jimmy.
— Essa é boa — disse Jimmy — Por quê?
— Não deu para saber — disse Bimbo. — Só entrei, entreguei o jantar e saí de novo.
— Você é mesmo um inútil, cara.
Entregou o Blue Nun a Bimbo.
— Vá e descubra por que estão brigando.
— Para quem você pensa que vai ficar dando ordens?
Darren tinha voltado com a gelatina e o sorvete.
— Hei, Darren: vá ver por que Larry e Mona estão brigando.
— Vá você.
— Meu Deus do céu — exclamou Jimmy. — Que empregados! Como fui acabar com esse bando de molengas?
Voltou-se para Bimbo e este tinha os olhos fixos em Jimmy; não teve tempo de mudar a expressão da cara. Jimmy ficou surpreso.
— Ei, onde estão, na sala da frente ou na cozinha?
— Na cozinha — respondeu Bimbo, de volta ao normal.
— Porra. A gente podia ter ficado embaixo da janela e...
Larry O'Rourke saiu com um relâmpago da casa, tentando pôr a jaqueta. Mas não bateu a porta.
— E como estava o bacalhau, Larry? — perguntou Jimmy.
— Que se foda o bacalhau!
Tomou a direção do Hikers.
— E a gelatina e o sorvete, Larry?
— Que se foda a merda da gelatina e a porra do sorvete — eles ouviram.
Ele virou-se para eles.
— Ela pode comer a porra dos dois! Cabem dois na sua boca!

— Veja com quem está falando! — disse Bimbo a Jimmy e Darren: — Quem vai pagar a conta?
— Eh... Acho...
Bimbo olhou para a rua, depois para a casa.
— Foi Mona quem telefonou para Maggie.
— Certo — disse Jimmy.
Ele caminhou na direção da casa, passou pelo portão e entrou, com o vinho na mão.
Bimbo e Darren esperaram.
Jimmy voltou.
— Ela quer gelatina.
Darren passou-lhe a tigela.
— Melhor levar as duas — disse Jimmy. — Ela vai pagar.
— Vai mesmo? — perguntou Bimbo.
— Pode apostar que sim.
Voltou para a casa. Darren e Bimbo puseram o botijão dentro do furgão e limparam as prateleiras. Bimbo fez mais massa e Darren tirou uns restos de massa que boiavam na frigideira.
— Talvez ela o esteja seduzindo — disse Darren.
— Ah, não.
Estavam fechando a porta de trás quando Jimmy saiu da casa.
— Por que demorou tanto?
— Estava bebendo um vinhozinho com Mona.
— Ela está bem?
— Ótima, sem problema.
E balançou as duas notas de dez no ar.
— Que tal? — disse ele. — E isto também.
Mostrou a moeda de uma libra para Bimbo.
— Sua gorjeta — disse ele. — Ela disse muito obrigado. Pegue, vamos. Sabem o porquê da briga toda? — perguntou Jimmy, quando voltavam para casa.
— O quê?
— Os pombos dele cagaram na roupa lavada dela — contou Jimmy.
— E isso é tudo?
— Ela não é feia, Mona — disse Jimmy. — Se se arrumasse um pouco. Com certeza não é.
Bimbo e Darren não disseram nada. Jimmy desejou ter ficado com a matraca fechada. Darren corou ao seu lado; e ele quase podia sentir no seu

rosto que estava ficando corado também. Bimbo fez que assobiava, mas da sua boca não saiu barulho nenhum.

❖

Embora nunca ficassem sem idéias de onde se desfazer de suas batatas fritas e do resto, o fechamento no Hikers ainda era o filé mignon. Dollymount era muito bom num dia de sol, mas em dia de chuva ou até mesmo nublado, não aparecia uma alma penada para comprar uma batata. E dias de sol não eram a norma num verão irlandês comum; tinha sempre chuva caindo em algum lugar. Mas as pessoas saindo do pub depois de umas e outras não ligavam bosta nenhuma para o tempo lá fora, queriam apenas as suas batatas fritas e talvez uma posta de bacalhau bem empanado. E mesmo assim, a chuva nunca molha de verdade quando se está chumbado.

Os jantares para dois com velas e vinho quase não cobriam a despesa. Faziam isto mais por farra do que por outra coisa. Bimbo fazia para agradar Maggie, porque tinha sido idéia da cabeça dela, e Jimmy acompanhava Bimbo.

O problema é que ela estava sempre aparecendo com idéias brilhantes. Às vezes, Jimmy tinha vontade de dizer para ela dar um descanso para o seu miolo.

Numa segunda-feira no fim de julho, eles voltaram de Dollier cobertos de areia e sem nada na caixinha, porque tinha chovido aqui e ali a tarde inteira, e lá estava ela esperando na porta, com a última: café da manhã na Rua Malahide.

– Deve estar brincando – disse Jimmy, assim que compreendeu o que ela estava inventando.

Ela queria que eles estacionassem o furgão no cruzamento em Coolock todo dia de manhã e fizessem sanduíches de bacon para as pessoas que iam de carro para o trabalho.

– Que horas?
– Sete e meia.
– O quê?!
– Oito horas, então; não importa, contanto que seja na hora do *rush*.
– Olhe – disse Jimmy. – Maggie, se estão tão apressados assim para chegar ao trabalho, você acha que iam parar para comprar um sanduíche de bacon? Ou mesmo um de bacon e lingüiça?

— Tem muita gente por aí que adoraria um sanduíche de bacon a caminho do serviço — retrucou Maggie.

— Eu sei — disse Jimmy. — Mas esses iam passar por nós no ônibus ou iam estar na cama em casa, porque estariam desempregados.

Bimbo estava muito calado, pensou Jimmy; muito calado para o seu gosto.

— As únicas pessoas que passam de carro por ali — disse Jimmy — são os yuppies. E esses podem ir se foder e fazer o próprio café da manhã que eu não estou nem aí.

— Você não quer é acordar cedo — disse Maggie.

Jimmy ignorou isto; ainda não tinha acabado.

— Certo, porra — disse ele. — Nenhum yuppie daria o gosto a ninguém de vê-lo parando para comprar um sanduíche de bacon a caminho do trabalho. Pense um pouco.

— Vocês poderiam pelo menos tentar — disse Maggie aos dois, mas principalmente a Bimbo.

— Espere aí — disse Jimmy.

Ainda não tinha sido derrotado; e não ia se levantar todo dia às seis e meia da madrugada.

— Qual é a distância entre Malahide e o centro? — perguntou. — Mais ou menos?

— Cinco milhas — disse Bimbo.

— Mais ou menos?

— É.

Jimmy olhou para Maggie para que ela opinasse também; ela concordava com Bimbo.

— Cinco milhas — concluiu Jimmy. — Talvez um pouco mais. Não é muito longe, ou é? Você não vai ficar com fome dirigindo cinco milhas apenas. A não ser que esteja se arrastando.

— A estrada do aeroporto, então — disse Maggie. — Seria melhor. Estariam chegando de muito mais longe. Drogheda e Dundalk... e...

— Belfast — disse Bimbo.

— Certo — disse Maggie. — Então?...

— Concordo — disse Bimbo. — Jim?

Ele não tinha escolha.

— OK. Mas só me prometa uma coisa... Se der certo, não vá fazer a gente ir preparar o jantar para eles também.

❖

Não deu certo. Jimmy fez com que não desse.
– Vem cá – disse ele a Bimbo.
Estavam na estrada do aeroporto. Eram sete da manhã.
– Você quer fazer isto todo dia de manhã?
– O quê? – perguntou Bimbo.
– Quer se levantar todo dia antes das gaivotas, quer?
– Não.
– Certo; então estacione ali.
– Onde?
– Ali.
– Embaixo da ponte?
– É.
Ficaram lá na estrada, embaixo do viaduto, por uma hora e meia. Abriram a portinhola e tudo; não sacanearam. Fizeram três sanduíches de bacon. Jimmy comeu dois e Bimbo, o outro, e um Twix também. Não deveriam estar parados lá, mas a polícia nem se deu conta. Debruçaram-se sobre o balcão e ficaram olhando os carros e os caminhões zunindo na frente deles. Então fecharam a portinhola e voltaram para casa.
– Não abra o bico – avisou Jimmy.
– Não – disse Bimbo. – Claro.
Jimmy gostou de voltar para o quartel general naquela manhã. Deixou Bimbo contar tudo.
– Onde vocês estacionaram? – perguntou ela.
– Lá, em Whitehall – disse Bimbo. – Perto da igreja, onde você disse.
– E ninguém parou?
– Isso mesmo – disse Bimbo.
– Nem mesmo diminuíram a velocidade – acrescentou Jimmy.
– Ah, então... – disse Maggie.
E pronto; foi demais. Maggie não implicava, nem era um Hitler, nem nada; o problema dela era o seu entusiasmo exagerado.
Bimbo e seus filhos não comeram nada além de bacon por duas semanas, e Maggie levou Wayne, Glenn e Jessica para o parque e eles alimentaram os patos com dezessete fatias grandes de pão de forma.

❖

Bimbo e Maggie eram os que mandavam; Jimmy às vezes não podia pensar o contrário. Não era só Maggie. Eram os dois.

Não era que os dois ficassem mandando nele – que tentassem para ver o que acontecia. Mas tinha certeza de que conversavam sobre o negócio na cama e Jimmy não ia entrar na cama com eles. Não tinha nada de errado nisso. Era natural, achava. Teria feito o mesmo com Veronica. Mas às vezes achava que os dois já tinham decidido o que fazer, que já tinham planejado todas as táticas antes mesmo de Jimmy tocar a campainha.

E se sentia um pouco de fora; não dava para se sentir de outro jeito.

Quando Maggie anunciou os jantares para dois com vinho e velas, Bimbo não disse nada, mas Jimmy percebeu que ele já sabia de tudo. Ele não ficou do lado dela confirmando tudo com a cabeça, mas não fez perguntas, nem nada; não precisava. Talvez a idéia das velas fosse até dele. Era o tipo de merda romântica que só podia ter saído da sua cabeça mesmo.

Porém, mesmo isso não tinha nada de errado; era uma idéia boa. Não era má idéia só porque ele mesmo não tinha pensado nela, ou porque não estivesse lá na hora em que Maggie pensou nela. Mesmo porque, gostando ou não, não havia nada que pudesse fazer. Ele podia ficar na sala de Bimbo assistindo à televisão até que eles terminassem de trepar ou seja lá o que for que fizessem quando estavam na cama e daí subir e se deitar na cama entre os dois e conversar por umas duas horas, mas não podia imaginá-los concordando com isso.

No outro dia, por exemplo; Jimmy ia jogar golfe contra Sinbad McCabe. Era o prêmio de Secretário Honorário que estava sendo disputado, e Sinbad McCabe era o Secretário Honorário. Jimmy detestava o filho da puta. Por isso queria ganhar de qualquer jeito, ganhar dele o seu próprio troféu. Estava comendo alguns sanduíches – não eram de bacon – e uma tigela de sopa e ao mesmo tempo se preparando mentalmente para o desafio. Havia duas coisas que Jimmy detestava em Sinbad McCabe, duas coisas principais: a primeira era o jeito que ele esperava até que o Hikers estivesse lotado para escrever o resultado na tabela, como se ele estivesse presidindo o Festival Eurovision da Canção; a segunda era que dava para ver as marcas de suas cuecas através das calças. Havia outras coisas também, mas essas eram as duas principais. Jimmy ia olhar para as marcas da cueca de Sinbad na hora de acertar na bola; ajudaria a manter sua concentração. Também não ia conversar com ele, nem uma palavra, e ficaria atrás de Sinbab quando este fosse para o buraco, o mais perto que pudesse sem ter de se pendurar nas calças dele. Estava contando isso para Veronica e Sharon quando Bimbo chegou.

– Por que está demorando? – perguntou Bimbo.

– Você vai me ver jogando? – perguntou Jimmy.

Não tinha certeza se queria Bimbo lá dessa vez. Bimbo era muito bom com todo mundo. Bimbo ia começar a conversar com McCabe e todo o trabalho duro ia ser jogado fora.

– O quê? – perguntou Bimbo.

Tinha vindo para pedir a Jimmy que se apressasse; iam levar o furgão para Dollier. Maggie e ele tinham olhado pela janela e visto que o dia estava lindo e abasteceram o furgão. Só que Jimmy não estava com eles e não sabia de nada. Simplesmente esperavam que Jimmy pulasse ao comando deles. Não era justo. Não era certo.

Isto o chateou. Mas isso não o impediu de ganhar de Sinbab McCabe.

Uma outra coisa que ele pensava algumas vezes e não sabia se era importante ou não: foi Bimbo quem comprou o furgão. Jimmy estava com ele quando comprou, mas Bimbo pagou. Não pagou muito; não achava que tinha importância – não tinha certeza. Não sentia culpa por isso. Talvez devesse ter dado a metade do valor do furgão para Bimbo. Agora tinha o dinheiro. E Bimbo merecia. O que aconteceria se fizesse isso? Talvez nada; não sabia. Ia pensar a respeito, talvez conversar com Veronica sobre isso. Não queria fazer nada para sujar a barra agora. Mas ao mesmo tempo, não era empregado de ninguém. Sócios foi a palavra que Bimbo usou no começo, no Hikers, no dia em que puxaram o furgão para a sua casa. Talvez fosse tempo de lembrá-lo disso. Não queria magoar Bimbo, ou mesmo Maggie. Não sabia o que fazer.

Ia pensar a respeito.

❖

Era uma belíssima sensação saber que ia ter dinheiro quando pusesse a mão no bolso; não que tivesse muito tempo para gastar. Jimmy podia ir ao Hikers a qualquer hora que quisesse, se quisesse. Às vezes ele comprava o jornal de manhã e trazia para o pub e tomava um copo sozinho, mas sempre tinha o cheiro da noite anterior, de cera spray e de aspirador de pó velho. Era diferente aos sábados e domingos; era melhor.

Comprou um terno cinza. Veronica gostou. Ela até veio ao Hikers no primeiro domingo com ele. Não era especial, nem nada, e ele não usava gravata, apesar de ter comprado uma também.

– Que terno bonito, *compadre* – comentou Bertie.

– Deve ter custado uma nota – foi o que disse Paddy, mas ninguém ligava para o que Paddy dizia.

Bimbo não disse nada, mas no domingo seguinte também estaria usando um terno novo, então isso devia significar que tinha impressionado, ou ele ou Maggie.

Ele e Veronica estavam pensando em comprar um carro; sempre tiveram um antes, ou uma camioneta, mas sempre tiveram um. Veronica estava juntando o dinheiro.

— Vamos ter um Natal de verdade esse ano, pelo menos, hein? — comentou, quando os dois caminhavam na praia.

— Jimmy!

— O quê?

— Ainda é agosto.

— Ah, você sabe o que quero dizer — respondeu. E os dois riram.

Foram todos ao jardim zoológico. Darren e as gêmeas não quiseram ir, mas o resto foi: Jimmy, Veronica, Sharon, Gina, Jimmy Jr. e a namorada, Aoife. Foi um dia soberbo. Gina não deu a mínima para os animais; só queria ficar no escorregador o dia inteiro. Jimmy e Jimmy Jr. riram de tudo. Aoife riu de quase tudo que eles diziam, mas muito mais quando Jimmy disse que o hipopótamo cheirava igualzinho à mãe de Veronica e esta concordou com ele. Era uma moça muito legal, a Aoife; linda. Fizeram um piquenique. Jimmy Jr. tirou sarro de Jimmy porque ele não queria sentar na grama, só porque estava de terno novo.

Foram ao bar do Park Lodge Hotel para uma cerveja depois do zoológico. Foi legal lá, depois que Jimmy Jr. pediu para abaixarem o volume da tevê. Quando estavam pensando em voltar para casa, Jimmy Jr. chamou um táxi e foram para casa assim, com classe.

— Buzine — disse Jimmy, quando o motorista do táxi parou em frente ao portão da casa.

— Não — disse Veronica.

Saíram do carro enquanto Jimmy acertava com o motorista; oito libras, um dinheirão, mas não disse nada, apenas passou o dinheiro. Era só dinheiro. Mas ficou esperando o troco. Daí deu cinqüenta pence de gorjeta.

— Aqui — disse Jimmy. — Compre um chapéu.

Jimmy Jr. queria pagar a metade do táxi.

— Nem discuta uma porra dessa — esbravejou Jimmy. — Ponha de volta no bolso.

— Tem certeza?

— Claro que tenho.

E falou baixinho agora.
– Não esqueço quando estava durão e você me deu uma ajuda; lembro muito bem.
– Dá para me dar de volta, então? – disse Jimmy Jr.
Riram do corredor até à cozinha e não contaram às mulheres por que estavam rindo.

❖

Já passava da meia-noite, uma loucura completa. Estavam deslizando para lá e para cá, mas não tinham tempo para limpar o chão. Estavam acostumados a isso agora, como marinheiros. Sharon estava com eles hoje à noite e até mesmo ela estava suando embaixo da roupa.
– Porra – disse Jimmy.
Estava se preparando para dizer o que queria dizer. Ele e Bimbo estavam na frigideira e na chapa tentando preparar os pedidos que Sharon gritava para eles. Bimbo lutava com uma rodela de cebola que não queria ficar nos pegadores.
Jimmy limpou a testa com o braço.
– Sabe o que é? – arriscou ele.
Aqui vai.
Tossiu um pouco, assim saía certo, meio como brincadeira.
– Esse lugar devia se chamar Bimbo e Jimmy's Burgers – disse ele.
– Não – disse Bimbo, rápido demais.
O coração de Jimmy estava pulando.
– Não soaria legal – disse Bimbo.
– É mesmo – concordou Jimmy. – Você tem razão.
– Muito longo – disse Bimbo.
– Exatamente – disse Jimmy. – Só estava brincando...
– Sei disso... Mas...
– Não, você tem razão.

❖

– Vocês são amigos há anos – disse Veronica.
Jimmy aquiesceu.
Era verdade. Ainda eram.
Ele balançou a cabeça de novo.

— Você deve tentar fazer com que continue desse jeito – disse Veronica.
— Vocês dois.

Jimmy meio que riu.

— Não se preocupe, meu bem – disse ele. — Mesmo porque não é Bimbo, na verdade... Não sei. Acho que é ela.

Veronica não disse nada.

❖

Darren saiu do caminho em tempo. Jimmy estava carregando um saco de embrulho que já estava ensopado; a merda estava derramando de dentro. Tinha calculado mal o tempo; pusera o bacalhau e o hamburger na pimenta no saco, mas quando foi pegar as batatas fritas, não tinha mais, por isso enquanto ele punha um outro tanto na frigideira e esperava até ficarem prontas, o bacalhau saiu da massa e estava ensopando o fundo do saco. Mas não havia tempo para mudá-lo. Estava ficando uma loucura lá fora de novo e não tinha nem escurecido ainda; um bando de meninos agia de um jeito que parecia ser uma multidão. Eram só cinco ou seis esperando para pedir, mas todos gritavam ao mesmo tempo e empurravam e mudavam de posição. Era mais uma noite dessas, quente e sem uma brisa sequer, pior do que a noite passada.

— Dois bacalhaus, um na pimenta, três grandes – Jimmy reconfirmou com a mocinha que tinha feito o pedido.

— É – disse ela, como se estivesse esperando o dia inteiro pelo seu pedido.

Ele jogou sal e vinagre nas batatas e fechou o saco.

— Uma pequena e um...

— Espere a sua vez! – gritou Jimmy.

Virou-se para Darren e Bimbo.

— Um de vocês venha para cá.

Voltou-se para a menina.

— Aqui – disse ele, e passou o saco para ela.

— Não vou levar isso – disse ela.

— Qual é o problema? – perguntou Jimmy.

— O saco – disse a moça. – Vai se rasgar antes que eu chegue em casa.

Jimmy não achou um argumento; ela tinha razão.

— Jesus Cristo!

Virou-se para pegar um outro saco e esbarrou em Bimbo. Não houve nenhum estrago.

— Vê se olha para onde anda!
— Você que tem de olhar para ondeanda — retrucou Bimbo.
— Onde está Darren?
— Foi buscar água na casa dos Fleming.
— Ele não ajuda muito a gente lá.
Bimbo tomou a posição na portinhola.
— Agora você — disse ele apontando para um dos meninos.
— Um pequeno.
— Mais alguma coisa?
— Não.
— Um pequeno — Bimbo gritou para trás, na cara de Jimmy. — Desculpe.
Jimmy passou um saco novo para a menina.
— Agora — disse ele. — Cadê o dinheiro?
A moça olhou no saco antes de entregar as moedas, cinco libras. As moedas estavam mornas.
— Suas mãos estão suadas — disse Jimmy a ela.
— E o seu caralho também — disse a menina, e ficou parada, esperando pelo troco, sem um pingo de vergonha. Devia ter uns doze anos. Olhou fixo para Jimmy.
Estavam todos rindo do lado de fora.
— Aqui — disse ele.
— Já era tempo — disse ela, e empurrou o resto da molecada, para que saísse do caminho.
Em seu lugar agora estava um moleque, de rabo de cavalo.
— Certo, Jerônimo — disse Jimmy.
— Meu nome não é...
— OK — disse Jimmy. — O que vai querer?
— Batata frita com curry.
— Não vendemos.
— E por que não?
— Nossas batatas são das melhores, meu filho — Jimmy disse.
— O quê?
— Não poderíamos insultar nossas batatas ao cobri-las com aquela porcaria — disse Jimmy. — Eles só usam o molho de curry porque as batatas são ruins, para esconder o gosto verdadeiro. Agora isso é informação sigilosa para você, hein?
Estava começando a se sentir melhor. Bimbo foi para a chapa e a frigi-

deira. Já era tempo dele pegar duro no batente, só para variar, em vez de ficar se escondendo num canto com um punhado de peixe.

— Então — disse Jimmy. — Então vai querer as batatas comuns, ou não?

— OK — disse o moleque. — Mas é melhor que sejam boas.

Jimmy se inclinou e tirou uma batata da bandeja.

— Que tal? — perguntou, e levantou a batata para ele ver.

Todos gritaram eufóricos. Agora o número tinha se multiplicado, uns vinte, todos meninos.

— Viva! Olhe aí!

— Não são batatas fritas! — gritou um moleque com voz fina. — São pintos de batata!

— Me dê um saco, então! — disse o menino de rabo de cavalo.

— Um pequeno! — gritou Jimmy para Bimbo.

Darren tinha voltado com três garrafas cheias de água.

— Por que demorou tanto? — perguntou Bimbo.

— Tive de negociar — contou Darren.

Jimmy escolheu seu próximo freguês.

— Você aí! — gritou, acenando com a cabeça.

— Uma grande e um dunphy.

— Grande e um dunphy! — gritou Jimmy.

— Ela estava assistindo à televisão quando toquei a campainha — continuou Darren.

— Oh oh — disse Bimbo.

A senhora Fleming já tinha cortado o fornecimento de água antes, quando Jimmy tocou a campainha durante a *Coronation Street* e ainda bateu na janela, quando ela demorou a atender. Tiveram de comprar uma caixa de chocolate e Maggie teve de ir entregá-la, antes que a senhora Fleming deixasse encher as garrafas lá de novo.

— Uma grande, um defumado e um na pimenta! — gritou Jimmy. — E ligeiro com a grande e o dunphy!

Darren encheu um saquinho com batatas fritas e pegou um hamburger na pimenta da frigideira.

— Ele falou um dunphy — disse Bimbo para ele.

— Não é para ele — disse Darren. — É para a senhora Fleming. E saiu pela porta de trás.

— Onde é que ele vai agora? — perguntou Jimmy. — Que porra! Não deveríamos deixar aquela puta velha nos botar na parede assim. Duas grandes, um dunphy no pão... Parem de empurrar aí; vão acabar virando o furgão.

Voltou-se para Bimbo.

— Por que ela não pode nos dar uma chave, como pedi? Duas Seven-Ups com a grande, certo?

Bimbo estava lutando para dar conta; Jimmy podia ver.

Bem feito.

Jimmy jogou o sal e o vinagre, fechou o saquinho de embrulho e passou-o para o moleque.

— Uma libra e... e oitenta.

— E um Twix — disse o moleque.

Jimmy pegou o Twix e quando voltou à portinhola, o moleque tinha sumido sem pagar. A molecada estava dando risada. Jimmy começou a rir também.

— Você viu? — perguntou a Bimbo.

— O quê?

— Senhor Rabbitte; aqui...!

— Não vai pular a fila só porque sabe meu nome.

— Vá se foder, então.

— Está barrado.

— Ele está barrando o Anto — disse um outro moleque. — Vai ter de se ajustar com o pai dele, seu Rabbitte.

— Ele pode mandar a mãe atrás de mim, se quiser — disse Jimmy.

Eles gritaram.

— Pensando bem — disse Jimmy. — O pai dele é mais bonito.

— Haaaa!

Estavam se divertindo.

— Agora sim ele vai buscar o pai dele.

— Deixe ele — disse Jimmy. — Vou furar os pneus da cadeira de rodas dele.

Ele se virou para ver por que Bimbo demorava tanto. Bimbo estava segurando um hamburger na pimenta em cima de dois sacos; não sabia onde era o quê.

— Quer trocar? — perguntou Jimmy.

— Não! — disse Bimbo. — Não. Sim.

Jimmy falou para os seus fregueses.

— Vou ter de deixá-los agora — disse ele. — A gente está meio atrapalhado na cozinha.

— Tchau, seu Rabbitte.

— Boa sorte para vocês — disse Jimmy.

Abriu caminho para Bimbo.

– Pronto – disse ele. – Não vá entregar a mercadoria antes de receber o dinheiro.

Tinha sido bom o ar fresco na portinhola. Pôs um hamburger para ele mesmo na chapa; merecia.

– Um hamburger empanado, uma grande, uma Coca-Cola! – gritou Bimbo.

– Não precisa gritar – retrucou Jimmy.

Não sabia como alguém podia comer um desses hamburgers empanados; eram revoltantes. Você podia deixar um deles no óleo fervendo por horas, mesmo assim ainda ficava rosa por dentro, além disso é necessário um martelo para abrir a massa. Apostava a morte com quem comesse um desses. Pelo menos eram grandes, muito baratos pelo tamanho. Ele mergulhou um deles na gordura com cuidado. Era como jogar um navio na água.

Darren tinha voltado.

– Ela está feliz agora? – queria saber Jimmy.

– Sim, acho que está – disse Darren.

– Da próxima vez, mije nas batatas fritas dela – disse Jimmy.

Passou um saco com o pedido para Bimbo.

– Um hamburger empanado, uma grande.

– E uma Coca-Cola também – lembrou Bimbo.

– Ah, é mesmo – disse Jimmy.

Ele se agachou e pegou a lata debaixo da chapa quente, tomando cuidado para a sua cabeça não encostar nela. Limpou a latinha com a camiseta de Darren e passou-a para Bimbo.

– Direto da minha geladeira – disse.

– Duas e cinco – disse Darren a Bimbo.

– Duas libras e cinco pence – informou Bimbo ao moleque na portinhola.

– Mas eu só tenho duas libras – disse o moleque.

Jimmy pegou o saco das mãos de Bimbo quando ouviu isto. Abriu-o, pegou o hamburger e deu uma mordida enorme e deixou o resto cair de volta no saco. Fechou-o, pôs o naco de hamburger para um lado da boca.

– Duas libras – conseguiu dizer, e segurou o saco para o moleque pegar.

– Porra!! Você viu o que ele fez?

Bimbo agarrou o saco.

– É todo seu – disse Jimmy.

Lá fora, a molecada fez uma algazarra danada.

Jimmy mastigou o hamburger em pedaços pequenos. Não era tão mau assim. Voltou ao seu posto e virou seu hamburger. Darren estava pondo mais umas fatias de bacalhau na frigideira, para assentar a massa. E também estava rindo.

— Aquilo foi repulsivo — disse a seu pai.

— Até que não é mau — disse Jimmy. — Se você não olhar para o que está botando na boca. Oh, esqueci, desculpe, você é vegetariano; certo. Acho que pensa que sou um canibal, Darren, não é?

— Não — disse Darren. — Só acho que você é um idiota fodido.

Eles riram. Jimmy cuspiu o resto da carne pela porta de trás. Seu hamburger de verdade estava pronto. Nem se importou em pôr molho.

Minha nossa, como se sentia bem agora.

— Um grande, defumado! — gritou Bimbo.

— Seu departamento, Darren — disse Jimmy.

A carne tinha a cor certa, saudável, um marrom escuro.

— Agora, isso é que é hamburger — comentou, antes de deitar a segunda fatia do pão em cima da carne.

— Pequena! — gritou Bimbo.

— Não gosta do cheiro? — perguntou a Darren.

— Não! — respondeu ele. — Meu Deus.

— Mas deve — disse Jimmy.

— Mas não gosto.

— Eu não sei... — disse Jimmy.

Deixou Darren em paz. Passou um saco para Bimbo.

— Grande, defumado.

— Um e oitenta — disse Darren.

Estava escurecendo agora. Darren acendeu as luzes.

Jimmy passou mais um saco para Bimbo.

— Pequeno.

— Cinqüenta e cinco — disse Darren.

— Eu sei! — gritou Bimbo.

Jimmy cutucou Darren.

— Não sou tão burro assim — disse Bimbo.

— Você é mesmo! — disse alguém lá fora.

Darren conhecia aquela voz.

— Nappies Harrison — informou a Jimmy.

Jimmy botou a cara na portinhola.

– Nappies Harrison! – gritou ele. – Você está barrado.
Gritaram de euforia.
– Isso mesmo, Nappies!
– Qual de vocês é Nappies? – perguntou Jimmy quando se acalmaram um pouco.
– Aqui, seu Rabbitte.
Levantaram Nappies. Eram os rapazes que jogavam com Darren no Barrytown United.
– Parem com isso, porra! – gritou Nappies.
Empurraram-no pela portinhola. Ele se segurou na beirada como um gato, mas um dos rapazes tirou o sapato e acertou nos dedos de Nappies.
– Aaah!! Caralho! Toco guitarra com esta mão!
– Essa é a mão com que você bate punheta!
Bimbo salvou o sal e o vinagre e saiu do caminho. Não estava gostando.
– Pelo amor de Deus!
Nappies deslizou no balcão, em cima do sal e da gordura. Seu pé empurrou a tabela com o cardápio para longe. Teria acertado o chão de cabeça se Jimmy não o tivesse segurado pelos ombros até que pudesse tirar os pés do balcão.
Nappies enfiou a camisa de volta nas calças.
– Olhem a queimadura de sol do Nappies!
– Dê um serviço para ele, seu Rabbitte.
Nappies se virou para o pessoal lá fora. Pegou o ketchup de Bimbo.
– Ahhh! Seus fodidos, vão para a puta que os pariu!
Espremeu a garrafa com as duas mãos, antes que Bimbo pudesse pegá-la de volta; o ketchup se espalhou em cima da rapaziada. O furgão sacolejou. Uma lata de refrigerante ainda cheia voou pela portinhola adentro. Não atingiu ninguém, mas fez um barulho danado quando tocou na lataria do furgão e Bimbo se cagou de medo. A lata caiu em cima de uma prateleira e deslizou na frigideira, mandando um espirro de óleo pelo chão.
– Ai, Jesus Cristo...!
– Ei! – gritou Jimmy com todos seus pulmões, mas com a cabeça protegida contra a possibilidade de mais latas. – Parem com isso!
– Vamos – disse Bimbo para Nappies. – Para fora. Assim já é demais; fora, vamos.
Nappies não precisava ser empurrado.
– Não pedi para entrar aqui – disse ele. – Fui jogado.
Escorregou no sebo do chão.

– Porra!

Segurou na chapa quente, mas Darren arrancou suas mãos dali e ele caiu de bunda, direto na gordura.

– Levante-se – disse Bimbo.

Nappies o ignorou. Achou que estava sendo cozinhado. Falou para Darren.

– Que faço?

Darren esticou a mão para Nappies. Evitou o óleo. As mãos de Nappies escorregaram das mãos de Darren. Nappies ficou assustado quando isso aconteceu. Tentou se sentar. Darren agarrou as mangas da camisa dele e o puxou do óleo para a porta de trás.

– Obrigado, Darrah.

Nappies agora estava de pé e a cor voltou ao seu rosto, pronto para reclamar do estado de suas roupas. Bimbo estava tentando tirar a lata de refrigerante de dentro da frigideira.

– Tudo arruinado – resmungou.

Podia sentir o óleo embaixo de seus sapatos. Desistiu da lata e olhou para o chão.

– Bagunceiros malditos – disse ele, e jogou um limpador no chão. – Você não devia dar trela.

– Queremos Nappies! Queremos Nappies!

A rapaziada lá fora se juntou de novo.

Jimmy foi até a portinhola.

– E qual é o preço? – perguntou.

– Dois pence!

Nappies não foi pelo mesmo caminho que entrou. Ele ia, mas Jimmy o mandou pela porta de trás.

– Ah, é?

– Cuidado com a gordura – disse Bimbo. – Olhe.

Nappies desceu os degraus com cuidado, porque o óleo tinha ensopado suas calças e era horrível e morno.

– Tchau, Darren – disse ele.

– Boa sorte, Nappies – disse Darren.

Estava de cócoras, espremendo o limpador dentro do balde de batatas.

Não tinha mais ninguém lá fora. Jimmy desceu a portinhola até limparem a sujeira.

Só tinham um limpador simples e não estava surtindo muito efeito com o óleo.

– Isso é loucura – disse Darren.
– É vergonhoso – disse Bimbo.
– Você acha mesmo? – Começou Jimmy...
Se os dois dissessem mais alguma coisa, teriam começado uma briga, por isso ficaram calados.
Era terrível; o único barulho era o dos sapatos no óleo, e a respiração. Então Jimmy se lembrou de uma coisa.
– Você já viu o filme *Cocktail*, Darren? – perguntou Jimmy.
– Está tirando sarro de mim? – disse Darren.
– Ví o filme com Linda e Tracy – disse Jimmy. – Elas já viram umas treze vezes.
– É só porque o Tom Cruise mostra a bunda – contou-lhe Darren.
– Mesmo? Não acho que ele mostra, será? Devo ter ido ao banheiro na hora... Achei que era um bom filme.
Ele viu a expressão no rosto de Darren.
– É uma merda de filme – explicou. – Mas merda boa, você sabe... As rotinas. Atrás do bar. Entre Tom Cruise e o tal, aquele da série *Pássaros Feridos*. Eram demais... Você viu o filme, Bimbo?
A primeira pedra atingiu o furgão antes que Bimbo pudesse responder. Bateu no lado da chapa quente, bem no meio. A segunda arranhou o teto.
– Meu Deus...!!
Jimmy trancou a porta de trás.
A próxima sacudiu a portinhola.
Eram os mortos-vivos. Não faziam aquilo há algum tempo, há mais de três semanas. Jimmy tinha se esquecido deles.
– Os filhos da puta!
Darren os conhecia. Lar O'Rourke foi da sua classe no primário. Eles sabiam que ele estava no furgão.
A próxima atingiu a lateral do carro de novo. Lascas de tinta caíram em cima do óleo.
Não podiam fazer nada. Só ficar quietos até eles pararem. Nunca causaram dano sério; nunca quebraram o vidro da frente ou os dos lados.
A outra caiu em cima do teto. Fez um barulho enorme e parou no teto. Às vezes não eram pedras que eles jogavam; eram pilhas velhas de aparelhos de som. Só tocavam UB40 o tempo todo; nada mais, nunca.
Jimmy cantou.
– NEARER MY GOD TO THEE...
Não perdia a cabeça mais; não valia a pena.

Uma outra rolou pelo teto.

Só tinha de sentar e esperar. O problema é que não podiam sentar no chão por causa da gordura e da sujeira. Tinham de ficar em pé, longe das paredes.

– Que noite, hein? – disse Jimmy a Bimbo.

– É – disse Bimbo. – Espero...

A pedra quase furou a lataria.

– Porra, caralho! – exclamou Jimmy.

Tocou no amassado ao lado da portinhola.

– Tem uns sansõezinhos aí fora, não?

Aquela foi a última, mas foi de foder.

❖

Estavam na sala.

– FOR GOODNESS SAKE
I GOT THE HIPPY HIPPY SHAKE...

– É foda; desculpe, Darren.

Tinha deixado a garrafa de molho de tomate cair de novo.

Darren apertou o botão de pausa.

Jimmy não conseguia acertar com a garrafa do molho. A de vinagre não era problema; suas mãos se encaixavam bem ao redor dela. Era fácil de apanhá-la no ar. Mas a de molho era difícil para cacete.

Jimmy passou o dedo no molho derramado no carpete e limpou quase tudo. Depois lambeu o dedo.

– Pronto? – perguntou Darren.

– Espere aí – disse Jimmy.

Ele esfregou o carpete com o dedo e a mancha desapareceu. Sem problema.

– Pronto – disse Jimmy.

Tinha a garrafa de vinagre na mão esquerda e a de molho na direita. Estava de pé em frente a Darren, a um metro e pouco de distância, para não dar problema.

– Manda ver, Darren.

Darren apertou o botão de pausa.

– YEAH
I GOT THE SHAKE
I GOT THE HIPPY HIPPY SHAKE...

– Vinagre!

Jogaram as garrafas de vinagre no ar.
— I GOT THE HIPPY...
E pegaram as duas, juntos.
— Opa!
Riram.
— WUUU
I CAN'T SIT STILL...
— O molho!
E acertaram; as garrafas caíram na mão direita de cada um.
— YEAH...
— I GET MY FILL...
— As duas!
— NOW WITH THE HIPPY HIPPY SHAKE...
E Veronica entrou e os pegou em flagrante.
Darren conseguiu pegar as suas duas garrafas, mas Jimmy perdeu a concentração por completo; parou e as garrafas passaram pelas suas mãos direto para o chão. O vinagre não mexeu, mas o ketchup rolou e a sujeira que estava no gargalo se espalhou. Darren apertou o botão de pausa sem vacilar.

Levou algum tempo para que Veronica dissesse alguma coisa. Ficou mais surpresa do que eles. Os dois estavam de bermuda e camiseta, segurando as garrafas de vinagre e ketchup. Talvez estivessem fazendo malabarismo.

Isto talvez explicasse as manchas de ketchup que tinha acabado de notar no teto.

— Ah, não, olhe!
— O quê? Onde? Porra, como é que foi parar ali?
— Não sei o que vocês dois bagunceiros estão aprontando...
— Não estamos bagunçando nada, Veronica — assegurou Jimmy. — É negócio.
— Bom, então podem ir fazer isso noutro lugar — ordenou Veronica.
E olhou para o carpete.
— Não acredito!
E agora o cheiro do vinagre a atingiu.
— É um número que estamos desenvolvendo para o furgão — explicou Jimmy. — Estamos ensaiando.
Ele acompanhou os olhos de Veronica.
— Não se preocupe com a sujeira — disse. — Sai com água.

Veronica estava olhando para as manchas na cortina.
— Fora — disse Veronica. — Fora daqui, vamos. Seu idiota de marca maior, você — disse ela a Jimmy.
Olhou para Darren.
— Vamos, Darren — disse Jimmy. — Vamos para o quintal. Deixe Veronica aqui.
Darren queria dizer alguma coisa para sua mãe; não para se desculpar. Não sabia o quê.
— Traga as coisas, Darren — pediu Jimmy. — Vamos treinar no quintal, Veronica, se alguém vier nos procurar. Posso abrir a janela para você? Quem sabe o cheiro vai embora...
— Não — disse Veronica. — Vá embora.
Darren desligou a tomada do toca-fitas das gêmeas. E ligou-o de novo para ver se as baterias ainda funcionavam.
— SHAKE IT TO THE...
Estavam ótimas.
Agora só tinha sua mãe na sala, mas mesmo assim ele ainda não conseguia dizer nada. Saiu da sala e acompanhou seu pai pela porta da cozinha.
Ele tinha deixado a caixinha da fita em cima do sofá. Veronica pegou-a.
Cocktail, ela leu. Trilha sonora original do filme. Com uma foto de um rapaz bonito na frente. Sua boca estava fechada, mas tinha certeza que ele tinha dentes maravilhosos. Leu a parte de trás para ver quem era. Tom Cruise. Ah, então era assim que ele era; as gêmeas estavam sempre falando dele.
Estudou os danos na sala. Não era um drama. As cortinas precisavam de uma lavada mesmo. Um pano molhado limparia o ketchup do teto. Darren podia fazer isso.
Voltou à cozinha; queria ver o que estavam fazendo.
— FOR GOODNESS SAKE
I GOT THE HIPPY HIPPY SHAKE
YEAH, I GOT THE SHAKE...
Abriu a torneira e encheu a pia, embora não fosse fazer nada com a água. Só queria uma desculpa para ficar em frente à janela.
— WUU
I CAN'T SIT STILL...
— Vinagre!
Ela olhou.

Estavam parados, pernas abertas, um frente ao outro.
— WITH THE HIPPY HIPPY SHAKE...
Pegaram as garrafas.
— Ieeeé! — exclamou Jimmy.
Darren olhou ao redor para ver se tinha alguém olhando para eles por cima da cerca e atrás deles no campinho. Não havia ninguém, pelo menos Veronica não podia ver ninguém. Mas com certeza alguém estaria espreitando pelas janelas. Sempre tinha um. Coitado do Darren.
— WELL I CAN SHAKE IT TO THE LEFT...
— Concentração, Darren.
— I CAN SHAKE IT TO THE RIGHT...
— Molho!
— I CAN DO THE HIPPY SHAKE-SHAKE...
A garrafa de ketchup escorregou das mãos de Jimmy, mas ele conseguiu apanhá-la antes que atingisse o chão, botando-a na posição desejada.
— WITH ALL OF MY MIGHT
OOOOHH...
Darren era muito bom na coisa, muito, muito melhor do que o outro tonto. Eles jogaram as garrafas para o ar e Darren rodopiou e se virou a tempo de pegá-las. Sua bermuda também lhe caía bem. A de Jimmy subia na traseira e descia na frente, segurando a barriga como um elástico de peteca.
Ela fechou a torneira.
— FOR GOODNESS SAKE...
Pôs os braços na água — estava morna — e olhou para fora. Desejou que Sharon estivesse ali para ver, ou mesmo as gêmeas; elas teriam adorado. Darren jogou o vinagre por cima do ombro e apanhou-o do outro lado.
— Pare de se mostrar.
Percebeu que ela estava olhando; Jimmy percebeu. Ela baixou os olhos para a água. Levantou uma mão e abaixou de novo, como se estivesse fazendo alguma coisa na pia.
— YEAH, I GOT THE SHAKE
I GOT THE HIPPY HIPPY SHAKE...
Escureceu. Ela olhou para cima. E deu um pulo de susto: Jimmy tinha seu rosto colado ao vidro da janela. A água fria deslizou pela sua blusa. Ela gritou e depois riu. O nariz dele estava achatado e branco contra o vidro. Ele estava imitando o conjunto Georgia Satellites.
— OOOHH, I CAN'T SIT STILL...

Beijou o vidro. Ela viu Darren atrás dele, olhando ao redor para ver se tinha alguém espiando. Veronica bateu no vidro.

— Saia. Está sujando o vidro todo.

— Ah, que se foda o vidro — disse Jimmy.

Mas ele se agachou e andou para trás no quintal, ainda imitando, com sua mão na virilha.

— SHAKE IT TO THE LEFT
SHAKE IT TO THE RIGHT
DO THE HIPPY HIPPY SHAKE...

Ele se virou, desceu a bermuda e rebolou. Deus do céu, era um capeta. O coitado do Darren ficou vermelho.

— WITH ALL OF YOUR MIGHT...

— Suba a bermuda! — gritou Veronica.

Darren apontou para ela e depois para cima. Ela se inclinou e viu Mary Caprani, duas casas adiante, estendendo a roupa no varal, de olhos fixos na dança de guerra de Jimmy. Veronica achou que ia cair, de tanto rir. Ficou de bruços na pia, seu rosto contra a torneira, mas não conseguia se levantar. O rosto de Mary Caprani! Ela tinha esperado anos para ver um escândalo como aquele.

Darren bateu no ombro de Jimmy e apontou para Mary Caprani.

Jimmy correu para a porta da cozinha, tentando levantar a bermuda ao mesmo tempo. E levou um tombo já dentro de casa.

— Porra, Veronica! Você viu a Radar Caprani me espiando?

— Deixe pra lá — disse Veronica. — Acho que ela está é com ciúmes.

— Porra — disse Jimmy.

Estava sentado no chão. Levantou a camiseta, apertou a barriga e olhou para seu porta-jóia.

— Talvez você tenha razão — disse ele.

A blusa de Veronica estava ensopada. Teria de trocá-la.

Os Satellites ainda estavam a todo vapor lá fora.

Jimmy agarrou a barra da saia de Veronica quando ela passou por ele e acompanhou a banda.

— I CAN'T SIT STILL
WITH THE HIPPY HIPPY SHAKE...

Ele enfiou a cabeça embaixo da saia dela.

— Mamãe, Darren está usando nosso...

Linda entrou correndo na cozinha.

— Deus do céu!

Jimmy saiu debaixo da saia.
— Dê o fora!
Linda correu. E Veronica também.

❖

— Não entenderam nada — Jimmy disse para Veronica.
Estavam na cama. A luz apagada. Jimmy contava a Veronica sobre o número inspirado no filme *Cocktail*.
— Pensaram que a gente estava só fazendo de brincadeira.
Veronica suspirou. Ela também tinha pensado que era isto. Tinha de dizer alguma coisa.
— Tenho certeza de que não pensaram — disse.
— Pensaram, sim — disse Jimmy. — Maggie pelo menos. Ela teria entrado em casa se não tivesse pensado isso.
— Bom, então explique para ela.
— Não. Por que deveria?
Veronica suspirou de novo, um pouco mais fundo dessa vez; um suspiro diferente do primeiro.
— Não é minha culpa se ela não tem capacidade de ver uma boa estratégia de marketing — disse Jimmy.
— Você está ficando irritado — disse Veronica. — Não vai conseguir dormir de novo.
— Ah, me deixe em paz. Você é tão ruim quanto ela... Veronica... Não comece a fingir que está dormindo; vamos... Veronica?

❖

— Saia da frente da porra da luz, faça-me o favor — pediu Jimmy.
No fundo sabia, ele era um fodido de merda, o tipo de fodido que sempre detestou. Mas ao mesmo tempo se sentiu melhor e mais definido: tivera uma idéia.
— Sabe do que a gente precisa, Bimbo? — começou.
Eram dez e meia, do lado de fora do Hikers.
Esperou que Bimbo parasse com o que estava fazendo, abrindo os saquinhos e arrumando-os em fileira sobre o balcão.
— O quê? — perguntou Bimbo.
— Uma noite no batente — disse Jimmy.

Bimbo olhou para o monte de peixe.
— Não essa porra de batente — disse Jimmy. — Isso só serve para mostrar que você tem trabalhado demais e que nem consegue lembrar o que é uma noite na farra.
Bimbo não riu.
— Então, combinado? — perguntou Jimmy. — Vai ser bom para nós dois. O que você diz?
— Certo, Jim, OK.
— Muito bem — disse Jimmy.
Bateu palmas.
— A gente vai se esbaldar.
— Isso mesmo — disse Bimbo.
Os dois riram.
Jimmy queria saber se Bimbo o tinha compreendido direito.
— Só nós dois, certo?
— Certo.
— Na cidade — disse Jimmy. — Vamos à cidade?
— Porra!
— Já que vamos, por que não?
— OK. E que lugar?
— Em todo canto.
Riram de novo.

❖

Estavam de terno; Jimmy insistiu. Estavam na estação de trem regional de Barrytown. Era um lugar horrível, com plásticos envergados nas portas, e o fedor, o fedor era inclemente. Pegou os bilhetes e o troco do rapaz na bilheteria, um gorducho feio e babaca, e quando se virou, viu Bimbo tentando ler o horário dos trens.
— Chega um daqui a pouco — disse Jimmy a ele.
— Não — disse Bimbo. — É o último que quero saber, para ver a que horas sai.
— Não ligue para o último — disse Jimmy.
Ele pegou Bimbo e o empurrou para a plataforma; um bando de rapazes estava na beirada da plataforma, talvez por não ter pago, alguns casais, uma família que parecia que ia visitar alguém no hospital.
— Olhe, ali está uma de parar o trânsito — disse Jimmy. — Olhe.

Era uma moça sentada sozinha do outro lado com uma minissaia vermelha, bronzeada e com um penteado que fazia sua cabeça parecer três vezes maior do que era.

– Ah, sim – disse Bimbo.

– Deve estar indo para Howth – disse Jimmy.

– Fazer o quê? – perguntou Bimbo.

– Comprar peixe – disse Jimmy.

Tinha certas coisas em que Bimbo não se ligava de jeito nenhum. Jimmy podia ver que ele estava refletindo se ela ia mesmo para Howth comprar peixe.

– Diria que ela está indo lá para encontrar o namorado ou alguma coisa assim – disse Bimbo.

– Talvez ele seja um pescador – disse Jimmy.

O trem se aproximava.

– Agora vamos – disse Jimmy. – Será que tem uma loja de *duty-free* no último vagão?

Bimbo riu.

Já não era sem tempo – disse Jimmy a si mesmo. Tinha começado a achar que Bimbo perdera o senso de humor de tanto se expor à frigideira.

A viagem à cidade foi boa. Um *scuttered knacker* e um casal brigando providenciaram o divertimento até Connolly. O vagão deles estava cheio de mocinhas arrumadas. E Bimbo começou a relaxar. A coisa só podia melhorar.

– Por que parou, porra? – queria saber Jimmy, quando o trem fez um parada perto do parque Fairview. – Já está me dando água na boca.

– Na minha também – disse Bimbo. – Muita gente hoje vai ficar sem a sua batata frita, não é?

– Não faz mal nenhum.

O trem deu uma sacudida e começou a andar de novo.

– Agora vamos – disse Jimmy. – Já era tempo.

Ia ser uma noite daquelas; já dava para sentir. Estava começando a gostar de Bimbo de novo, e Bimbo dele. Estavam se inclinando mais perto, ombro a ombro, os dois juntos. Longe do furgão, de Maggie, da pressão, das brigas e de toda aquela merda, iam beber umas e outras e dar umas boas risadas, encher a cara e depois voltariam ao normal, do jeito que costumavam ser; do jeito que ficaria.

Bimbo começou a se levantar quando o trem entrou na estação de Connolly.

— Fique sentado aí — ordenou Jimmy.
— O quê?
— Vamos descer em Tara.
— Hã?
— Vamos experimentar a cerveja no Mulligans, primeiro — disse Jimmy.
— Ah, ótimo.
— A melhor cerveja preta de Dublin.
— Isso é o que dizem.
Jimmy sabia onde iam; tinha um plano em sua cabeça.
Ao passar pelo cobrador, eles já estavam prontos para o que desse e viesse e começaram a correr para a esquina onde ficava o Mulligans, empurrando um ao outro só de brincadeira, e quase foram atropelados por um caminhão de bombeiro quando atravessavam a rua Tara.
— Por que não ligam a porra da sirene, caralho?! — gritou Jimmy, e correu atrás de Bimbo e entrou no Mulligans.
Havia duas mulheres se levantando dos banquinhos quando Jimmy viu Bimbo em frente ao bar.
— Estavam esquentando os banquinhos pra gente, garotas? — perguntou Jimmy.
Uma delas olhou fixo para Jimmy.
— Não somos garotas — respondeu uma delas.
— É verdade — disse Jimmy, quando foram embora.
Sentaram-se nos banquinhos. Jimmy esfregou as mãos.
— Hah hah!
— Aqui estamos — disse Bimbo.
— Certo — disse Jimmy. — E lá está o barman. Duas cervejas, por favor.
Era meio esquisito sentar-se vestido de paletó. Tinham de sentar reto; o paletó não permitia que sentassem de outro jeito. E não se podia debruçar, pôr o cotovelo e os braços no balcão, usando o melhor terno; dava nervoso. Mas iam precisar do terno mais tarde.
— O que achou daquelas duas? — disse Jimmy.
— Eh...
— Lésbicas, eu diria.
— Ah, não.
— Aposto que são. Você não ouviu? Não somos meninas.
— Mas isto não quer dizer que...
— Não foi só isso. Bebendo aqui, sozinhas, você sabe. Como homens. Aí vem a cerveja, olhe.

217

Os copos chegaram e Jimmy teve uma idéia. Levantou-se, tirou o paletó, dobrou-o e depois o colocou com cuidado no banquinho e sentou-se em cima dele.
– Agora está melhor. Que cerveja boa para caralho. Não é?
Bimbo tinha quase terminado a sua.
– Deliciosa.
– Boa para caralho.
– Deliciosa.
Tomaram mais duas boas para caralho, daí Jimmy se levantou antes que ficassem com preguiça de ir a outro lugar. Vestiram de novo o paletó, foram dar uma mijada (a primeira é sempre a melhor) e procurar novas pastagens.
– Onde? – perguntou Bimbo.
Doyle's, Bowe's, o Palace; duas cervejas em cada um. Eram lugares novos para Bimbo, e também para Jimmy, embora ele já tivesse passado na porta e dado uma espiada dentro. Prometera a si mesmo que quando tivesse dinheiro de novo, viria inspecioná-los com mais detalhes. E ali estava ele.
– Boas cervejas, consistentes – disse ele. – Pelo menos até agora.
– Muito boas, sim.
Estavam no Palace, de pé, encostados na parede, perto da porta, pois não tinha lugar mais para dentro. As mulheres eram uma decepção, nada como tinham imaginado. Eram meio hippies, esqueléticas. Tinham imaginado um pouco de brilho; não no Mulligans – lá tinham ido só pela cerveja – mas nos outros lugares. Era por isso que estavam no Palace agora, na cidade, de terno. Jimmy queria que alguma coisa acontecesse. Talvez tivesse sido melhor em Howth. Mesmo assim, ainda era bom estar saindo com Bimbo, longe de tudo.
– Acabou? – perguntou a Bimbo.
– Já vamos?
– Esse lugar não é para nós. Você está bem?
– OK – disse Bimbo. – Você é o chefe.
Isso mesmo, pensou Jimmy, enquanto esperava que Bimbo acabasse de esvaziar seu copo; eu sou o chefe.
Sempre foi assim.
Foram para fora e o ar estava fresco e gostoso.
– Por aqui – indicou Jimmy.
Era sempre ele que tomava as decisões, quem planejava os fins-de-semanas conjuntos. Jimmy dizia, Vejo você no Hikers depois da missa do

meio-dia, e Bimbo estaria lá. Jimmy botava o nome de Bimbo para jogar golfe e Bimbo ia e jogava. Jimmy uma vez alugou um par de caravana em Courtown uns dois anos atrás e as duas famílias dirigiram até lá em caravana e ficaram duas semanas.

– Aonde vamos agora? – queria saber Bimbo.
– Um lugar diferente – disse Jimmy. – Espere só.
– Estou doido para dar uma mijada.
– Pare de reclamar, porra.

Havia uma multidão, a maioria jovens – estavam na rua Grafton agora –, bandos de mocinhas do lado de fora do McDonalds. Não eram como as meninas em Barrytown; essas daqui estavam acostumadas com a grana. Eram mais maduras e cheias de confiança; gritavam e não se importavam em ser ouvidas – queriam ser ouvidas. Tinham sotaques como locutor de televisão. Pernas que se perdiam de vista. Jimmy fez uma conta rápida: tinha talvez três delas que não eram realmente lindas.

Agora sim.
– Não tem pubs por aqui, ou tem?
– Cale a boca.

Bimbo queria ir embora; Jimmy sabia disso. Estava matando a Budweiser, engolia rápido e arrotava ao mesmo tempo para se livrar dela, assim poderiam ir embora. Jimmy ainda não estava pronto para ir. Detestava o lugar, e gostava ao mesmo tempo. Era meio doido; ele e Bimbo eram os únicos homens no bar que precisavam de suspensórios para segurar as calças e os únicos que não estavam usando-os. Eram também os únicos que não eram idiotas completos e totais, pelo que podiam ver ao redor. O barulho era de risadas altas, por porra nenhuma. As mulheres, então – nem todas eram jovens.

O pessoal se moveu um pouco e duas delas ficaram ao lado de Jimmy e Bimbo, e estavam sozinhas. Jimmy cutucou Bimbo.

– Não gosto da sua, não – disse a Bimbo, embora na verdade gostasse.
– O quê? – disse Bimbo.
– A tal da mulher aí – disse Jimmy.
– Dê cobertura – pediu Jimmy. – Olá – cumprimentou a que estava mais perto.
– Oh, olá – respondeu ela, e as duas desapareceram na multidão, as putas.
– Putinhas metidas – disse Jimmy. – Uma delas era uma vara torta, você notou?

Mas era um começo; ele se sentiu ótimo.
Sorriu para Bimbo.
– O que você achou daquelas mulheres? – perguntou.
– O que quer dizer?
– Não comece. Gostou delas?
Bimbo estava pensando.
– E então, gostou?
– Eh... eram bonitas, mas...
– Bonitas, mas? Se... se a Sophia Loren chegasse para você e pusesse os biquinhos dos seios na sua cara, você diria que ela era bonita, mas?
Estava feliz.
Uma mulher de mais ou menos sua idade esbarrou nele.
– Olhe o caminho, meu bem – disse ele.
– Desculpe.
– Não há de quê.
E ela se foi, mas tudo bem. Só precisava de um pouco de prática. Se ela voltasse em uma hora ou mais, ele ia sair com ela, sem problema. Não que quisesse trepar com ela. Ou com qualquer outra. Estava só tirando sarro; vendo se ainda podia papar uma mulher se quisesse. Olhou ao redor.
– Aqui – disse a Bimbo.
– Por quê? – Bimbo perguntou, mas seguiu Jimmy. Não queria ficar sozinho.
Se tudo o que Jimmy queria era encostar uma mulher na parede e dar umas amassadas, ou até mesmo uma trepada, não precisava ter vindo tão longe; havia um monte de mulheres em Barrytown que não se acanhariam de ir atrás da clínica com ele; tudo o que precisava fazer era comprar umas garrafas de Stag e ouvir seus problemas por um tempo e dizer que elas ainda eram bonitas, quando começassem a chorar. Ele conhecia todas e algumas eram ainda bem bonitas. Mas nunca ficou tentado, e não foi por medo de ser pego.
Estavam no meio da multidão agora, e não no canto.
O que ele queria ver era se conseguia uma jovem ou uma dessas glamorosas, cheias de grana, mas nem tão jovens. Ia dar um breque, quando soubesse que estava no papo; na verdade não estava interessado em botar no buraco – só queria saber se conseguia o buraco, era só isso.
– Quer mais um, aqui, Jimmy? – perguntou Bimbo.
Ele gostaria de dar uma trepada com esse tipo de mulher, talvez apenas uma vez, uma vez só, num quarto de hotel ou no apartamento dela, e depois

ficaria satisfeito. Jimmy nunca estivera num quarto de hotel.
— Claro que sim — respondeu Jimmy.
— Mas aqui?
— É, aqui. Só mais um, certo?
Bimbo concordou e foi até o bar.
Jimmy sorriu para uma mulher, por trás do ombro de um cara. Ela sorriu de volta rápido, no caso de conhecê-lo de algum lugar. Jimmy esperou que ela olhasse para o seu lado de novo, mas ela não olhou. Devia ter seus quarenta anos, mas estava usando uma minissaia. O cara devia ter uma fortuna.
Bimbo voltou.
— É um roubo esse lugar — comentou.
— Paga-se pelo estilo — disse Jimmy.
— Essa é a última.
— OK, OK. Olhe: boazudas atrás de você!
— O quê?
— Como vão, garotas? Querem um aperitivo?
Passaram direto. Deviam ter percebido que ele estava falando com elas. Com certeza, deviam; falou direto na cara delas.
— Filhas da puta do caralho — disse. — Olhe para ela. Aquela ali. Com o cara ali.
— Ah, sim.
— Ela é boa pra caralho, não é?
— É.
— Os olhos dela soletram cama — disse Jimmy.
E era mesmo linda.
— É — Bimbo concordou.
— Olhos de cama — disse Jimmy de novo. — E boca de privada.
Eles riram.
A Budweiser de Bimbo estava quase acabando.
— Vamos? — perguntou.
— Vamos — concordou Jimmy. — OK.
Bimbo olhou para o relógio. Já passava das onze.
— Agora queria mesmo era uma cerveja de verdade — disse ele.
— Bem pensado, Batman — disse Jimmy. — Vamos.

❖

— Sabe como se conquistaram mulheres assim? — perguntou Jimmy.
— Como?
— Dinheiro.
— É mesmo.
Era bom estar de volta num pub de verdade.
Bimbo foi buscar duas cervejas das boas e Jimmy comprou mais duais, pois já estava na hora de fechar e Jimmy falou que os pubs no centro da cidade são filhos da puta em manter o horário e fechar às onze e meia em ponto.
Foram para uma mesa e sentaram-se.
— É — continuou Jimmy. — Nove em dez mulheres, se pudessem escolher entre dinheiro e aparência, escolheriam o dinheiro.
— Que tal Maggie e Veronica?
— Não estou falando de mulheres como Maggie e Veronica — Jimmy disse. — Não estou falando de mulheres assim. Mulheres comuns, entende o que quero dizer?
Esperou para que Bimbo confirmasse.
— Quero dizer o tipo de mulher que vimos naquele lugar hoje. Sofisticadas e glamurosas...
— Acho que Maggie e...
Jimmy o interrompeu.
— Sei o que vai dizer, Bimbo. E concordo com você. Elas são tão bonitas quanto estas. Mas não são iguais ao mulherio que vimos, não concorda?
— Não — disse Bimbo. — Não são.
— Graças a Deus, não é? — disse Jimmy. — Pode imaginar uma dessas espevitadas criando os nossos filhos?
— Deus me livre — disse Bimbo.
Jimmy endireitou-se no banco.
— Mas, a gente tem de admitir, Bimbo — continuou. — São boas para uma trepada, não acha?
— Ah, não...
— Vamos, seu porra, admita!
Eles riram. Isso era bom, pensou Jimmy. Ainda não estava na hora de ir pra casa.
— Essa é a diferença — disse ele, agora sério. — Veronica e Maggie. Somos sortudos, eu e você. Mas... Elas são esposas. Está fazendo sentido o que digo?
— Está.

– Aquelas lá não são. Talvez sejam casadas e tudo mais, mas... são mulheres, em vez de esposas, eh... Porra, não sei me explicar direito.

– Estou entendendo o que você quer dizer.

Jimmy se sentiu bem, como se tirasse um peso de seu peito.

– Vamos ver se a gente consegue mais um? – perguntou.

– E o...?

– A gente pega um táxi. Vamos nos esbaldar, hein?

– OK – disse Bimbo. – Mas é melhor que seja uma dose pequena, Jim, pois estou transbordando de cerveja.

Jimmy convenceu o barman mais novo e conseguiu duas doses de Jameson, e isto fez ele se sentir ainda melhor.

– Que tal?

– Você é demais – disse Bimbo. – Muito bem.

Foi difícil voltar a sentar-se, com tanta gente ao redor deles, mas Jimmy manejou sem ter de empurrar ninguém. Estava doido para voltar à conversa com Bimbo.

– Mulheres assim...

Esperou para ver se Bimbo o estava seguindo.

– Mulheres assim como aquelas se ligam em grana – disse Jimmy. Elas ficam molhadinhas com qualquer feioso de cão ou qualquer débil mental, só porque são ricos.

– Não sei, não – disse Bimbo.

– É verdade – disse Jimmy. – Aquela tal da Jackie Onassis, por exemplo. Não venha me dizer que ela amava o tal do Aristóteles, não é?

– Poderia, sim.

– Uma ova. Ela até fez um contrato antes de casar com ele, garantindo-lhe milhões de dólares; milhões!

– Mas isto não quer dizer que...

– E Grace Kelly?

– A Princesa de Mônaco?

– Ela só casou com o príncipe não sei da porra do nome, porque ele era um príncipe. E a princesa Diana também.

– O quê?

– Ela só casou com o fodido do orelhudo pela mesma razão.

– Sempre achei que havia alguma coisa esquisita com aquele casal.

– Mas não estou lhe dizendo, Bimbo? – continuou Jimmy. – Tem mulher por aí que faria qualquer coisa por dinheiro. Pelo menos, aquelas que vimos naquele lugar.

— Não se pode nunca respeitar uma mulher dessas — disse Bimbo.

— Não — concordou Jimmy. — Mas a gente pode trepar com elas até o sol raiar.

Deram risada.

— Seria incrível — disse Jimmy, antes mesmo de acabar de rir. — Quando se pensa nisso. Quer dizer, se a gente tivesse o dinheiro.

— É — concordou Bimbo. — Acho que sim. Se estiver interessado nesse tipo de coisa.

— E quem não estaria? — perguntou Jimmy.

Bimbo não disse nada e isto era o suficiente para Jimmy. Ver Bimbo torrar a cuca de pensar.

O pub começou a esvaziar. Jimmy olhou no relógio; ainda não era meia-noite. Ótimo, porque assim podia fazer a pergunta a Bimbo.

— E agora, que fazemos?

Bimbo olhou ao redor, como se acabasse de acordar.

— O que quer dizer?

— Aonde vamos? — perguntou Jimmy.

Bimbo olhou no seu relógio.

— Acho melhor a gente ir...

— Não é hora de ir para casa, porra — disse Jimmy. — Ainda não. Esta é a nossa noitada?

Bimbo estava a fim, Jimmy podia ver, mas meio perdido. Esperou que Bimbo falasse primeiro.

— Mas onde poderíamos ir? — perguntou.

— A algum lugar onde se pode beber alguma coisa — concluiu Jimmy.

— Ah, sim — disse Bimbo. — É claro.

Jimmy falou bocejando.

— Nós... nós podemos tentar a rua Leeson, talvez... Não sei. O que você acha? Seria diferente, não?

O coração de Jimmy estava quase escapando pela boca.

E o de Bimbo também.

— Será que a gente consegue uma cerveja lá? — perguntou.

— Sim, com certeza — disse Jimmy. — Sem problema.

❖

Estavam a caminho.

— Espere aí — disse Jimmy de repente. — Qual é a cor da sua meia?

Pararam. Bimbo olhou para os pés. Levantou uma das pernas da calça.
— Eh... Azul, parece que...
— Graças a Deus, então — disse Jimmy.
— Por quê?
— Não deixam entrar se estiver usando meias brancas — contou a Bimbo. — Os leões-de-chácara. São ordens dos superiores.
— E por que isso?
— Não sei. Jimmy Jr. me disse. Punheteiros e bagunceiros usam meias brancas.
— Você não acha que eles se ligariam e começariam a usar outra cor de meia? — falou Bimbo.
— Quem?
— Os punheteiros.
— Verdade — disso Jimmy. — Mas isso mesmo é o que faz eles serem punheteiros, não é?
— É. E que cor você está usando?
Jimmy não precisava olhar.
— Não são brancas — disse tenho certeza — respondeu.

❖

Correram para se juntar ao bando de homens descendo as escadas. Estavam de porre e alegres, alguns copos a mais, e já vomitavam; homens de negócios, pareciam, da mesma idade de Jimmy e Bimbo. A porta se abriu; os caras da frente disseram alguma coisa para o leão-de-chácara; todos riram, incluindo Jimmy e Bimbo, e entraram sem mais, nem menos. Não custou nada, como dissera Jimmy.
— Muito obrigado — disse Bimbo, quando passou pelo leão-de-chácara.
— Cala a boca, porra! — sussurrou Jimmy. — Leão-de-chácara que se preza pode cheirar o medo na cara do freguês — disse a Bimbo. — São como cães de guarda.
— Mas só disse obrigado a ele — retrucou Bimbo.
— Ah, deixa para lá — disse Jimmy. — Esqueça.
Estavam dentro agora.
— A gente deixa o paletó com eles? — perguntou Bimbo.
— Não — respondeu Jimmy.
Um terno sem paletó era só um par de calças; seu paletó, ele não ia tirar.

O papel de parede era daquele tipo esponjoso, aveludado. Era um bom sinal, decidiu Jimmy. Dava a indicação de alguma coisa, coisa meio duvidosa. Podia sentir a música no assoalho, mesmo antes de entrar no lugar onde ficava o salão e o bar. Isso sim, era o negócio. Olhou para ver se Bimbo achava o mesmo e o pegou admirando a porta do banheiro das mulheres. Duas delas estavam paradas em frente, uma delas segurando a porta aberta.

– Jesus Cristo, Bimbo, você quer nos ferrar quando nem bem chegamos?
– O quê?
– Vamos.

Era um par de boazudas, as duas que estavam paradas na porta. Mulheres assim não precisavam mijar; só iam lá para retocar a maquiagem.

O bar tinha três ambientes; os barman estavam empetecados com coletes vermelhos e gravatas borboletas, os babacas. Fazia calor. O salão de dança ficava depois do bar e não era tão grande quanto Jimmy tinha imaginado. Os banquinhos no bar estavam todos ocupados. Jimmy deu a volta e foi para o lado onde se dançava. Havia algumas mesas mais para dentro, depois do salão de dança; os espelhos dificultavam medir a distância da sala. A única que estava dançando era uma margarida, pulando para cima e para baixo como se sua buceta estivesse coçando. Cada vez que você achava que ia ver a calcinha dela, ela puxava a saia para baixo. Era jovem.

– Quer uma cerveja preta ou o quê? – Jimmy perguntou a Bimbo.
Bimbo estava olhando para a mocinha dançando.
– Será que ela está se sentindo bem? – queria saber Bimbo.

Meu Bom Jesus, lá estava a garota tentando fazer cada homem ali parado gozar nas cuecas e Bimbo queria saber se tinha alguma coisa errada com ela!

– Uma cerveja preta? – perguntou Jimmy de novo.
– Aqui não – disse Bimbo.

Jimmy concordou; cerveja preta nesse lugar poderia deixá-los de caganeira o fim-de-semana inteiro.

– Budweiser, então – disse Jimmy.
– Ótimo.

Teve de gritar por causa da música.

Havia duas mulheres no bar, não muito jovens, mas ainda enxutas. Jimmy se espremeu entre os dois banquinhos.

– Desculpe, garotas.

Agarrou o barman quando ele passou perto.
— Duas Budweiser, quando tiver um minuto!
— Aqui só tem vinho.
O barman parecia que já tinha dito aquilo muitas vezes.
— O quê?
— Nada de cerveja ou aperitivos. Somos licenciados só para vinho.
— Está falando sério?
O barman não disse nada; só balançou a cabeça confirmando e sumiu para o outro lado do bar.
— Que merda — reclamou Jimmy.
Por um momento, não sabia o que fazer. Bimbo estava atrás dele.
— Não vai servir a gente? — perguntou Bimbo.
— Servir, ele serve — disse Jimmy. — Só que não é a porra que a gente quer.
Umas das mulheres riu. Jimmy se virou para ela e sorriu; era aquele tipo de risada.
Tinha uma promessa ali.
— Experimente o vinho — disse a mulher.
Jimmy voltou um pouco para que Bimbo ficasse ao seu lado.
— E o que você recomenda? — perguntou-lhe.
— Qual é o problema? — perguntou Bimbo, com a boca no seu ouvido.
— Nada — respondeu Jimmy.
Tentou usar os olhos para apontar a mulher para ele, mas não era fácil.
— O vinho tinto da casa é muito bom — informou a mulher.
— Mesmo? — disse Jimmy. — Vocês estão bebendo o da casa?
— Estamos, sim — disse ela. — Não estamos, Anne Marie?
— Estamos — respondeu a amiga dela.
— Isso é muito bom — disse Jimmy. — Então a gente também experimenta.
Jimmy deu um passo para trás para que a amiga, a que se chamava Anne Marie, fosse incluída na roda, e aproveitou para dar uma olhada em Bimbo, para ver se ele tinha se ligado, e ele tinha. Estava de olhos secos em Anne Marie.
— Meu nome é Jimmy — disse às garotas. — E este é Bim...
Não conseguia lembrar do nome verdadeiro de Bimbo.
— Brendan — disse Bimbo.
Ah, era isso mesmo.
— Brendan — repetiu Jimmy.

– Olá, Brendan – disse a mulher. – Bem, meu nome é Dawn. E esta é Anne Marie.
– Como vai? – disse Jimmy.
Falou para Anne Marie.
– Dois nomes, hein? Um só não foi suficiente para você?
Ela não entendeu. Ele sorriu para saber que estava brincando e virou-se para Dawn.
– Melhor a gente pedir o nosso *vino* – disse ele. – O da casa, você disse?
Chegou mais perto de Dawn – um nome do caralho, esse – e deu espaço para Bimbo chegar mais perto.
– O tinto da casa – disse Dawn.
– Ótimo – disse Jimmy. – E é mesmo bom?
– É gostoso – disse Dawn. – Pelo menos eu acho. E o preço não é mau.
– Não importa o preço – disse Jimmy. – Deixe que eu e Bim... Brendan nos preocupamos com o preço. Aqui!
Conseguiu capturar o barman.
– Uma garrafa do tinto da casa, faça o favor.
Isso era incrível. E até que não eram feias. Bem arrumadas; bem no ponto de não estarem apavonadas. Lá pelos trintas anos. Dawn tinha um par de peitos para não se botar defeito e sua bunda se encaixava direitinho no banquinho; sem nada se esparramando dos lados. Seus cílios eram enormes, mas pareciam verdadeiros. Dava para notar as raízes escuras nos seus cabelos; dali a uns dois meses, ela ia parecer um gambá. Mas ia tingir o cabelo de novo antes que isso acontecesse. Cuidava da sua aparência. Ia fazer bonito.
Tinha alguma coisa com Anne Marie também.
Bimbo chegou mais perto, mas não olhava para ela por muito tempo. Encostou-se no balcão do bar.
O barman voltou com a garrafa de vinho.
– Pode estacionar aqui, meu filho – disse Jimmy a ele.
Anne Marie era mais gorda do que Dawn; mas não gorda demais, de jeito nenhum. Se estivesse parado em frente ao balcão do bar, poderia ver até sua buceta pelo jeito que cruzava as pernas. Estava fumando um desses cigarros finos. Sua expressão era a de quem não dá a mínima para nada. Ele tinha certeza que ela trepava que nem uma máquina bem azeitada.
– Ele quer saber se você quer experimentar primeiro – Dawn explicou a ele.
– Porra, claro que sim – disse Jimmy. – Desculpe o meu francês, Dawn.

Debruçou-se, encostou nela – ela não se moveu – e pegou o copo. Só tinha um gole. Pôs o nariz dentro do copo e cheirou.

– Ah, sim – disse ele.

Dawn riu.

– Muito aromático – disse Jimmy.

Tomou um gole, inclinou-se e gargarejou. Até mesmo Anne Marie riu. E engoliu.

– Classe A – disse ele.

Levantou o polegar para o barman.

– Pode derramar, *compadre* – disse ele. – Quanto lhe devo?

– Vinte e três libras.

– O quê?

Não escutara.

– Vinte e três libras.

– Ótimo...

Caralho, cara!

Passou uma nota de vinte e uma de cinco. Ainda bem que sua mão não estava tremendo.

– Aqui está – disse ele. – Pode ficar com o troco.

– Muito obrigado.

– De nada.

Se ele não conseguisse enfiar no buraco depois de arcar com vinte e três libras por uma porra de uma garrafa de vinho, ele ia... Olhou para Bimbo: parecia que ele tinha sido atingindo por uma bala de chumbo. Jimmy sorriu e piscou para ele. Bimbo sorriu de volta. Dawn encheu seu copo. Jimmy ia ter de ir ao banheiro para checar quanto tinha no bolso. Era uma caminhada longa para Barrytown.

– Tin-tim, Jimmy.

Dawn levantara o copo, esperando que os outros se juntassem a ela.

– Sim, claro – disse Jimmy.

Ele pegou seu copo. Tinha de gritar por causa da música.

– Tin-tim, Dawn.

Riu. E ela também.

Tocaram os copos.

– Tin-tim, Brendan – disse Jimmy.

Bimbo olhou para ver com quem ele estava falando, depois se lembrou.

– Oh, obrigado.

Vinte e cinco libras, porra. Com certeza podia conseguir uma massagem e uma punheta por esse preço, e além disso a garrafa estava quase vazia. Ia ter de pedir mais uma dali a pouco. Pôs a mão contra o bar, atravessando as costas de Dawn, tocando-a de leve. Ela não se moveu. Anne Marie encheu seu copo. Ela tinha a aparência de neurótica, por certo; mais um ano e ela estaria pronta para o manicômio.

– O som é demais – disse Dawn.
– É – disse Jimmy. – Incrível.

Ele sacudiu a cabeça quando falou, porque estava muito alto; o tum-tum-tum de merda que Jimmy Jr. costumava ouvir quando morava em casa. Ela tinha de pôr a boca perto do ouvido de Jimmy.

– O quê? – perguntou ele.

Era ridículo demais.

– Estão na cidade para uma noitada? – perguntou ela.

Esse era seu jeito de perguntar se eles eram casados, pensou Jimmy.

– Ah, não – disse. – Não. Nada de especial.

Ela balançou a cabeça.

Talvez ela não se importasse. Ele pôs a mão no bolso para ajeitar o pau – o jeito que ela ficava pondo a boca no seu ouvido... Bimbo estava de conversa com Anne Marie. Bom para ele. Tinha achado que Bimbo talvez fosse um empecilho; mas não, os dois estavam batendo um papo firme; ele estava se comportando como devia. Anne Marie pôs o copo nos lábios e deixou-o lá. Quando Dawn se virou para pegar seu copo, Jimmy botou a mão embaixo do pinto e ajeitou para cima – e Anne Marie estava olhando para ele. Ele então fingiu que tinha derramado vinho nas calças e que estava checando para ver se tinha manchado.

– O que foi?

Dawn estava olhando para ele.

– Ah, nada.

Olhou para cima: Anne Marie estava olhando para Bimbo de novo e o volume nas suas calças estava diminuindo. Sem problema. Desejou que não fosse a bebida. Estava se sentindo meio bêbado agora; o vinho por cima de toda aquela cerveja.

Dawn se aproximou de seu ouvido.

– O que você faz, Jimmy?
– Quer dizer quando não estou aqui?

Ela riu, e se encostou no braço dele e ficou assim.

– Trabalho por conta própria – disse ele. – Eu e Bren.

— Muito bem.
— No setor alimentício.
— Bom.
Dava para sentir o calor vindo de Dawn, estava encostado nela. E ela estava suando um pouco. Ficou imaginando como ela trepava.
— É muito bom ser seu próprio patrão – disse Jimmy.
— Diria que você é um patrão duro, Jimmy.
— Não – disse Jimmy. – Na verdade, não. Sou razoável.
Dawn balançou a cabeça.
— Mas não levo desaforo de ninguém – disse Jimmy. – Uma vez que isto fica acertado... sabe como é?
O DJ fez uma pausa, graças a Deus. Pôs uma fita, mas o barulho não era tão mau. Podiam conversar todos os quatro e Jimmy podia ficar de olho em Bimbo.
— Aqui!
— Sim? – o barman atendeu.
— Uma outra garrafa do tinto da casa – disse Jimmy. – Tudo bem aí? – perguntou a Bimbo e Anne Marie.
— Tudo – respondeu Bimbo.
Anne Marie olhou fixo para Jimmy, bem na cara dele. Fingiu que não era com ele. Bimbo estava sorrindo, como sempre fazia quando tinha enchido a barriga com mais de dez cervejas, e se balançava um pouco. O terno fazia ele parecer menos bêbado do que estava.
Jimmy olhou de novo. A tal de Anne Marie ainda olhava para ele.
Daí ela falou.
— Sua pele é muito boa, considerando.
— Considerando o quê, Anne Marie? – Dawn queria saber.
— Onde eles trabalham.
Bimbo! O idiota do caralho!
— E onde eles trabalham? – perguntou Dawn.
— Num furgão – disse Anne Marie.
Ia enforcar o filho da puta. Ali com um sorriso estampado na cara! Ficou juntinho de Dawn... só para se lembrar como é que era.
— Olhe o vinho – disse Bimbo. – É minha vez. Vinte e três libras, não é?
— Eles têm um furgão de vender batata frita – disse Anne Marie.
— Isso mesmo – disse Bimbo.
— Brendan's Burgers – disse Anne Marie.
Bimbo e Anne Marie estavam de mãos dadas.

— Estamos no processo de expandir a nossa frota — Jimmy disse para Dawn. — E você o que faz, Dawn?

— Vocês levam o furgão para partidas de futebol e coisas assim?

Ela se endireitou no banquinho, mas não parecia que estava tentando se afastar dele. Talvez ainda não estivesse tudo perdido. Mesmo assim, ainda ia esfolar Bimbo, o idiota do caralho.

— Às vezes — disse Jimmy. — Mas na maioria das vezes ficamos na localidade. Nossa pesquisa de mercado mostrou que a assiduidade é importante.

Ele empurrou as costas de Dawn com seu braço, querendo fazê-la ficar entre suas pernas.

— O freguês gosta de saber que se quiser sua batata frita, só precisa sair de casa e a gente está ali para entregá-la.

— E vocês preparam sua própria batata e hamburger?

— Às vezes — disse Jimmy. — Sim.

Se empurrasse um pouco mais ia derrubá-la do banquinho.

— Coisa esquisita para se ganhar dinheiro, não é?

— Não acho, não — disse Jimmy. — Suponho que poderia... eh...

Isto era foda; ele não estava chegando a nada assim. Mais um minuto e ia perder a paciência.

Oh, caralho! Bimbo estava beijando Anne Marie! Não era justo, porra. Bem agarradinhos, os braços dela ao redor dele, subindo e descendo nas suas costas, e a mão afagando seus cabelos.

Ele encostou a boca no rosto de Dawn, mas ela se afastou.

— Calma, calma — disse ela.

Como se fosse rotina com ela.

— Desculpe...

Foda-se. Ele era um tolo.

Bimbo e Anne Marie estavam se comendo ali na frente dele.

Queria chorar, e ir para casa. Apontou para Bimbo.

— O apelido dele é Bimbo — disse para Dawn.

Agora ele sentiu que estava de porre mesmo. Quase caiu para trás. O braço atrás de Dawn estava lhe matando, por isso ele tirou-o de lá, pronto, acabou. Não conseguia pensar em nada para dizer. Não conseguia pensar e pronto. Alguma coisa engraçada, qualquer coisa. O gosto da Guinness subindo pela sua garganta. Anne Marie mordeu a orelha de Bimbo.

Jimmy tentou a boca de Dawn de novo.

— Pare com isso!

– Vamos lá, vai, – pediu Jimmy.
Ela o empurrou para longe. Bem feito para ele; era inútil.
Bimbo ia ao sanitário. Anne Marie o segurou para ajeitar a gravata e ele desapareceu, passando por Jimmy.
Dawn não parecia com raiva ou indignada, nem nada. Como se nada tivesse acontecido. Até mesmo sorriu para ele, a puta.
Ele se aproximou de novo, mas ela o empurrou. Ela o empurrou e pegou o copo ao mesmo tempo.
– Vá se foder! – disse Jimmy, e foi atrás de Bimbo.
Os sanitários ficavam perto da entrada. Jimmy empurrou alguém no caminho e entrou. Ele foi de encontro à parede atrás da porta. Havia uma outra porta. Abriu esta também e notou quatro pias e um espelho enorme à sua frente. Não havia ninguém no urinol. Bimbo devia estar num dos cubículos vomitando, com um pouco de sorte. Havia três cubículos, dois deles estavam trancados. Ele deu umas porradas nas duas portas.
– Saia daí, seu porra!
Uma delas se abriu quando ele empurrou. Não estava trancada; não havia ninguém dentro. Bimbo estava na do meio.
– Vamos; sei que está aí dentro...
Deu um pontapé na porta. A madeira rachou.
– Qual é o seu problema? – perguntou Bimbo.
Jimmy ouviu o ruído do zíper e depois a água da descarga. Empurrou a porta antes de Bimbo sair completamente. Bimbo não caiu para trás, como Jimmy quis; hoje não estava fazendo nada certo. Deu um outro pontapé na porta.
– Saia!
– Estou tentando...
Viu que a cabeça de Bimbo estava atrás da porta. Empurrou com toda força e atingiu o rosto de Bimbo de cheio e toda a violência se evaporou.
Tinha machucado Bimbo.
Queria deitar no chão.
Bimbo saiu e olhou no espelho. Estava com as mãos na testa. Jimmy o seguiu.
– Você está bem?
Bimbo não respondeu.
Ele examinou a testa. Tinha um arranhão e com certeza ia fazer um calo. Mas não era nada sério.

– Desculpe, Bimbo... certo?
Bimbo ainda não disse nada.
– Você está bem? Está?
– Não é graças a você.
– Olhe, desculpe, certo. Perdi a cabeça, foi só...
Naquele instante, naquele segundo, não se lembrava por quê. Mas aí se lembrou.
– Também, por que você tinha de contar sobre o furgão?
– E por que não? Ela me perguntou o que eu fazia, por isso contei.
– Você estragou tudo entre mim e a tal da outra...
– Como é que é? – perguntou Bimbo. – Você estragou você mesmo. Não foi culpa minha se... se ela não gostou de você, ou foi?
– Estava tudo indo em cima até você abrir a porra da sua boca...
– Como?
– É isso mesmo. Foi logo que você contou sobre a porra do furgão.
– E o que tem de errado com o furgão?
– Ah!
Jimmy não sabia como responder.
Bimbo estava olhando para a sua testa de novo.
– Não é bom para você? – perguntou Bimbo.
– Não é isso...
– Paga seu salário – disse Bimbo.
Jimmy não entendeu.
– Se não quiser trabalhar nele – disse Bimbo, – pode sair a hora que quiser. E que seja melhor assim.
– Olhe, que porra...
– Estou de saco cheio de sua encrenca... de saco cheio...
Estavam de porre, e sóbrios, de porre e sóbrios.
– Você conquistou a sua mulher lá e... desculpe.
Bimbo se inclinou, como se fosse cair mesmo. Jimmy pôs as mãos nas suas costas.
– Esta é a briga mais idiota que já tivemos – disse Bimbo.
– Sem sentido – disse Jimmy. – Ridícula.
– Então vamos para casa, não vamos?
– E a tal de Anne Marie? – perguntou Jimmy.
– Não quero... Vamos para casa.
– Certo.
Assim era melhor.

— Legal de você — disse Jimmy. — Com Anne Marie e tudo.

Bimbo não disse nada. Sorte que estavam com o paletó; não precisavam voltar.

O ar estava fresco. Mas deu trabalho subir os degraus. Tinha um cara desmaiado contra as grades.

— Olhe só para ele — disse Jimmy.

Bimbo não disse nada.

Caminharam na direção do Stephen's Green.

— Foi terrível — disse Jimmy. — Não foi?

— Eram professoras — disse Bimbo. — As duas.

— Quem? Dawn e a sua também?

— É. Professoras do primário.

— É ridículo...

— Eram casadas também.

— Não.

— Sim.

Jimmy escorregou da calçada, mas se firmou de novo.

— As putas, hein?

Continuaram caminhando. Jimmy começou a cantar, para salvar a noite.

— OHHH
THERE'S HAIRS ON THIS
AN' THERE'S HAIRS ON THA'...

Bimbo parou para deixar Jimmy se alinhar com ele.

— AN' THERE'S HAIRS ON MY DOG TINE–EEE...

Bimbo o acompanhou.

— AH, BUT I KNOW WHERE
THE HAIRS GROW BEST...

Jimmy pôs o braço nos ombros de Bimbo.

— ON THE GIRL I LEFT BEHIND ME....

Chegaram numa esquina. Avistaram um táxi, com o sinal aceso. Pararam, se apoiando um ao outro, até que o táxi se aproximou.

Não tinha sido uma noite boa. Tinha sido um desastre completo. A cabeça de Jimmy começou a doer.

Entraram no táxi.

— Barrytown — disse Jimmy. — Logo a gente está em casa — disse a Bimbo.

— É — disse Bimbo.

Ele se esparramou num canto e olhou pela janela. Jimmy fez a mesma coisa do seu lado.

❖

Parecia que estava acontecendo uma revolta lá embaixo. Tinha despertado agora. Sua cabeça estava lhe matando. Sua barriga roncando; tinha peidado o dia inteiro. A luz atrás da cortina não estava muito forte. Isso era bom. Não ia ter de ir a Dollymount à tarde. Ele precisava de descanso. Não queria ver Bimbo. Virou-se para um lado fresco da cama. Assim era melhor.

Mas o barulho lá embaixo; estavam gritando e o cachorro latindo, chamando por ele. Não soava como uma briga. Talvez fosse um acidente. Não; estavam rindo também.

Ia descer e investigar. Precisava de alguma coisa no estômago de qualquer jeito se fosse voltar a dormir.

— Oh, caralho...

Não ia conseguir chegar à cozinha. Sentou-se na beira da cama. A porra da noite passada... Deus, que palhaço que ele era. Inclinou-se até a cabeça alcançar o travesseiro e ficou assim. Um tempão. E foi assim que Veronica o encontrou.

— Olhe o seu estado — disse ela.

Não parecia chateada, do jeito que ficava toda vez que ele chegava com uma mistura de peido e bebida.

— Darren recebeu as notas de seus exames — ela contou.

— Que foi que disse?

— As notas finais — disse Veronica. — Ele recebeu hoje.

Jimmy tentou se sentar.

— Então? — perguntou ele.

— Sete notas dez — disse Veronica. — Isso é o que conseguiu.

— Sete?!

— É!!

— Quantas matérias ele estava estudando?

— Adivinhe — disse Veronica.

— Sete — respondeu Jimmy. — Meu Deus, isso é incrível. Sete. Ele deve ser o melhor da escola, não deve?

Desejou estar se sentindo melhor. Darren merecia mais do que isso; o primeiro Rabbitte a completar o curso colegial, e seu pai nem conseguia se levantar da cama.

— Ele está na cozinha?

— Está. Está fazendo café como se nada tivesse acontecido, nada de especial.

— É o velho Darren. Cabeça fria como um...

Não conseguia pensar.

— Melhor eu descer e lhe dar os parabéns...

Levantou-se e se segurou na penteadeira.

— Recebi o meu também — disse Veronica.

Levou um tempo para ele registrar aquilo.

— Suas notas — disse Jimmy. — Você também estava fazendo as provas.

— Eu sei — disse Veronica.

— E passou?

— Claro — disse Veronica. — C em Matemática e B em Inglês. Inglês com menção, quer dizer.

— Ah, Veronica — disse. — Você é maravilhosa.

— Nem acredito.

— Eu também não — disse Jimmy. — E estou com a porra de uma ressaca também.

— Devia ter vergonha — disse Veronica, mas não muito seriamente... e isso foi pior.

— Vamos ter de sair hoje à noite — disse Jimmy.

— Será que você agüenta até lá? — perguntou Veronica depois. — Seria legal. Mas e o seu serviço?

— Que se foda. Não ia conseguir sequer olhar para uma batata. Sharon pode ficar no meu lugar.

Voltou para a cama.

— Vou dar os parabéns a Darren mais tarde — disse ele. — Desculpe.

Veronica até tomou cuidado para não bater a porta quando saiu. Ele não ia dormir. Era muita coisa... Darren iria para a universidade agora. Ele tinha feito um exame para Trinity, achava, para fazer qualquer coisa. Universidade. Porra. E Veronica... e ele não podia nem se levantar para lhes dar os parabéns. E a noite passada... Que imprestável que ele era. Grunhiu... Um idiota imprestável...

Ia levar Veronica para jantar fora em algum lugar legal, com tudo; uma garrafa de vinho e tudo.

Mas continuava sendo um imprestável.

❖

– É melhor assim – explicou Bimbo. – É muito complicado do outro jeito, certo?
– Certo – disse Jimmy.
Sacudiu os ombros. Estava com medo de dizer alguma coisa a mais. Não achava que pudesse terminar.
– Certo.
Bimbo acabara de dizer para ele que de agora em diante ia pagar um salário para Jimmy. Às quintas. Em vez do jeito que era antes, o acordo de meio a meio.
– Vamos tomar mais uma? – perguntou Bimbo.
– Não. Não, obrigado.
– Vamos lá, tome mais uma. Não estamos com pressa. Dá tempo para mais uma.
– OK.
– Ótimo.

❖

Jimmy devia ter dito para ele enfiar o salário no cu, isto sim.
Veronica estava dormindo ao seu lado, a egoísta.
Não, não era justo. Ela tinha escutado. Ela até mesmo chegou a dizer para ele largar o furgão que ela não se importava.
Não ia fazer isso, porém. Não podia voltar ao que era antes de terem comprado o furgão – antes de Bimbo ter comprado o porra do furgão. Não podia fazer isso; vender o vídeo de novo, parar de dar mesada para as gêmeas e as poucas libras para Sharon e tudo o resto também – a comida, roupas, papel higiênico de qualidade, as poucas cervejas no pub, até mesmo a comida do cachorro; tudo. E agora também tinha Darren. Quantos filhos de pais desempregados iam para a universidade? Não, ia agüentar ali.
Talvez fosse isto mesmo que Bimbo queria que ele fizesse; desistir. Talvez algum primo de Maggie ou outro qualquer estivesse na fila esperando para tomar o seu lugar. Bom, que fiquem esperando. Teriam de mandá-lo embora primeiro.
Não ia chamá-lo de Bimbo mais. Veronica tinha razão; soava muito chegado.
Era sua culpa; pelo menos em parte. Devia ter comprado a metade do furgão quando pensou nisso alguns meses atrás. Achou que era esperto, decidindo não dar importância; que não havia necessidade. Estava apenas

sendo ganancioso. E agora estava trabalhando para o furgão de outro, como trabalhar no McDonalds ou Burger King. Quem sabe Maggie não estava agora na máquina de costura fazendo um desses uniformes de merda para ele.

Tentou rir, baixinho.

❖

– Sim, senhor – disse Jimmy.
– Ah, pare com isso – disse Bimbo.
– Pare com o quê, senhor? – perguntou Jimmy.
Bimbo não respondeu. Levantou a cesta de batata da gordura, sacudiu-a e baixou-a de volta.

❖

Às quintas ele era pago. Como todo mundo.
Na segunda quinta, seu pagamento veio dentro de um desses envelopes marrons em que eles põem o salário. Olhou para o envelope. Seu nome estava escrito nele.
– Onde foi que conseguiu o envelope? – perguntou.
– Na papelaria – disse Bimbo.
– Legal – disse Jimmy.
Mas Bimbo estava ocupado no seu canto preparando a massa.
Jimmy enfiou o envelope no bolso de trás.

❖

Bimbo estava na portinhola, e suando.
– Dois bacalhaus e uma grande! – gritou Bimbo de novo.
Ele virou-se e viu Jimmy inclinado contra uma prateleira, servindo o chá de sua garrafa térmica numa xícara e segurando um sanduíche com os dentes.
– Jimmy! – exclamou Bimbo. – Pelo amor de...
Jimmy pôs a garrafa na prateleira e fechou-a. Depois tirou o sanduíche da boca.
– Estou na minha pausa – disse ele.
Bimbo fez cara de quem não sabia o que estava se passando.

— Tenho direito a dez minutos de descanso para cada duas horas de trabalho — disse Jimmy.

Bimbo ainda parecia perdido.

— Fui checar — disse Jimmy.

Viu que a expressão no rosto de Bimbo estava acompanhando o seu cérebro.

Bimbo se afastou da portinhola. Jimmy bebeu o chá.

— Ah, estava precisando de um gole — disse.

— Pare de encrencar — disse Bimbo.

— Não estou encrencando — disse Jimmy. — Tenho direito à pausa.

— Mesmo assim, foda-se — disse Bimbo. — Não fizemos nada até cinco minutos atrás.

— Não é o caso — disse Jimmy. — Não é o caso. Estava aqui. Disponível para o trabalho.

— Depressa aí, não é!

Alguém lá fora gritou.

— Mais cinco minutos — disse Jimmy. — Daí posso suar para você.

— Como é, vai fazer o nosso bacalhau e batata frita ou não?

Bimbo fixou os olhos em Jimmy.

Jimmy olhou de volta, através do vapor que subia da xícara de chá.

Bimbo encheu dois saquinhos com batata frita e pegou dois bacalhaus da frigideira. Jimmy levantou o braço para a pequena multidão lá fora e fechou o pulso. Mas ninguém gritou ou bateu palmas ou disse nada. Estava muito frio e úmido.

❖

Jimmy e Veronica estavam sozinhos na sala. Ele tinha acabado de assistir ao noticiário. Saddam Hussein ainda estava agindo como um filho da puta no Iraque. Veronica ainda estava de casaco. Tinha acabado de chegar; fora à escola matricular-se para mais aulas — dessa vez para os cursos de História e Geografia.

— Geografia? — exclamou Jimmy, quando ela entrou. — É legal. Vai poder achar a chaleira quando for à cozinha.

— Engraçadinho — disse Veronica, imitando Darren.

— Legal para você — disse ele. — Eu também devia estudar alguma coisa.

Agora estavam conversando sobre outra coisa, porém. Jimmy ia sair para o serviço em alguns minutos.

– Não está tão ruim agora – Jimmy disse para Veronica.
– Bom – disse Veronica.
– Estou chamando ele de Bimbo de novo – disse Jimmy.
Veronica sorriu.
– Mas ainda faço as minhas pausas – disse Jimmy. – Se sou um mero assalariado...
– Você nunca vai ser um mero alguma coisa, Jimmy, não se preocupe.
– Ah, Veronica – disse Jimmy. – Você diz coisas legais às vezes.
– Ah...
– Duas vezes por ano mais ou menos.
Veronica lhe deu um tapa. Jimmy se inclinou e a beijou no rosto. Ainda estava gelado, por causa do frio lá fora.
– Fico contente que as coisas estejam melhores – disse Veronica. – Seria uma pena.
Jimmy concordou e suspirou.
– Mas ainda não consigo me acostumar – disse ele. – Não me importaria se...
Estava falando sobre isso com ela durante semanas. Mas ela não ficava chateada; ele tinha o direito de sentir pena de si próprio.
– Mas foi idéia dele. Ser seu sócio... É bobeira continuar pensando... O que foi, foi.
Veronica ainda ficava chateada ao imaginá-lo perambulando pela casa, triste e carrancudo, sem nada para fazer; tentando sorrir para ela; sentado no batente da frente vendo as meninas passarem, sem se importar em manter a postura. Não faz muito tempo. Esperando que ele se enfiasse na cama ao seu lado.
– Agora tenho de ir – disse Jimmy.
– Certo – disse Veronica. – Venha até a cozinha, e faço uma garrafa térmica de chá para você.
– Ótimo. Vou lá em cima e ligo o cobertor elétrico para você, está bem?
– Sim. Obrigado.
Ficaram no sofá juntos por mais alguns minutos.

❖

Tinha horror de entrar no furgão. A pior parte era estocá-lo, ter de passar pela casa de Bimbo, pelos fundos até o galpão; era uma merda. Ela estava sempre lá.

– Tudo bem, Jimmy?
– Tudo, Maggie. E você?
A puta, ele a detestava. Era mais fácil detestá-la do que a Bimbo. Ela era a culpada.
Ele pagava por tudo que consumia.
– Olhe, estou pondo vinte e sete pence na caixinha, certo?
Ele segurou as moedas antes de pôr na caixinha.
– O quê? – perguntou Bimbo.
– Peguei um Twix – disse Jimmy.
E mostrou para Bimbo.
– E aí está o dinheiro, certo?
E deixou as moedas caírem.
– Ah, mas não precisa...
– Não – disse Jimmy. – É seu.
Bimbo pescou as moedas da caixinha e devolveu-as a Jimmy.
– Não precisa – disse ele.
– Não – disse Jimmy. – Insisto.
E deixou Bimbo ali com sua mão estirada e foi limpar o balcão. Ouviu quando Bimbo pôs as moedas na caixinha.
Fez a mesma coisa com Maggie. Ia passando pela cozinha com uma bandeja de bacalhau. Ela estava na mesa, cortando massa em rodelas.
– Aqui, Maggie – disse ele, e pôs os vinte e sete pence na mesa à sua frente.
Ela levantou os olhos.
– Peguei um Twix – disse ele, e saiu antes que ela tivesse tempo de contestar.
Na verdade, ele não tinha pego nenhum Twix.
Isso lhe dava satisfação de uma forma meio triste, agir como um filho da puta.
– Quer que eu ligue o gás?
– O que quer dizer? – perguntou Bimbo.
Eles tinham acabado de estacionar em frente ao Hikers. Era uma pergunta idiota.
– Não entendi – disse Bimbo, embora Jimmy visse que Bimbo estava começando a compreender.
– Você quer que eu ligue o gás? – perguntou Jimmy de novo.
– E para que você precisa perguntar? – disse Bimbo.
– Bom... você é o patrão...

— Então eu mesmo ligo!

Às vezes ele ia longe demais, como perguntar a Bimbo se ele podia tirar as batatas fritas da frigideira, ou pôr as batatas fritas na frigideira; e caiu na rotina de pedir a autorização de Bimbo para tudo.

— Desse jeito você vai acabar perguntando se pode limpar o cu — disse Bimbo uma vez.

— Não, não vou — disse Jimmy. — O cu é meu.

Foi nessa hora — o jeito que Bimbo disse; a irritação fingida na sua voz — que Jimmy percebeu que Bimbo estava gostando de ser o patrão; como se estivesse sendo paciente com um menino idiota, um idiota do qual gostava; não ficava envergonhado mais.

❖

Ele vira uma foto no *Herald* de um campo, como um campo de futebol com um barranco dos lados, com uma placa dizendo "Perigo, Proibido Nadar". Não era um campo. Era a represa de Vartry, completamente seca. E o cara da corporação, o representante — o cara que costumava correr pela Irlanda e nunca venceu nada —, ele disse que estavam atravessando uma crise porque tinha sido o mês de setembro mais ameno já registrado. Mas Jimmy estava congelando e não era só ele, era todo mundo. Reclamava, mas não ligava muito. O negócio em Dollymount estava acabado, por isso ele tinha o dia inteiro ao seu dispor. Levava Gina para passear. Traziam o cachorro com eles. Ainda estava tentando ensinar a Larrygogan como pegar a bola, três anos já, mas Larrygogan ou era muito besta ou muito inteligente para fazê-lo. Gina ia buscar a bola e Larrygogan ia com ela.

Agora ele tinha o melhor dos dois mundos; os dias para fazer o que quisesse e um trabalho para fazer à noite. Recebia seu salário às quintas e não tinha nenhuma responsabilidade. As horas não eram tão ruins, só um pouco anti-sociais. Mas era um cara de sorte; não tinha problema em acreditar nisso. E acreditava.

Por isso não conseguia compreender por que se sentia tão mal, o porquê de, pelo menos umas duas vezes por dia, principalmente quando estava com fome ou cansado, sentir vontade de chorar.

❖

Estava se sentindo sozinho. Era isso.

Estava acordado, deitado na cama, as mãos sob a cabeça. Tinha trazido o aquecedor elétrico para o seu quarto – para ler, disse –, por isso estava quentinho e confortável. Eram umas quatro horas da tarde, começando a escurecer. Ele se estirou e abriu o livro, mas não se concentrou, acordado, estava com os pensamentos longe. As letras eram muito miúdas; levava um tempão para ler uma página. Mas não estava culpando o livro. Talvez estivesse muito quente. Ele se deitou, pensando, deixou seus pensamentos vagarem. Não pensou sobre mulheres, Dawn ou... Era como se sua cabeça tivesse ficado pesada e vazia e então decifrou...

Solidão.

Era como se tivesse aprendido alguma coisa, descoberto por si mesmo. Até sorriu.

Seus olhos se encheram, o quarto e as coisas nele se dividiram e nadaram, mas suas mãos continuaram na sua nuca. Tinha de piscar. Então sentiu uma lágrima escorrer de seu olho direito e descer pelo lado de seu nariz. Ele levantou a cabeça para ver se ela desceria mais rápido e piscou várias vezes para ajuntar mais lágrimas e elas desceram pelo lado do seu rosto para o travesseiro. Só então limpou o rosto; estava ficando muito molhado. Mas não parou de chorar.

Estava seguro ali no quarto.

❖

Havia uma bolha dentro dele, uma bolha de ar comprimido, como um peido, mas mais acima, no estômago. Às vezes até doía. Fazia ele ficar inquieto, o tempo todo. Ele se apertou. Sentou-se no sanitário, mas não aconteceu nada. Apertar-se era pior. Fazia a bolha ficar ainda mais grossa. Sabia que estava perdendo o seu tempo, mas foi ao sanitário de qualquer maneira. E sabia que não tinha nada fisicamente errado com ele, mesmo que sentisse. E sabia que já tinha se sentido assim antes; era meio familiar, definitivamente familiar. Não conseguia se lembrar exatamente... Mas quando percebeu que se sentia assim, apertado e diminuído e exausto, reconheceu a coisa de imediato.

❖

Ele tagarelou com Bimbo no caminho para Ballsbridge. O Shamrock Rovers estava jogando no campo novo, o RDS, contra o St. Pats. Tinha chovido para valer a noite inteira – o primeiro sinal de chuva decente em Dublim havia semanas – e continuou pela manhã, mas agora estava clareando. O jogo estava prometendo e havia uma multidão lá. Acharam um lugar para estacionar no caminho à beira do rio ao lado da rua Anglesea, e ele estava dentro do furgão preparando tudo.

Jimmy pegou a carta e deixou-a na prateleira quando Bimbo não estava olhando. Pegou-a de novo – Bimbo ainda estava de costas para ele – e abriu-a um pouco para que Bimbo pudesse ler as primeiras linhas da carta e ver o logo. Então Jimmy continuou com o trabalho. Se Bimbo a pegasse e desse uma olhada, seria demais; senão, Jimmy a botaria no bolso e esperaria por uma outra ocasião.

Mas Bimbo a viu.

O rosto de Jimmy brilhou e não foi por causa da quentura da frigideira. Viu a cabeça de Bimbo se virar um pouco para poder ler a carta sem dar na cara.

Ele não disse nada.

Jimmy deixou a carta ali. Mais tarde, olhou para ela do jeito que Bimbo tinha olhado. Na hora em que Bimbo estava distraído na portinhola – tentando somar o preço de dois bacalhaus grandes e um hamburger na pimenta, o burro. Não deu para ver muito, só o logo, o Prezado Sr. Rabbitte e metade da primeira linha. Mas era só o que precisava.

Agora estavam esperando pela multidão que sairia do estádio depois do jogo.

– De saco cheio e com fome – disse Jimmy.

– Você quer ir assistir ao jogo? – perguntou Bimbo.

– Não, de jeito nenhum, porra.

– Vai ser um jogo e tanto, acho.

– Como vai ser? – perguntou Jimmy. – É apenas um bando de fodidos que não tem jogo suficiente para ir à Inglaterra.

– Ah, agora...

– Tem jogo melhor em St. Annes – concluiu Jimmy.

Jimmy trouxera o *Sunday World* com ele e deu metade para Bimbo; a metade do meio, as seções para crianças e mulheres, de música pop e dos escândalos de Hollywood, toda a merda pela qual nunca se interessava.

Não conversaram.

Jimmy abriu sua janela um pouco. Era um pouco depois das quatro, um pouco mais de meia hora antes que a multidão começasse a chegar. Ele suspirou.

– Não quer esperar? – perguntou Bimbo.

– Não ligo – disse Jimmy. – Não faz diferença nenhuma para mim. Conquanto que eu receba meu salário, posso sentar aqui o resto do ano. É o seu dinheiro.

– Vai ser pago, não se preocupe – disse Bimbo.

– É melhor que seja – disse Jimmy, mas sem muita agressão; só de brincadeira.

Bimbo riu, quase.

Então Jimmy teve uma idéia.

– Hora dobrada.

– O quê?

– Hora dobrada aos domingos – disse Jimmy.

– Espere aí...

– Domingos e feriados. Hora e meia para todas as horas extras.

A voz de Bimbo subiu.

– Quem disse que isto é hora extra? – gritou.

– Não precisa gritar – disse Jimmy. – Posso ouvir perfeitamente.

– O que quer dizer com hora extra?

– Assim é melhor.

– Então?

– Então o quê?

– Que história é essa de hora extra?

– Que hora extra?

– Bem...

Bimbo começou de novo.

– Está fazendo isto só por vingança, não é?

– Não!

– Bom, é o que parece.

– Só estou cuidando dos meus direitos legais – disse Jimmy. – É só isso.

– Direitos legais? – exclamou Bimbo. – Está sendo pago, não está? E bem pago.

– E mereço o que ganho – disse Jimmy.

– É – disse Bimbo. – E então por que de repente começou a pensar que tem direito a...

– Essa é a questão – disse Jimmy. – Tenho direito a. Tenho direito a isso – disse ele de novo, antes que Bimbo tivesse a chance de dizer alguma coisa. – Trabalho sete dias por semana.
– Mas não de dia...
– Noites, então. O que é ainda pior.
Jimmy pôs os olhos no jornal e fingiu que ainda estava lendo.
– Sete noites – disse ele. – E o que sobra para mim? Ei, espere aí, enquanto faço a conta... Eh, porra nenhuma.
Bateu no jornal e fixou os olhos numa coluna sobre religião.
– E agora também tenho de dispor das minhas tardes de domingo – disse.
– Está sendo pago...
– Você é o patrão – disse Jimmy. – Vou para onde sou mandado, mas não vou ser explorado, você entendeu? Quero a minha hora extra.
– Quem está lhe explorando?
– Você. Se não me pagar o que é devido.
– Mas eu pago...
– Existem leis, sabia? Não estamos mais na Idade Média... Eu devia estar em casa com Veronica. E as crianças.
Bimbo esperou um pouco.
– Então é isto o que diz aquela carta, não é? – perguntou.
– Que carta?
– A carta ali na prateleira.
Jimmy se inclinou e procurou no bolso de trás.
– A carta do Unificado alguma coisa... o sindicato – disse Bimbo.
– Esteve lendo minhas cartas? – perguntou Jimmy.
– Não! Estava aberta ali.
A carta tinha sido idéia de Bertie. Tinha conseguido o nome e o endereço para Jimmy de Leo, o barman, e Jimmy escreveu para eles, o Sindicato Nacional Unificado de Empregados no Comércio da Restauração, Mercearias e Afins, perguntando o que era preciso para se tornar membro. Recebeu uma carta de volta, convidando-o para uma entrevista. Ficou com a carta no bolso. Tinha pertencido a um sindicato durante anos e nunca fizeram porra nenhuma por ele. Eram um bando de inúteis.
– Vai ser munição para você, *compadre* – tinha dito Bertie.
Era uma idéia genial. Eles se cagaram de rir. E Bertie tinha razão; a carta serviu de munição, como uma arma, no seu bolso de trás.
– Você não tem o direito de ficar lendo minhas cartas.

— Mas estava ali dando sopa.
— Onde?
— Em cima da prateleira.

Jimmy remexeu no bolso de trás de novo e olhou para Bimbo como se ele fosse culpado de alguma coisa.

— O que diz a carta? — perguntou Bimbo.
— Não é da sua conta o que diz a carta. É assunto particular.
— Você não precisa pertencer a um sindicato — disse Bimbo.
— Quem decide isto sou eu — retrucou Jimmy; e depois, um pouco mais baixo: — Lendo minhas cartas, ora essa...!
— Não li coisa nenhuma.
— E por que não me disse que a encontrou?
— Não sabia que tinha perdido.

Jimmy se inclinou, para ver se ainda ia chover.

— Vai mesmo se aliar ao Sindicato? — perguntou Bimbo, com a voz cansada e ferida.

Jimmy não respondeu.

— Vai?

Jimmy se endireitou.

— Só estou tentando cuidar do que é meu — disse. — E de minha família.

Bimbo tossiu, e quando falou sua voz era trêmula.

— Se a coisa é assim — disse ele — se você se aliar a algum sindicado, não tem mais serviço para você.
— Isto a gente vai ver — disse Jimmy.
— Estou dizendo: vai ser o fim.
— Isto quero ver.
— Se a coisa chegar a esse ponto...
— Vamos ver se chega.

Bimbo saiu do furgão e passeou na rua para cima e para baixo. Jimmy virou a página do jornal e fixou os olhos no papel.

❖

Ele mesmo teve de ir à loja, em vez das gêmeas — não faziam mais isto para ele, as filhas da mãe — e comprou chocolates e sorvete, até mesmo para o cachorro. Tinha sido uma noite incrível, e ver o cachorro vomitando na porta da cozinha tinha sido demais. Até mesmo Veronica riu do coitado do cachorro correndo para fora e vomitando o chocolate.

— Ainda bem que você não comprou uma barra de chocolate grande — disse Darren.

Tinha sido um momento gostoso. Daí Gina correu para apanhar o chocolate e pôs as mãos nele antes de Sharon apanhá-la. Jimmy desejou ter uma câmera. Ia comprar uma.

E naquela noite também treparam, ele e Veronica; não foi só uma trepada; fizeram amor.

— Você parece muito melhor — disse Veronica, antes.

— E estou — disse ele.

— Ótimo — disse ela.

— Estou numa boa agora — continuou. — Ótimo.

— Que bom — repetiu ela, e depois subiu em cima dele.

Mas não durou muito. Já no dia seguinte sua cabeça estava escura de novo; não conseguia espairecer. Quando Darren entrou na sala para dar uma olhada no programa do *Zig and Zag* na tevê, o queixo de Jimmy doía. Estava trincando os dentes. Ele parou com isso, mas era como respirar antes de mergulhar na água de novo.

Continuou tentando controlar, aqui e ali, nos dois dias seguintes. Respirava fundo, fazia esforço para sorrir, enrijecia a barriga, pensava na trepada com Veronica, pensava em Dawn. Mas uma vez que parava de fazer o esforço, voltava à estaca zero. Sua nuca ficava dolorida. Sentia-se completamente acabado. O tempo todo. Mas tentava; realmente tentava.

Era bonzinho com Bimbo, bonzinho de verdade.

— Como vão as coisas? — e batia nas suas costas.

Assobiava e assobiava enquanto trabalhava.

— DUM DEE DEE DUM DEE DEE DUM DEE...

Mas, Deus do céu, quando parava de tentar, quase caía dentro da frigideira. Você está ótimo, dizia a si próprio. Está ótimo, está ótimo. Um homem sortudo da porra.

Mas só acontecia umas poucas vezes, os dois trabalhando bem juntos. E mesmo assim não era tão bom, os dois ficavam nervosos e desconfiados, esperando para a coisa piorar de novo.

Era como num filme sobre um casamento se deteriorando.

— O bacalhau está meio devagar hoje...

Bimbo viu o rosto de Jimmy antes de terminar o que ia dizer, e parou. Jimmy tentou salvar a situação. Respondeu.

— É... é...

Mas os nervos de Bimbo estavam à flor da pele agora, esperando uma rebatida insolente, e isso fez Jimmy parar. Os dois estavam com medo de falar. Por isso não abriram a boca. Jimmy se sentiu triste no começo, depois irritado, e a fúria aumentou e sua nuca se enrijeceu e queria soltar um rugido longo e alto. Queria pegar a cabeça de Bimbo e enfiá-la no óleo borbulhante e deixá-la lá. E achava que Bimbo queria fazer o mesmo. E isso fazia as coisas piores, porque era culpa de Bimbo em primeiro lugar.

Darren não trabalhava mais para eles.

— É terrível — explicou a Jimmy. — Não se pode mover. Ou até mesmo abrir a boca. É de dar pena.

— É — Jimmy quase concordou. — Não conte a sua mãe, então. Só diga que o Hikers paga melhor ou algo assim.

— Por que você continua lá, pai?

— Ah...

E foi o máximo que conseguiu dizer para Darren.

— Mas não conte a sua mãe, está bem?

— Não se preocupe — disse Darren.

— Só vai chateá-la — disse Jimmy. — Não há necessidade.

Agora só tinha os dois no furgão, a não ser uma vez por semana quando Sharon estava sem grana ou não tinha nada para fazer. Ela não era tão acanhada quanto Darren.

— Por que vocês dois não estão se bicando? — perguntou ela uma noite, quando Jimmy tirou o pegador de peixe de Bimbo e Bimbo resmungou alguma coisa sobre boas maneiras. (A coisa estava fervendo a noite inteira, desde que Bimbo olhou para o seu relógio quando Jimmy bateu na porta da sua casa, só porque Jimmy tinha chegado dez minutos atrasado, quando muito.

— Desconte do meu salário — disse.

— Mas eu não estou falando nada — disse Bimbo.

— Uma ova — resmungou Jimmy.

E assim por diante.

Nenhum deles respondeu.

— Então? — insistiu ela.

— Pergunte a ele — disse Bimbo.

— Pergunte a você mesmo, meu caro — disse Jimmy.

— Jesus — exclamou Sharon. — É como ficar de babá aqui, isso sim. Babá de dois pestinhas.

E deu um tapa na bunda dos dois.

— Fiquem frios...!

Mas ela bateu na bunda de Jimmy de novo, só de brincadeira. Ele teve de rir. E Bimbo também.

— Como foi hoje? — perguntou Veronica quando ele entrou nos lençóis e os seus pés gelados a acordaram.

— Ótimo — respondeu.

❖

Às vezes Jimmy olhava para Bimbo e ele ainda era o mesmo de antes; dava para ver no seu rosto. Quando estava ocupado, era quando parecia o mesmo de antes. Não quando estava apoquentado; quando punha o bacalhau na massa, sabendo que o tempo estava passando e o pessoal ia sair do Hikers a qualquer momento. No escuro, só com duas lâmpadas iluminando o furgão. A sua língua esticava para fora entre seus dentes e ele fazia o barulho que poderia ser um assobio se a língua estivesse no lugar certo. Parecia feliz, o Bimbo de antigamente.

Aquela megera que ele tinha como mulher é que o tinha arruinado. Levou muito tempo para que ela conseguisse, mas conseguiu. Pelo menos esta era a teoria de Jimmy. Não havia outra explicação.

— Olhe — disse ele a Bertie. — Ela foi feliz durante todos esses anos em que ele era um assalariado.

— *Si* — disse Bertie, de um jeito que encorajava Jimmy a continuar.

— Estava feliz porque achou que isso era o máximo que podia esperar. Dá para entender o que quero dizer, Bertie?

— Sim senhor. Ela não conhecia nada melhor.

— Isso mesmo. Agora, agora sim. Que se foda, ela sabe o que é melhor. Não existe bacalhau suficiente no mar para ela. Ou batatas na terra; porra.

— É o que a ambição faz, *compadre*.

— E eu não sei?!

Era bom estar conversando com Bertie. Era legal.

— É ela — disse Jimmy. — Não é Bimbo de jeito nenhum.

— Você acha mesmo? — perguntou Bertie.

— Ah, sim — disse Jimmy. — Certeza absoluta.

— Não sei, não — disse Bertie. — Talvez tenha razão. Você deixaria a sua própria patroa mandar em você desse jeito?

— De maneira nenhuma.

— Então por que acha que ele deixa?

— Ela é diferente — disse Jimmy, depois de um tempo. — Ela é mandona. Ela é... Veronica não age assim, ou Vera. E ele é um babaca, isso também conta...

E isto era o que ele acreditava; naquela noite. Você podia ser uma das pessoas mais legais, mais confiáveis que já nasceram no mundo e de repente se tornar um cara mesquinho, filho da puta e traiçoeiro; não do dia para a noite como Bimbo tinha; não, a não ser que estivesse sendo levado a isso. Ele sabia o que ela dizia para Bimbo; podia até ouvi-la dizer — Ou ele ou eu; alguma coisa assim. O furgão ou Jimmy.

Bimbo estava abrindo os saquinhos para as batatas fritas, enfiando os dedos dentro, abrindo-os por dentro e deixando um vão na boca dos saquinhos e pondo-os na prateleira acima da frigideira. Era trágico.

Outras vezes, ele apenas o odiava.

❖

E sentia saudade dele.

Bertie era boa companhia, mas Bertie era Bertie. Bertie não precisava de ninguém. Era duro como pedra. Você podia se divertir com Bertie a noite toda e ele ouvir os seus problemas a noite toda, mas Bertie nunca poderia ser seu melhor amigo. Bertie não precisava de um melhor amigo.

Jimmy não era assim, porém. Desejava que fosse, mas não era. Quando Bertie não estava na roda — e eram freqüentes às vezes em que ele não estava — Jimmy não sentia falta dele; não se sentia vazio. Mas sentia falta de Bimbo e o fodido estava ali do seu lado sacudindo as batatas fritas.

❖

— Sim? — disse Jimmy.

Ele empurrou o sal e o molho para o lado para não atrapalhar.

— Conselho Oriental de Saúde — disse o homem lá fora.

Jimmy estava quase se inclinando para lhe mostrar o caminho da Clínica, passando o Shopping Center, quando notou um cartão de plástico que o homem estava mostrando. Era um cartão de identificação. Jimmy não fez menção de pegá-lo. Só deu um passo para trás.

Não parecia um inspetor. Parecia uma pessoa comum.

Então Jimmy se lembrou; ele não era o patrão.

— Tem alguém aqui querendo falar com você — disse para Bimbo.

Não era o seu problema. Seu coração bateu mais rápido, depois acalmou. Mas sua garganta estava ficando apertada, como se alguma coisa grande estivesse acontecendo. Doía. Seu rosto queimava; sentiu-se culpado. Mas não tinha nada a ver. O problema não era seu.

Bimbo esfregou as mãos nas calças para limpar a farinha, depois apareceu na portinhola. Ele olhou para Jimmy e depois para o homem, e então ficou preocupado.

Era sexta-feira à noite, quase na hora do happy hour; escurecendo. Bimbo esfregou as mãos e fez um esforço para sorrir.

— Sim, senhor? — perguntou. — O que podemos fazer pelo senhor?

O homem levantou o crachá até Bimbo pegá-lo.

— Des O'Callaghan — disse. — Sou inspetor de saúde de meio ambiente do Conselho Oriental de Saúde.

Como se consegue um emprego desses? Jimmy ficou curioso de saber. E ainda o impressionou a aparência de homem comum, Des O'Callaghan. E bem jovem também, para ser um inspetor.

Os dedos de Bimbo sujaram o crachá, por isso ele esfregou na camisa, olhou para ver se estava limpo e passou de volta a Des O'Callaghan.

— Tem alguma coisa errada? — Bimbo perguntou a ele.

Bimbo parecia que precisava de companhia, por isso Jimmy se aproximou dele, mas não ia dizer nada. Bimbo teria de resolver esse pepino sozinho.

— Vou ter de inspecionar seu negócio — disse Des O'Callaghan.

— Você tem um mandado? — perguntou Jimmy.

Bimbo parecia que ia cair, como se quisesse concordar com Jimmy, mas tivesse medo.

— Não preciso de um — Des O'Callaghan informou a Jimmy, sem qualquer traço de esnobismo ou sarcasmo na voz. Ele era bom. Jimmy ficou impressionado e com medo. — Tenho direito de inspecionar seu local de acordo com a Lei da Higiene de Alimentos.

Des desapareceu e emergiu na porta de trás.

— Limpe os sapatos — disse Jimmy. — Brincadeira.

Des se acocorou e olhou ao redor. Jimmy cutucou Bimbo. Ficou esperando que Des passasse o dedo ao longo do chão e depois olhasse para ele, mas ele não fez isto. Bimbo pensou em se agachar e juntar-se a Des. Curvou os joelhos um pouco, mas desistiu.

Des estava olhando embaixo da chapa quente agora.

— A licença está em casa — disse Bimbo. — O senhor quer que eu...?

Não era fácil falar com as costas da cabeça do homem. Bimbo desistiu.

Des se levantou. Não estava tomando notas nem nada, ou marcando coisas. Olhou para o balde de batatas. Não tinha problema ali, pensou Jimmy; as batatas estavam ali havia apenas alguns minutos. Des olhou para as garrafas de leite cheias de água. Daí tocou em alguma coisa pela primeira vez desde que entrou ali. Abriu uma das torneiras na pia e notou que estava solta e não estava ligada a nada.

– Vamos consertá-la – disse Bimbo.

Des não disse nada.

O que ele estava olhando agora? Jimmy queria saber. Virou-se um pouco para ver. As paredes; ele estava de olhos fixos nas paredes.

– Está tudo certo? – perguntou Bimbo.

Des ainda não disse nada. Jimmy decidiu passar o pano no balcão para ter o que fazer. O pano estava seco. Ele quase botou o pano no balde de batatas para molhá-lo, quando viu que Des estava olhando para ele. Sua mão mudou de direção e começou a limpar o lado de fora do balde, em vez de enfiá-la dentro. Deus, como era um idiota; não tinha nem pensado – assobiou. Virou o balde um pouco para ver se tinha pulado alguma parte, daí se levantou e voltou à portinhola.

Quase não reconhecia Bimbo, do jeito que estava olhando para ele. Nunca tinha visto o olhar de Bimbo daquele jeito, frio e inteligente. Ele corou; não sabia por quê. Então seu cérebro começou a funcionar...

Ele acha que o dedurei. Acha que fui eu quem denunciou!

Não podia dizer nada.

Então Des falou.

– Posso ver suas mãos, por favor? pediu.

– O quê?

– As mãos – disse Des. – Posso vê-las?

Bimbo já tinha estirado as mãos, pronto para ser algemado. Daí ele as virou e mostrou as palmas. Agora Jimmy compreendeu. E fez o mesmo. Tentou fazer com que Bimbo o visse, sem chamar a atenção do inspetor. Não tinha dedurado. Tinha de deixar Bimbo saber disso.

Des olhou para as palmas.

– As unhas, por favor.

Eles viraram as mãos. Bimbo suspirou. Parecia atrevido.

– A gente passa? – perguntou Jimmy.

Se ele fosse atrevido com o inspetor, então Bimbo ia saber que não foi ele quem o dedurou.

– Sinto muito, mas não – disse Des.

E olhou ao redor de novo.

Jimmy teve de se encostar no balcão. Que foda... Ele pensou que ia se cagar, tal era o alvoroço que tomou conta de suas entranhas; Bimbo achava que era culpa dele.

— Infelizmente, não — disse Des, com um ar quase de contentamento.

Bimbo ainda estava com as mãos estendidas. Des sacudiu a cabeça.

— Terminei.

Bimbo pôs as mãos nos bolsos. Jimmy ia pôr a mão no ombro de Bimbo, mas pensou melhor.

— Vou ter de fechar seu negócio, senhores — disse Des. — Tenho o poder de fazer isto.

Jimmy ficou tão surpreso que não conseguiu falar.

— Agora, espere aí...

— Deixe eu terminar — disse Des. — Por favor. Obrigado. Qual de vocês é o proprietário?

Jimmy apontou.

— Ele...

— Sou eu — disse Bimbo.

Bimbo se virou um pouco, para deixar claro a Jimmy que ele não devia se meter.

— Sou eu, disse Bimbo de novo.

— Certo. Seu nome?

— Reeves.

— Certo, senhor Reeves. — Tenho de avisar que o furgão representa um grave e sério perigo para a saúde pública.

Bimbo olhou para o chão. Jimmy também.

— Vou fechar o seu estabelecimento — disse Des.

— Mas é o nosso ganha-pão! — exclamou Jimmy.

— Ainda não acabei de falar — disse Des.

Bimbo falou com Jimmy pela primeira vez, desde o início da inspecção.

— Cale a boca.

Nem precisou olhar para Jimmy quando disse isto.

— Vocês fecham o furgão agora — disse Des a Bimbo. — As paredes estão uma imundice, o chão está irreconhecível de sujeira, vocês não têm abastecimento de água...

— A gente vai consertar isso, eu já disse que —

— ...os alimentos não estão cobertos e armazenados como devem estar, a chapa quente é um perigo, o óleo na frigideira está... não preciso continuar. A sua higiene pessoal deixa muito a desejar, principalmente o seu colega ali. Sinto muito, mas é minha função fazer essas observações. Não é minha intenção ofender.

Jimmy deu de ombros.

— As suas roupas são perigosas e suas unhas são o que minha mãe chamaria de um vexame.

Ninguém riu.

— Seus cabelos, de vocês dois, são um perigo para a saúde pública. Posso continuar a noite inteira. Há infrações da legislação sobre higiene alimentar aqui para lhes dar uma multa gorda ou até mesmo confinamento.

Caralho!

Des esperou para que isto entrasse na cabeça deles.

— Você quer dizer cadeia? — disse Jimmy.

Isso é loucura!

— Infelizmente, sim.

— Está brincando! Não está falando sério, está?

— Cale a boca — disse Bimbo. — Não acha que já fez demais?

— Você é quem vai parar na cadeia, não eu — Jimmy disse para ele.

— Por que não se cala?!

Bimbo olhou ao redor.

— Não está tão ruim assim — disse ele.

— Está, sim — disse Des. — É até pior.

Estava sendo justo, pensou Jimmy. Gostou de Des.

— A gente limpa tudo — disse Bimbo.

Des coçou o ouvido.

— Deverei ir ao tribunal? — perguntou Bimbo.

— Uma semana, senhor Reeves — disse Des. — O que vou fazer é...

Esperou um pouco.

— Vou lhe dar uma semana para colocar o seu estabelecimento de acordo a normas da Secretaria de Saúde Pública. Vou lhe fornecer uma lista das coisas a serem feitas. Volto daqui a uma semana, e se vocês cumprirem o requerido, a gente esquece que eu estive aqui esta semana.

Ele sorriu, depois ficou sério de novo.

— Vai ser uma semana muito movimentada, senhor Reeves.

Des era genial.

Antes que Bimbo pudesse agradecer-lhe, ele continuou.

— Contudo, senhor Reeves, tenho de lhe avisar... Se o senhor falhar em completar um único item da lista, fecho seu estabelecimento. Por ordem do Ministro da Saúde.

Agora Bimbo podia falar.

— Muito obrigado.

Des pegou uma caneta e alguns papéis do bolso do paletó. Apertou a ponta da caneta e foi até o balcão. Jimmy abriu caminho. Bimbo o seguiu. Era uma espécie de lista; Jimmy não podia ver direito. Des pôs uma marca em quase todas as linhas.

Será que iam ter de raspar a cabeça? — imaginou Jimmy. Agora estava se sentindo bem melhor; não precisava de suspiros profundos.

— Assine aqui, senhor Reeves — pediu Des. — Aqui. Certo. Obrigado. E esta via também...

Passou a folha para Bimbo.

— Esta aqui é para o senhor — disse.

Apertou a ponta da caneta de novo e a pôs de volta no bolso, junto com os outros papéis.

— Então — disse ele. — Na semana que vem...

— Certo — disse Bimbo. — Vou começar logo. Todas as coisas. Obrigada.

— Até logo — disse Des.

— Tchau — disse Jimmy.

— Até logo — disse ele a Bimbo.

— Até logo, então — disse Bimbo.

Des pulou os degraus, sem um pingo de preocupação.

— Um cara legal — disse Jimmy.

— Bem — disse Bimbo. — Espero que esteja satisfeito agora, é só o que quero dizer.

Jimmy tinha esquecido.

— O quê?

Era muito cedo para começar a negar.

— Você sabe — disse Bimbo.

— Não — disse Jimmy. — Sinto muito, mas não sei.

Bimbo suspirou. E se moveu pela primeira vez desde a saída de Des e virou-se para a frigideira e a chapa. Hesitou um pouco antes de virar o botão embaixo da chapa. Tirou as cestas de dentro da frigideira.

— Um grande e um bacalhau, por favor.

Tinha uma mocinha em frente à portinhola.

— Sinto muito, mas a gente está fechado — disse Bimbo.

– A gente podia pelo menos dar um fim ao que já temos preparado – disse Jimmy.

– Estamos fechados – disse Bimbo.

– Estamos fechados – disse Jimmy à moça. – Volte a semana que vem – disse alto, para que Bimbo escutasse.

Bimbo suspirou de novo, e dessa vez Jimmy queria enfiar sua bota no rabo dele; estava brigando como uma mulher. Deixou a portinhola se fechar e ficou escuro lá dentro, a não ser pela luz que entrava pela porta de trás.

– Não tive nada a ver com isso – disse Jimmy.

Bimbo não disse nada.

– Não tive, Bimbo, juro.

– É... – disse Bimbo.

Saiu e levantou o botijão de gás e pôs dentro do furgão.

– Não tive – falou Jimmy de novo. – Des só...

– Des – disse Bimbo.

– Nunca o vi mais branco – disse Jimmy.

Bimbo não disse nada. Fez um barulho como risadas sufocadas, mas Jimmy não podia ver seu rosto.

– Ah, isso é loucura, porra – disse Jimmy. – Olhe, juro pelo caralho, isso não tem nada a ver comigo...

– Isso é o que você está falando – disse Bimbo.

Jimmy não podia vê-lo direito para agarrá-lo. Empurrou para trás; Bimbo caiu em cima do balde de batatas, mas a prateleira o impediu de cair por completo. O balde virou e a água se espalhou por todo o lugar. Suas pernas ficaram ensopadas, mas Jimmy ignorou. Estava segurando Bimbo pela camisa e estava quase em cima dele, porque as pernas de Bimbo escorregaram. Ele o sacudiu.

– Está me ouvindo?

Sacudiu-o de novo. Um dos botões se partiu.

– Está?

Bimbo deslizou ainda mais. Estava ajoelhado na água. Jimmy podia ter enfiado os joelhos na cara dele. Tirou uma das mãos da camisa e agarrou seus cabelos.

– Deixe eu ficar em pé!

– Deixo, deixo, mas primeiro tem de me ouvir!

Jimmy tinha de se acalmar. Estava pronto para acabar com Bimbo. Se Bimbo dissesse uma coisa errada, ele o enchia de porrada. Bimbo ficou quieto.

— Agora... O cara vindo aqui... não teve nada a ver comigo, certo? Não sou dedo duro.

Não queria matá-lo agora. Deu um passo para trás, para dar espaço a Bimbo. Ele estirou a mão para ajudá-lo. Bimbo a empurrou.

— Posso levantar sozinho.

Podia ver Bimbo resfolegando, como se tivesse corrido. E sua respiração fazia um grunhido. A de Jimmy também.

— Você acredita em mim? — perguntou.

Bimbo começou a levantar o balde, depois deixou cair.

— Sim — disse ele. — Sim, acredito.

— Sinto muito pelo...

— Deixe pra lá... Deixe pra lá.

Jimmy estava exausto.

— Vamos ajeitar tudo, não se...

Jimmy voou para trás antes de perceber que tinha sido atingido. Não tinha sido tão forte para jogá-lo contra o balcão, mas ele escorregou antes de poder se controlar. Bimbo tinha lhe dado um soco, bem no seu peito; mas fez mais barulho do que dor. Seus dedos doeram para caralho depois.

Era terrível. Estavam chegando ao fim. Jimmy fungou algumas vezes e massageou seu peito. Estava a ponto de chorar. E destruir o lugar.

— Se... — começou Bimbo.

Estava do mesmo jeito que Jimmy, quase chorando.

— Se não tivesse sido o tal do homem — disse — teria sido uma outra coisa.

— O que quer dizer com isto?

Bimbo não disse nada por um tempo; um tempão. Jimmy podia ouvir sua respiração; e a dele mesmo; e seu coração.

Um pedra atingiu o lado do furgão. Os dois pularam.

— Porra!

Jimmy tentou rir, mas apenas um grunhido saiu de sua garganta. Uma outra pedra atingiu a parede atrás de Bimbo.

— Você ia me sacanear de qualquer maneira — disse Bimbo. — Não ia?

— O que quer dizer?

— De um jeito ou de outro.

Uma outra pedra. Passou pelo teto.

— Ia me sacanear...

— Vá se foder.

— O Sindicato...

— Vá se foder, caralho.
— Qualquer coisa para me sujar...
— Cale a boca.
— Até mesmo espalhando fofocas sobre mim e aquela mulher...
— Cale a porra de sua boca!
— Então me faça calar a boca.
Ouviu Bimbo chegar mais perto dele.
— Não disse nada sobre você.
— Disse.
— Não disse.
— Foi o único que me viu!
— Bom, não fui eu, certo?
Bimbo tinha parado.
Melhor para ele.
Ouviu Bimbo dar uma risadinha, esforçando-se.
— Será que sou tão ruim assim? — perguntou.
O ar parecia molhado.
— É, sim — disse Jimmy.
Assoou o nariz.
— Eu lhe pago bem, não pago? Não pago, Jimmy?
— Você paga, sim.
— Então?
Estava implorando. Mas já era tarde demais.
— Quando começamos — disse Jimmy. — Quando conseguimos...
Tentou enxugar o rosto.
— Quando conseguimos o furgão...
— Quando eu comprei o furgão, você quer dizer — disse Bimbo. — Quando comprei o furgão, é isso que você quer dizer, não é?
Ele estava se glorificando, o filho da puta. Tentar explicar era perda de tempo.
As pedradas pararam.
— Deixa para lá — disse Jimmy.
Gina entrou no furgão. Sharon a tinha posto lá dentro.
— Fora — disse Bimbo.
Sharon tinha entrado.
— Tire ela daqui — disse Bimbo.
— Não fale...
— Fora!!

Gina começou a berrar.

Jimmy estava em cima de Bimbo. Tinha a cabeça dele no seu braço. Tentou atingir seu rosto, dar um soco de verdade. Bimbo acertava sua bunda e os seus quadris; e uma vez conseguiu atingir suas bolas, mas não com muita força. Sharon e Gina desapareceram. Jimmy desistiu de dar socos e abriu a mão; enfiou o dedo em algum lugar na cara de Bimbo e apertou. Bimbo gemeu. Ele achou um naco de carne embaixo das calças de Jimmy e enfiou as unhas. Meu Deus – era uma agonia – Jimmy soltou-o e voltou a atacar. Tentou chutá-lo, mas não conseguiu alcançá-lo. Escorregou. Arranhou o braço no balcão tentando se levantar.

E pronto; não havia jeito das coisas voltarem ao que eram.

– Vou embora – disse ele.

Desceu do furgão. Estava escuro. Podia ser qualquer hora da noite. Enxugou o rosto. Ia para casa. Não, melhor caminhar um pouco. Seus olhos estavam vermelhos. Primeiro ia tentar respirar normalmente.

Assim era melhor.

Deu a volta e caminhou em direção à avenida beira-mar. Tinha de passar pelo furgão de novo. Não olhou.

Bimbo se aproximou dele.

– Volte.

– Vá a merda.

– Vamos...

– Vá se foder.

– Jimmy...

– Vá se foder.

Bimbo continuou ao seu lado.

Bimbo só queria que ele voltasse, assim não se sentiria tão culpado; ele não precisava voltar a trabalhar para ele. Podia perguntar ao seu cu se...

Bimbo agarrou o braço de Jimmy, tentando fazê-lo parar. Jimmy voltou-se e os dois começaram a brigar de novo, aos murros, tomando ar antes de começarem. A cabeça de Bimbo acertou a boca de Jimmy.

– Desculpe...

Abraçaram-se, ainda ofegando. Tinha gente vindo do ponto de ônibus. Bimbo falou.

– Vamos tomar uma cerveja.

– OK.

❖

Beberam e ficaram olhando um para o outro. Com medo de falar. Olharam ao redor. Olharam para os copos. Para todo lugar. Quando Jimmy viu que Bimbo olhava para ele, não tirou os olhos dele até Bimbo desistir.

O ajudante do bar passou por eles.

– Dois copos – disse Jimmy.

Sua voz soou confiante agora. Não estava mais chorosa. Ele se inclinou para pôr a mão no bolso, quando viu o menino trazer a bebida na bandeja. Bimbo tentou passar à frente.

– Eu vou...

– De jeito nenhum – disse Jimmy.

Pegou os copos e passou um para Bimbo.

– Pronto.

Desejou que ninguém entrasse lá, Bertie ou Paddy. Bimbo tinha terminado seu primeiro copo. E levantou aquele que Jimmy tinha acabado de pedir.

– Saúde.

Jimmy esperou. Sentia-se muito bem agora. Estava quase feliz, de uma maneira meio infeliz. Tinha tomado a decisão, feito o que deveria ter feito muitas semanas atrás. Levantou seu copo.

– Saúde.

O menino passou por eles de novo.

– Duas cervejas, por gentileza – disse Bimbo. – Uma a mais não faz mal nenhum – disse ele a Jimmy.

Jimmy deu de ombros.

– Está certo.

– Pelos bons tempos.

– Vá se foder.

– Ah, Jimmy...

– Ah, Jimmy uma merda. Não vou voltar, sabe muito bem.

– É.

– Não tem outro jeito.

– Mas... Não, você tem razão.

O menino trouxe a bandeja com os copos.

– Pago uma indenização para você, certo? – disse Bimbo a Jimmy.

– Obrigado pela caridade – disse Jimmy.

Pensou em outra coisa.

– Vou poder comprar um furgão para vender batata frita.

Ficaram fingindo que estavam encarando um ao outro para um deles desistir primeiro. Jimmy tossiu, limpou a garganta, pensou em ir ao banheiro cuspir. Examinou a espuma no seu copo.

— O que aconteceu, Jimmy? — perguntou Bimbo.

Levou algum tempo para Jimmy compreender.

— Por que você não vai se foder, hein? — disse ele.

Agora não ligava mais para o que aconteceu. Estava acabado e pronto. Não ia perder seu tempo com a ladainha de merda sobre O Que Aconteceu.

— Duas cervejas! — gritou ele.

❖

Cinco ou seis copos depois — Jimmy tinha perdido a conta — Bimbo parecia demolido. Jimmy ainda estava firme, ele achava; acabado, sim, mas não de porre. Quase não viu a porta quando foi ao sanitário da última vez, mas estava ótimo. Nenhum sinal até agora de Bertie ou Paddy.

Bimbo estava patético, afundado ainda mais na cadeira, como se alguém o tivesse murchado como um balão. Estava lambendo o de Jimmy porque o Vamos Esquecer Tudo e Começar do Começo tinha falhado.

— Vamos, Jimmy, vamos.

Jimmy deixou a mão de Bimbo aberta sobre a mesa, esperando que Jimmy a apertasse. Bimbo tirou a mão. Jimmy não estava sentindo nada agora, mas não estava interessado em fazer Bimbo se sentir melhor. O filho da puta merecia sofrer. Devia ter se levantado e ido embora e deixado Bimbo sozinho. Mas não podia.

Bimbo contou que não sabia o que faria sem ele, contou que não seria a mesma coisa sem ele, contou que o sol, a lua e as porras das estrelas brilhavam no rabo de Jimmy; desesperado para Jimmy dar um sinal de que ainda gostava dele.

Bimbo pôs a mão de volta na mesa, mas esqueceu o que estava fazendo. O homem estava em frangalhos.

Viu Jimmy.

— O melhor... melhor... trabalhador do mundo — disse ele.

Jimmy olhou ao redor.

— Meio a meio — disse Bimbo.

Ele se endireitou.

— Vamos, o que me diz? Meio a meio?

— O que diabos está dizendo, porra?

— Meio a meio – disse Bimbo. – Metade para mim e... a outra metade... do jeito que era...
— Não.
Talvez, quem sabe...
— Não, de jeito nenhum.
— Vamos! Sócios?
— Esqueça! Que se foda; de jeito nenhum.
A cerveja estava quente. Tinha um gosto horrível.
Bimbo se afundou de novo. Bateu na mesa com os joelhos tentando se levantar. Os copos balançaram.
— Ei, cuidado!
— Desculpe...
Tentou pôr a mão na perna de Jimmy. Não alcançava.
— Jimmy... Você é meu melhor amigo...
— Não, não sou – disse Jimmy – Uma porra.
— Você é...
— Esqueça, porra. Aprendi minha lição; uma porra que sou.
Engoliu a cerveja antes de se lembrar do gosto. Bimbo estava murmurando. Jimmy ficou com o copo na boca, no caso de não conseguir manter a cerveja na barriga. Agora precisava de uma cerveja fria com urgência; então estaria tudo bem.
— Vou matá-lo – disse Bimbo.
— O quê? – perguntou Jimmy.
— A merda do furgão – disse Bimbo.
Levantou-se cambaleando. Cambaleou, mas ficou de pé.
— Vamos, Jim – disse ele. – Vamos.

❖

Bimbo dirigiu. Passou pelos cruzamentos perto da avenida a beira-mar e caiu no sono duas vezes, mas conseguiu levar o furgão para Dollymount, atravessando as dunas até a areia; da areia macia (– Vamos atolar! Não... Vamos, vamos; está se movendo) para a areia dura.
Desceram do furgão. O vento estava gostoso. A maré estava baixa, longe, bem longe.
— Vamos, Jim – disse Bimbo, e entrou no carro de novo.
— Espere aí – disse Jimmy.
Segurou no ombro de Bimbo.

— O que está fazendo?
Sabia o que Bimbo estava fazendo.
— Vai se arrepender depois – disse ele.
— Não, não vou – disse Bimbo. — Eu não.
Jimmy entrou no furgão com ele.
Alcançaram a água. Era difícil ver onde a água começava. Não havia ondas, ondas brancas, quer dizer. Jimmy ouviu. Agora estavam dentro da água. E agora via, iluminada à sua frente e dos lados; apenas alguns centímetros. Bimbo continuou dirigindo. Jimmy não estava com medo. Pararam. O furgão tossiu e morreu. Bimbo virou a chave. Jimmy olhou para baixo. Tinha água nos seus pés. Bimbo teve de empurrar para abrir a porta.
— Missão cumprida – disse ele. — Vamos, Jim.
Saiu do carro. Jimmy ouviu o *splash*. Jimmy fez o mesmo. Pôs os pés na água (Caralho!) dentro de meio metro de água, água gelada; chegava até suas bolas.
— Aahhhh, caralho, porra, merda!
Nunca se sentiu tão sóbrio na vida.
— Onde você está, seu filho da puta?
Achou Bimbo atrás do furgão, empurrando-o, tentando pô-lo mais para dentro da água, mas não movendo-o um centímetro sequer.
— Vamos, me ajude aqui!
Jimmy chegou até ele e pôs seus braços ao redor da cintura de Bimbo e o levantou para longe do furgão.
— Vamos – disse ele.
Bimbo não lutou.
Jimmy o pôs de volta ao chão.
— Vamos.
Foram andando dentro da água, de volta à praia. Jimmy olhou para trás. Só tinham entrado alguns metros. Ainda podia ver o topo das rodas do furgão; a água só tinha alcançado a parte de baixo do desenho do hamburger. Mas quando a maré subisse, o furgão ia desaparecer.
Tirou os sapatos.
— Pronto, está feito – disse Bimbo.
Sentou-se. A areia ainda com água.
— Fiz, Jimmy.
— Muito bem – disse Jimmy. — Vamos embora antes que a gente morra aqui.

Bimbo se levantou. Seguiu Jimmy. Pôs o braço ao redor dos ombros de Jimmy. Mas ele sacudiu os ombros tirando o braço de Bimbo de cima. Ele tentou de novo. Jimmy novamente tirou o braço.

Quando chegou na areia seca, Jimmy olhou para trás. Bimbo estava a alguns metros atrás dele. Ele tinha parado e virado antes de Jimmy. O furgão parecia mais afundado na água.

— Vai poder recuperá-lo quando a maré baixar de novo — disse ele a Bimbo.

Bimbo não disse nada.

Jimmy virou-se e continuou pelas dunas.

❖

Veronica acordou quando ele se despia. Ela sentiu o cheiro do mar no quarto. Estava clareando lá fora. Ele sentou-se na beira da cama ao seu lado.

— Me dê um abraço, Veronica. Preciso de um abraço.

Let's Twist Again (Mann/Appell) usada com permissão de Carlin Music Corporation, Iron Bridge House, Londres. *Barbara Ann* (Fassert) © Warner Chappell Music Ltd. Reproduzida mediante permissão. *Hippy Hippy Shake* (Chan Romero) © 1959, Jonware Music Corp., Estados Unidos. Reproduzida mediante permissão de Ardmore and Beechwood Ltd., Londres. *California Girls* (Brian Wilson) © Irving Music Inc. Usada mediante permissão de Rondor Music (London) Ltd.

Impressão e acabamento
Cromosete
GRÁFICA E EDITORA LTDA.
Rua Uhland, 307 - Vila Ema
Cep: 03283-000 - São Paulo - SP
Tel/Fax: 011 6104-1176